» LA GAJA SCIENZA «

VOLUME 1413

LA CASA SENZA RICORDI

Romanzo di
DONATO CARRISI

LONGANESI

Gruppo editoriale Mauri Spagnol

www.longanesi.it

ISBN 978-88-304-5351-7

Questo libro è stampato col sole

Azienda carbon-free

Fotocomposizione Editype S.r.l.
Agrate Brianza (MB)

Finito di stampare
nel mese di novembre 2021
per conto della Longanesi & C.
da Grafica Veneta S.p.A. di Trebaseleghe (PD)
Printed in Italy

LA CASA SENZA RICORDI

Ad Antonio e Vittorio,
i miei figli, il mio vero talento.

Comando Stazione Carabinieri
Nucleo Forestale
BARBERINO DEL MUGELLO

Alla C.A. della Legione
CC Toscana - FIRENZE
(e P.C. al Comando
Interregionale CC ''PODGORA'')

Oggetto: Avviso di scomparsa (num. di prot. 66263707070VR).

Il giorno 7 giugno 2020 - alle ore 06.23 circa - una coppia di escursionisti segnalava, con una chiamata al 112, un'autovettura abbandonata fra i boschi in località ''Valle dell'Inferno''.

In seguito all'invio di una pattuglia, al sedicesimo chilometro della Strada Provinciale 477, veniva effettivamente rinvenuta una

Fiat Panda (targata: ''CR990FR'') di colore rosso amaranto scuro. Il veicolo, parcheggiato al lato della carreggiata in direzione Passo della Sambuca, aveva le portiere e il bagagliaio aperti. Lo pneumatico posteriore sinistro risultava forato. La presenza sull'asfalto del ruotino di scorta e del cric ancora inserito sotto il pianale indicava un tentativo di sostituzione dello stesso pneumatico a opera del conducente, tentativo evidentemente rimasto in sospeso o non andato a buon fine.

All'interno dell'abitacolo venivano ritrovati numerosi effetti personali appartenenti presumibilmente a una donna e a un bambino, fra cui vestiti, coperte e altri oggetti che facevano ritenere che l'auto in questione fosse attualmente l'unico domicilio dei due.

Partendo dall'esame del libretto di circolazione, è emerso che la vettura di quarta mano è stata acquistata nel 2017 da *Mirbana Xhuljeta Laci* detta ''Mira'', nata in Albania e di anni 44. La donna, in Italia da quasi quattro anni, in passato ha svolto l'attività di badante presso alcune famiglie della zona del Mugello, mentre di recente alternava saltuarie pulizie domestiche con l'impiego di lavapiatti in una pizzeria.

La donna viveva con il figlio dodicenne di nome *Nikolin* detto ''Nico''.

Le condizioni d'indigenza in cui versava il nucleo familiare erano già note ai servizi sociali, anche per via della ripetuta inosservanza degli obblighi scolastici del figlio.

La conferma che a bordo della vettura ci fossero proprio la donna e il ragazzo è legata all'ultimo avvistamento, avvenuto alle ore 18.00 circa del giorno prima, in una stazione di servizio TotalErg, in prossimità di Piedimonte, mentre acquistavano insieme dei panini da una macchinetta automatica.

Da allora non è stato più possibile accertare notizie di madre e figlio.

In attesa di aggiornamenti, si prega di segnalare a tutte le compagnie sul territorio.

1

23 febbraio 2021

Anche quel mercoledì, l'allevatrice di cavalli si svegliò nel proprio letto senza alcun preavviso, semplicemente spalancando gli occhi. E, anche quel mercoledì, per prima cosa si voltò verso la sveglia a corda sul suo comodino ed ebbe la conferma che erano le 3.47 spaccate.

Forse avrebbe dovuto indagare sulle ragioni per cui, da qualche settimana ormai, si ridestava sempre alla stessa ora precisa, senza sgarrare nemmeno di un minuto. Una parte di lei era persuasa che ci fosse un motivo se quel numero adesso ricorreva come una strana cabala nella sua vecchiaia. Un'altra parte, però, preferiva non approfondire, poiché era convinta che, specie a una certa età, si dovesse lasciare qualche domanda inevasa. Se non altro, per scaramanzia oppure per semplice precauzione. Altrimenti sarebbe stato un attimo iniziare a interrogarsi su altre cose, ben più rilevanti. Come, ad esempio, il senso della vita o cosa succeda esattamente dopo che si muore. A ottantadue anni era meglio evitare certe questioni. Anche perché i vecchi, pur non volendolo ammettere, conoscono già tutte le risposte.

Così, il mistero delle 3.47 l'avrebbe accompagnata per il tempo che le restava ed era sicura che, il giorno in cui il suo orologio interiore si fosse sbagliato anche solo di un minuto, sarebbe stato anche quello in cui lei non si sarebbe risvegliata affatto.

A causa dell'insonnia, riusciva a dormire al massimo quattro o cinque ore per notte. Avrebbe voluto essere così a vent'anni. Invece adesso aveva molti più minuti a disposizione e quasi niente con cui riempirli. E ogni anziano sa che, anche se i secondi scorrono leggeri, i minuti sono pesanti come sassi. Così la vecchiaia era tutta una lotta fra il tempo che correva verso l'inesorabile e il tempo che, invece, non passava mai. Infatti, prima di arrivare a metà giornata, lei avrebbe già finito di occuparsi dei cavalli. Il resto era solo allenamento alla noia dell'eternità.

Ma non aveva scelta.

Perciò, come ogni mattina dopo essersi alzata, la donna infilò i piedi stanchi in un paio di stivali, indossò un giaccone verde, un Borsalino di feltro e si ficcò un toscano *Classico* nel taschino. Prima di uscire di casa, salutò con un bacio il marito nella foto di nozze in bianco e nero custodita nella vetrinetta del trumeau e accese il fuoco nella stufa di ghisa in modo da trovare un bel tepore al proprio ritorno.

Mise in moto la Lada Niva affinché il motore diesel si scaldasse, poi andò a prendere i suoi due setter dal recinto fra il maneggio e le stalle, li fece salire in macchina e si avviò con loro verso il Passo della Sambuca e la riserva naturale.

Procedeva adagio, passando dalla seconda alla terza marcia, senza forzare perché la sua Lada blu era abituata alla gentilezza. Non sentiva il bisogno di un'auto nuova, perché non era più « nuova » neanche lei e si sarebbe sentita certamente ridicola. Così come non aveva mai desiderato un altro marito, nemmeno dopo che il suo aveva deciso di precederla nel buio dell'aldilà. Certe cose erano difficili da spiegare, e il paragone tra un fuoristrada del Settantasette e l'unico uomo della sua vita era fra quelle. Si trattava pur sempre di affetto e fedeltà. Ogni volta che si metteva alla guida, ripensava con orgoglio ai complimenti dell'impiegato della Motorizzazione quando le avevano rinnovato la patente. Vista e riflessi perfetti. Che è un po' anche il segreto di un buon matrimonio. Prestare sempre attenzione e prepararsi agli imprevisti. Perché, come le aveva insegnato la mamma, il peggio arriva per tutti, sempre.

Giunse nei pressi di uno spiazzo in mezzo a un faggeto da cui iniziavano i sentieri che portavano al torrente Rovigo e alla gola conosciuta come Valle dell'Inferno. Dopo aver parcheggiato, fece scendere i cani e lasciò che si ambientassero fiutando in giro. Intanto, recuperò dal taschino il sigaro che aveva portato con sé, lo spezzò e se ne infilò una metà in bocca. Non sarebbe stato prudente accenderlo in mezzo al bosco, ma le piaceva masticarlo.

Non sapeva perché ultimamente andasse sempre lì. Avrebbe potuto scegliere altri posti, anche più belli di quello. Ma era diventata quasi un'abitudine, insieme alla sveglia delle 3.47.

Forse preferiva quel bosco perché un tempo ci andava a caccia col marito. La caccia, insieme all'amore per i cavalli, era la cosa che li aveva uniti. L'allevatrice aveva ereditato quella passione dal suo babbo che, essendo riuscito a mettere al mondo solo figlie femmine, l'aveva cresciuta come un maschio. Nessuno immaginava che un giorno si sarebbe sposata. Eppure era successo. Dopo la morte del marito, si era ripromessa di continuare con la caccia, ma le sue doppiette ora erano piombate e riposte sotto chiave da quando i nipoti adolescenti l'avevano aggredita verbalmente perché si era presentata con due belle pernici bianche per il pranzo di Natale. Per placarli, avrebbe voluto raccontare di quando, a dodici anni, aveva preso parte a una « braccata » di cinghiali, che per lei era stato come un rito di iniziazione. Proprio con la caccia aveva imparato a rispettare la natura e gli animali. E avrebbe voluto aggiungere che loro in città amavano solo cani e gatti, però poi mangiavano la carne del supermercato. Ma alla fine quel giorno se n'era tornata a casa, umiliata e sconfortata, sapendo che quella tradizione di famiglia sarebbe scomparsa insieme a lei.

Però i setter non si potevano certo far piombare dalla questura come fucili! In qualche modo, bisognava fargli sfogare l'istinto, povere bestie. Il rischio era che si « imballassero », come accadeva spesso ai cani da riporto, che impazzivano perché non avevano più prede da cercare. Ecco perché ogni giorno l'allevatrice di cavalli si recava in quei luoghi e lasciava i setter liberi di scorrazzare, per dare almeno a loro l'illusione di avere ancora uno scopo. Anche quel mattino, spostò con la lingua il sigaro spento a un lato della bocca, quindi emise un fischio breve e deciso.

Al comando, i due setter scattarono simultaneamente e sparirono nella boscaglia.

Dopo qualche secondo, svanirono anche il suono della corsa tra le fronde e il crepitio delle foglie dei faggi. Mancava ancora un po' al sorgere del sole, ma l'aria iniziava a riscaldarsi e si condensava già in una nebbiolina di rugiada luminescente, come se la natura presagisse il giorno. Certe accortezze, certi dettagli stupivano da sempre la donna, nella tomba le sarebbero mancate tutte le piccole perfezioni del Creato. Allora trasse un profondo respiro di resina e terra umida, mosse un passo di lato e, contemporaneamente, liberò gli intestini da una rumorosa scorreggia, perché uno dei vantaggi della vecchiaia era proprio la possibilità di dissacrare la perfezione del Creato. Si stava godendo la quiete indifferente di quel tempo immobile, incurante di quanti momenti come quello le restassero ancora, quando fu colta da una strana sensazione, mai provata prima.

Il presentimento di non essere sola.

Non era soltanto un sospetto, era una certezza. Non sapeva da dove le derivasse. Durò appena un istante e, prima che potesse spiegarsene la ragione, avvertì di nuovo i cani in lontananza e tornò con lo sguardo nella direzione in cui si erano allontanati.

Abbaiavano forsennatamente.

All'inizio, pensò che avessero scovato una lepre imprudente che aveva abbandonato la tana prima dell'alba per procurarsi del cibo. Ma, in quel caso, li avrebbe già dovuti vedere riapparire baldanzosi e con la preda fra i denti.

Invece, i due setter stranamente non tornavano.

Allora, per richiamarli, si infilò due dita in bocca e rilasciò un fischio forte e prolungato. Niente: continuavano a latrare, nervosi. Ben presto, iniziarono a ululare. La donna capì che cercavano di attirare la sua attenzione.

E comprese anche che nel bosco c'era qualcosa che li tratteneva.

Senza indugiare, tornò verso la Lada e recuperò una torcia elettrica dal vano portaoggetti, poi s'inoltrò nella fitta vegetazione.

Si faceva largo come poteva con le mani callose, un ramo le graffiò una guancia ma lei nemmeno se ne accorse perché, oltre che dal verso delle sue bestie più care, a causa della sensazione provata poco prima era guidata dall'ansia, e pregò lo stesso Dio a cui non aveva mai creduto che i suoi timori fossero infondati, un prodotto della fantasia alimentato dalle paure dell'età.

Puntando la luce davanti a sé, la donna riuscì a riconoscere nell'intrico degli arbusti le ombre dei setter che si muovevano freneticamente marcando un cerchio, come se avessero messo in trappola qualcosa.

Quando fu a una distanza adeguata, sollevò la torcia verso di loro.

La preda era un bambino.

La donna si arrestò di colpo, le cadde il cappello. Lo guardò meglio. Poteva avere undici o dodici anni e se ne stava impassibile. Sbuffi di vapore si formavano davanti alla sua bocca a ogni respiro. Dietro quella coltre opaca s'intravedeva un lungo caschetto di capelli biondi, con la frangia da cui spuntavano due pupille di un azzurro glaciale, distante. Aveva la pelle diafana, sottile come carta velina, che lasciava intuire le vene sottostanti. Sembrava fatto di cera. Indossava abiti invernali ma teneva le braccia strette in petto e tremava per il freddo. I suoi occhi riflettevano la luce della torcia. C'era qualcosa di strano, poi lei capì.

Non sbatteva le palpebre.

La donna non avrebbe mai più dimenticato quello sguardo. La domanda più logica da farsi era cosa ci facesse tutto solo in mezzo al bosco in piena notte. Ma poi, anche se non aveva molto senso, comprese di aver paura della risposta. Allora chiese: «Ti sei perso?»

Il bambino di cera seguitava a fissarla, muto e inespressivo.

«Come ti chiami?»

Nessuna reazione.

Intanto i cani continuavano ad abbaiargli contro. La donna fischiò energicamente per richiamarli all'ordine, ma quelli non smettevano. Ci riprovò, ma ignoravano il comando. E l'unica spiegazione che le venne in mente fu: *Hanno paura.* Sarebbe stato più logico il contrario, invece era una scena surreale poiché il bambino appariva assolutamente innocuo.

« Basta! » urlò allora e si avvicinò a uno dei due animali, sollevò una mano e lo colpì leggermente sul muso. Il setter si ritirò dietro le sue gambe e anche il compagno fece lo stesso. Tremavano. Per calmarli, la donna prese dalla tasca del giaccone qualche pezzo di lardo secco e glielo diede. « Ti porto al mio casale e da lì avvertiamo qualcuno, d'accordo? » suggerì, poiché lì i cellulari non prendevano e perciò era inutile portarseli appresso.

La proposta non provocò alcuna replica.

« Avrai fame » ipotizzò allora l'allevatrice di cavalli. Stavolta, senza attendere un responso, si chinò per recuperare il cappello, lo spolverò con calma dal terriccio, poi si voltò incamminandosi per tornare indietro. Sperò che lo stratagemma funzionasse, perché non aveva altre idee per risolvere la faccenda. E, onestamente, la cosa cominciava a spaventare anche lei. Poi avvertì dei passi dietro di sé e capì che il bambino la stava seguendo.

I cani, però, erano sempre agitati.

Lungo il tragitto per rientrare all'allevamento, il bambino continuò a non dire una parola. Sembrava stranamente tranquillo, imperturbabile. Come se non fosse umano. Era arrivato da un altro mondo, non c'erano dubbi. E mentre poco dopo lo guardava mangiare silenziosamente pane e latte, seduto per terra a gambe incrociate davanti alla stufa accesa, la donna ripensò a ciò che aveva provato prima del loro incontro: la certezza di non essere sola. E pensò che quel bambino era la morte.

Sì, la morte se ne andava a spasso per i boschi del Mugello e aveva preso le sembianze di un bambino.

Ed era sempre lei che nelle ultime settimane l'aveva svegliata ogni giorno alle 3.47, proprio per prepararla al loro incontro. Ed era ancora lei che la invitava a recarsi alla Valle dell'Inferno, perché quello era il luogo scelto per l'appuntamento.

La morte la stava aspettando e adesso lei se l'era portata addirittura a casa. E fra poco, terminata la merenda, avrebbe finalmente parlato, annunciandole con voce innocente ciò che nessun essere umano vorrebbe mai sentirsi dire.

Che era giunto il suo momento.

Dopo aver chiamato l'uno-uno-due, mentre era in febbrile attesa che qualcuno venisse a liberarla da quella presenza che la turbava, la donna cercò conforto nello sguardo del marito defunto nella foto di nozze del trumeau. Lui avrebbe saputo cosa fare. Fu in quel momento che ebbe una specie di epifania e si ricordò di una cosa. Non ne era sicura, ma da quelle parti se n'era parlato per un po'.

Si recò nel gabinetto esterno dove, per terra accanto alla tazza, c'era una pila di vecchi giornali locali. Si mise a rovistare fra quelle carte, finché non scovò la copia di un quotidiano che risaliva all'inizio dell'estate precedente. Si stupì di sé stessa e della propria memoria, perché fra quelle pagine c'era proprio ciò che stava cercando. Si fermò a pensare. Improvvisamente, l'idea che quel bambino avesse a che fare proprio con la morte non le sembrò poi così balzana.

C'era solo un modo per scoprire se si stava sbagliando. Tornò dal suo silenzioso ospite con il ritaglio di cronaca fra le mani.

« Nico? » lo chiamò, con tono neutro.

Il bambino smise di mangiare. Poi si voltò a fissarla.

2

« Ho ancora la sabbia appiccicata ai piedi » constatò Lavinia. « Forse dovevo sciacquarmeli prima di entrare in casa, adesso la spargerò ovunque. »

« Non fa niente » le disse Pietro Gerber.

« Spero di aver messo abbastanza crema solare, perché l'anno scorso mi sono scottata di brutto » si preoccupò la ragazzina.

« È tutto a posto » la rassicurò. Poi, nel tentativo di distrarre la sua ansia, spostò l'attenzione su qualcos'altro. « Hai fatto una bella nuotata? »

« Oh, sì » gli confermò, contenta. « Una *luuunga* nuotata fino alla boa. »

Era uno dei motivi per cui l'aveva portata al mare, sapeva che nuotare la calmava.

« Perché siamo venuti qui? » domandò, sospettosa.

« Perché è importante ricominciare dall'inizio... »

Lavinia soppesò le sue parole. « Ricominciare dall'inizio » ripeté.

« Non ero mai stato nella tua stanza prima d'ora » riprese lui, per non perdere il filo.

Lei si guardò intorno. « Una volta questa era la camera di mamma, quando aveva la mia età. Ho lasciato tutto com'era, non ho toccato nulla. »

« Perché l'hai fatto? »

« Perché sapevo che lei ci teneva ed ero preoccupata che potesse dispiacerle se avessi cominciato ad attaccare i miei poster in giro, o a togliere le sue cose dalle mensole. Come la collezione di conchiglie, per esempio. »

« Raccontami qualcosa su questa casa, ti va? »

Lavinia ci pensò su. « È la villa della nonna, anche lei veniva al Forte da bambina... Credo che questa casa l'abbia costruita il suo babbo che fabbricava navi. »

« Allora è molto antica. »

« Sì, mi sa che c'è un nome per definire le vetrate coi grandi fiori colorati e i muri dipinti con le piante rampicanti. Nonna me lo diceva sempre... »

« Vuoi dire che è in stile Liberty. »

« Proprio quello! Ce l'avevo sulla punta della lingua! » Le scappò un sorriso di fossette.

« Da quanto tempo non tornavi qui? » domandò lo psicologo infantile.

La ragazzina, però, sviò l'argomento. « C'era molta gente in spiaggia, oggi » disse. « Al bagno Annetta era pieno di famiglie e di bambini, ce n'era uno che costruiva un castello di sabbia accanto al nostro ombrellone. »

Gerber ponderò che forse per Lavinia non era ancora arrivato il momento di affrontare il vero motivo per cui si trovavano lì, e decise di assecondarla. « Ti sta bene quel bikini turchese. »

« Davvero? » chiese, lusingata.

« Davvero » confermò.

« Veramente, se non avesse insistito lei non l'avrei

mai indossato. Mi vergognavo un po' perché dovrei perdere almeno un paio di chili: guardi qua che rotoli di ciccia.»

«Invece penso che sia perfetto per te, sai?»

Lavinia aveva quattordici anni e la ragione per cui la madre l'aveva mandata in cura da Pietro Gerber era che lei non riusciva più a vedersi com'era realmente. Uno scricciolo di ossa che pesava a malapena trenta chili. Lo psicologo, però, non era sicuro che la terapia stesse funzionando. Nel corso delle innumerevoli sedute, aveva individuato una specie di barriera dentro di lei. Era stata la stessa Lavinia a erigerla. Poco a poco, Gerber era riuscito ad avvicinarsi. Era fatta di grasso immaginario e le era indispensabile a impedire che il dolore la invadesse. Insieme a quello, però, ostruiva il passaggio a tutto il resto, anche al cibo che le sarebbe servito per sopravvivere. Togliere il blocco avrebbe provocato una catastrofe. Invece di rimuoverlo, Gerber voleva che Lavinia guardasse oltre lo sbarramento.

Ciò che l'attendeva dall'altra parte, però, non sarebbe stato piacevole.

Tuttavia, al momento il problema principale del dottor Gerber era che la ragazzina si era dimostrata refrattaria all'ipnosi. Per questo aveva chiesto a sua madre il permesso di portarla nella casa al mare dove Lavinia, per sua stessa ammissione, aveva trascorso alcuni dei momenti più belli della sua pur breve esistenza. «Chi dorme nella stanza accanto?» domandò il terapeuta.

« A destra c'è la nuova camera di mamma » rispose subito la ragazzina.

« E a sinistra cosa c'è? »

Lavinia si rabbuiò. « Niente, non c'è niente » si affrettò a dire. « Quella stanza è vuota. »

« Ne sei sicura? » la incalzò Gerber. « Perché non andiamo a controllare? »

La ragazza ci pensò su. « Adesso non mi va. »

« Avanti, dammi la mano: ti accompagno, lo facciamo insieme. Non mi sembra un'impresa difficile... »

« Va bene » concesse timidamente lei.

Per Gerber era un importante traguardo. Lasciò che fosse lei a guidarlo, si limitò a seguirla.

« È chiusa » constatò Lavinia appena giunsero di fronte alla porta.

« Ma nella serratura c'è la chiave, vedi? » la incoraggiò lo psicologo.

Lavinia, però, non si decideva.

« Che c'è? » le domandò, anche se conosceva la risposta. Ciò che avevano di fronte non era semplicemente una porta, ma un confine. La stanza proibita. Se Lavinia fosse entrata là dentro, la sua vita sarebbe cambiata per sempre. E lei non era disposta a farlo. Non ancora.

Si rivolse a lui con un tono quasi rabbioso. « E lì dentro cosa accadrà, proverà a ipnotizzarmi come le altre volte? Magari userà qualche nuovo trucchetto... »

« Ti ho già spiegato come funziona: io non ho questo potere, sei tu che decidi. Se tu non lo vuoi, io non posso entrare nella tua mente. »

Il suo respiro accelerò. Stava fissando la porta chiusa, Gerber lo sapeva.

« Non voglio più stare qui, andiamo via » affermò, decisa.

« Prima o poi dovrai aprire quella porta, Lavinia. Lo sai anche tu. »

« Non oggi, non adesso. »

Ma Gerber volle insistere. « Cosa c'è in quella stanza? E perché ti spaventa tanto? »

« Non stavolta, la prego. » Il tono si era fatto supplichevole.

« Non può accaderti nulla, sei qui con me » provò a rassicurarla.

Ancora un breve silenzio, poi la ragazzina domandò: « È vero che la chiamano l'addormentatore di bambini? »

« Sì » ammise l'ipnotista.

« Come faccio a sapere che ciò che vuole farmi non mi farà male? »

Gli stava chiedendo se poteva fidarsi di lui. Era un notevole passo avanti. « Voglio svelarti un segreto, d'accordo? »

« Va bene » disse lei, più rilassata.

« Che giorno è oggi? »

La domanda la colse di sorpresa. « Non ne sono sicura... » ammise, confusa. « Però credo che sia febbraio. »

« Infatti » le confermò. « E non ti sembra strano che a febbraio faccia tutto questo caldo e che tu abbia fatto addirittura un bagno al mare? »

« In effetti, sì » concordò la ragazzina. Poi, improvvisamente, comprese. « Non siamo alla villa di Forte dei Marmi... *Siamo nella mia testa...* »

Gerber non disse nulla.

« Non è possibile » continuò lei, incredula. « È tutto così... *reale.* »

« La tua mente è il posto più sicuro della terra in questo momento, Lavinia. Credimi, qui non può accaderti nulla di male. »

« È questo che intendeva poco fa quando ha detto che dovevamo ricominciare dall'inizio? »

« Sì » ammise.

« Non mi piace stare qui, non mi piace questo inizio. » La ragazzina cominciò ad avere l'affanno, stava andando in iperventilazione. « Voglio andare via, come si esce da qui? »

Purtroppo l'esperimento non stava dando i frutti sperati e Gerber non poteva forzarla a restare. « D'accordo, come vuoi » affermò con tono pacato. « Adesso sentirai un suono, non dovrai avere paura. »

« Lo sento » confermò la ragazzina.

Era un battito metallico regolare. Era sempre rimasto in sottofondo solo che, a un certo punto, si era inabissato nell'inconscio di Lavinia insieme alla percezione della realtà.

« Conteremo insieme al contrario, partendo dal numero dieci... Sei pronta? »

« Sì. »

3

Prima che il conto alla rovescia terminasse, Lavinia aveva già riaperto gli occhi. Smise di cullarsi sulla sedia a dondolo e si guardò intorno con aria spaesata. Lo studio nella soffitta. La libreria. Il tappeto rosso cosparso di giocattoli. Il caminetto acceso. Le travi sulla volta. La luce grigia di un pomeriggio piovoso che filtrava dalle tende tirate: da una fessura s'intravedeva in lontananza piazza della Signoria.

Gerber allungò una mano verso il tavolino accanto a sé e spense il metronomo elettronico. Il battito che li aveva riportati indietro come la fune di un palombaro scomparve, lasciando il posto al crepitio del fuoco. « Non alzarti, non ancora » le raccomandò, per evitare che avesse un capogiro. « Come ti senti? »

« Bene... Sì, sto bene... » ribadì lei, confermandolo anche a sé stessa. Poi, con le spalle ancora appoggiate allo schienale della sedia a dondolo, si voltò verso lo psicologo e, per qualche istante, sembrò volerne studiare l'aspetto. Maglione aragosta, occhialini e capelli arruffati. Forse voleva capire se fosse reale. « Come è successo? » domandò. « Non me ne sono nemmeno accorta... »

Era la prima volta che Lavinia si abbandonava completamente all'ipnosi.

« Infatti era importante che non te ne rendessi conto » le confermò Gerber. « Ma non è successo oggi, c'è voluto tempo. Hai fatto tutto da sola: ogni seduta, un gradino. »

« E adesso cosa accadrà? » chiese, con timore.

« Hai visto la porta. Prima o poi, troverai anche la forza per aprirla » le assicurò l'ipnotista, alzandosi dalla poltrona per andare a spalancare le tende della finestra: dietro lo schermo dei vetri opachi di umidità, Firenze giocava a nascondersi.

« E se non dovesse succedere mai? »

Era una domanda che Gerber rifiutava di porsi perché, se Lavinia non avesse trovato il coraggio necessario ad abbassare la maniglia, si sarebbe portata appresso per il resto della vita l'entità malevola che abitava al di là della soglia. « Ci inventeremo qualcosa » la rassicurò, evitando di fatto una risposta.

Lavinia guardò l'ora: « Mamma verrà a prendermi fra poco, forse è già di sotto che mi aspetta. Ho nuoto e poi devo finire i compiti ».

Gerber notò che in un istante la ragazzina aveva riacquistato il suo solito umore, gentile e apparentemente sereno. I bambini possedevano un incredibile potere, una specie di capacità di « autoripararsi ». Ma non sempre funzionava, spesso era solo apparente. Lo psicologo le tese un braccio e l'aiutò ad alzarsi. Prendendole la mano gli sembrò leggerissima, come un palloncino che sta per volare via. « Ci vediamo giovedì dopo la scuola, d'accordo? »

La ragazzina annuì, poi s'infilò la giacca che aveva

lasciato sull'attaccapanni, recuperò lo zaino con i libri che era appoggiato a terra e si avviò con un sorriso. « Arrivederci, dottor Gerber. »

La vide immettersi nel corridoio e passare per un istante davanti alla porta di fronte: Lavinia ignorava che anche nell'esistenza del suo terapeuta c'era una stanza chiusa. Gerber evitava di entrare nello studio del *signor B.* E, negli ultimi cinque anni, non aveva nemmeno trovato la forza di svuotarlo o di destinarlo a qualcos'altro. Aveva rinnegato il padre ma, dopo la sua morte, aveva lasciato tutto com'era.

« Prendi una mela dal cesto » le urlò dietro, mentre la sentiva correre verso l'uscita. Ce n'erano sempre di fresche in anticamera, a disposizione dei piccoli pazienti.

« Va bene » rispose l'altra, di rimando.

Quando il silenzio gli fece capire di essere solo, l'ipnotista tornò alla sua Eames Lounge Chair in pelle nera e palissandro che ormai aveva acquisito le sue forme, col risultato che nessun altro la trovava comoda. Riprese la stilografica e anche il taccuino nero assegnato al caso di Lavinia e iniziò a scrivere.

Seduta del 23 febbraio 2021

Note

Dopo quasi tre mesi di terapia, Lavinia ha registrato un progresso: mi ha permesso di guidarla in un ambiente familiare in cui si sente al sicuro.

Tuttavia, dimostra di non essere ancora pronta: una parte di lei si ostina a rimuovere un pezzetto importante del passato. Ma evitare il ricordo non è più frutto di un compromesso con sé stessa per andare avanti, è diventato un vero e proprio esercizio di sopravvivenza.

A questo punto, per quanto possa essere rischioso per la sua fragile psiche, è indispensabile procedere su questa strada e anticipare gli eventi.

Il fantasma che abita dentro di lei, prima o poi, farà sentire la propria presenza.

Gerber richiuse il taccuino ma rimase seduto sulla poltrona. Sollevò istintivamente lo sguardo verso la lampadina rossa sul soffitto, proprio davanti alla sua postazione. Era collegata a un pulsante dello stesso colore che si trovava su una parete dell'anticamera. Il patto coi suoi pazienti era che, una volta arrivati, non erano costretti a iniziare subito la terapia. Potevano attendere lì e, quando si sentivano pronti, bastava premere quel bottone e Gerber andava ad accoglierli.

Ma quello con Lavinia era l'ultimo appuntamento della giornata.

L'ipnotista si era tenuto dello spazio libero in agenda per scrivere un articolo per una rivista di psicologia, ma scoprì di non averne affatto voglia. Voleva solo tornarsene a casa, presentarsi con dei fiori per Silvia e trascorrere la serata a fare combattimenti di dinosauri insieme al figlio Marco, di tre anni e mezzo. Anche il tappeto ai suoi piedi era disseminato di giocattoli, matite e libri da colorare, ma quelli servivano a creare l'illusione che lo studio fosse un posto sicuro per un bambino. Spesso, però, non lo era.

Proprio là dentro molti di loro incontravano i propri demoni.

Si alzò dalla poltrona rincuorato dalla decisione di andar via e aprì un'anta della libreria dietro la quale erano perfettamente allineati i taccuini con l'anonima copertina nera in cui annotava le sedute coi pazienti. Vi ripose anche quello di Lavinia.

Di lì a poco si sarebbe assicurato che tutte le luci della soffitta fossero spente ma, richiuso lo sportello del mobile, andò subito a smorzare il fuoco nel camino: non era prudente lasciare fiamme libere con tutte quelle travi in legno. E tante volte lui se n'era dimenticato, perché sovrappensiero. Lunatico, avrebbe detto Silvia. Mentre sparpagliava i tizzoni ardenti con l'attizzatoio, Gerber ripensò a tutte le volte che le esortazioni della moglie avevano evitato che combinasse qualche guaio. Gli parve di sentire nuovamente la porta d'ingresso aprirsi e poi richiudersi.

«Lavinia?» domandò, pensando che la ragazzina avesse dimenticato qualcosa e fosse tornata indietro.

Nessuno gli rispose.

Il vento, pensò. Riprese ad armeggiare col caminetto rammentando che c'era un fiorista proprio all'angolo della via e che magari, dopo cena e dopo aver messo a letto Marco, lui e Silvia avrebbero potuto guardare insieme un vecchio film e coccolarsi un po' sul divano. Ma fu distratto dal silenzioso lampo rosso che entrò nel suo campo visivo per una frazione di secondo.

Si voltò verso la lampadina sul soffitto. L'accensione non si ripeté. Ma stavolta non poteva essere stato il vento.

Si rimise in piedi e si ripulì le mani con l'intenzione di andare a controllare.

Si affacciò nel corridoio: era deserto. Allora si avviò verso l'anticamera, deciso a risolvere l'arcano. Svoltò l'angolo e non trovò nessuno. Il pulsante rosso riservato ai pazienti lo fissava come un occhio immobile che spuntava dal muro. Si diresse alla porta, la spalancò e controllò fuori, ma sul pianerottolo c'era soltanto lui. Si accorse che il suo istinto si aspettava almeno di udire rumore di passi per le scale. Invece niente. Si sporse oltre la balaustra, ma nell'oscurità sottostante non riuscì a intravedere nulla.

«Chi c'è?» si ritrovò a domandare al silenzio, con tono prudente, come se davvero un eventuale intruso avesse un impellente bisogno di rispondergli. La sua voce riecheggiò nell'ambiente desolato, Gerber si rese conto di essere in preda a un batticuore infantile e un po' se ne vergognò.

Rientrò nella soffitta e riaccostò la porta, assicurandosi che stavolta fosse ben chiusa. Scosse il capo, divertito. Si disse che si era trattato di uno scherzo della mente: quante volte aveva dovuto raccomandare ai suoi piccoli pazienti di non credere sempre a tutto ciò che vedevano? Erano gli strascichi della seduta con Lavinia, poiché spesso anche per l'ipnotista esisteva un certo grado di coinvolgimento nella *trance*. Ma, mentre si apprestava a tornare nello studio, gli cadde casualmente lo sguardo sul cesto di mele dell'anticamera. Si avvicinò per capire se anche ciò che aveva davanti agli occhi fosse un prodotto della sua immaginazione. Quando prese la mela che stava in cima alle altre, si accorse che invece era reale.

Qualcuno aveva infilzato il frutto con un ago da cucito da cui pendeva un lungo filo di cotone blu.

4

Anche se erano appena le cinque del pomeriggio, il buio invernale era già calato su Firenze, strisciando fra i vicoli e le strade del centro storico come una bava nera e brillante.

Mentre percorreva via dei Calzaiuoli sotto una pioggerellina sottile, stretto nel vecchio trench Burberry e con un mazzo di tulipani gialli fra le mani, Pietro Gerber non poteva fare a meno di ripensare all'ago col filo blu nella mela. La testardaggine dell'uomo razionale si rifiutava anche soltanto di considerare che quel gesto, irresponsabile e pericoloso, fosse collegato alla strana sensazione di aver udito qualcuno entrare e uscire rapidamente dalla soffitta.

No, era dipeso certamente da qualcos'altro.

Le mele erano fresche, le aveva acquistate da una piccola bottega di ortofrutta e sistemate lui stesso nel cesto quella mattina. E non c'erano aghi, ne era sicuro. L'unica spiegazione era che si trattasse di una specie di scherzo di qualche piccolo paziente o, peggio, l'atto consapevole di un accompagnatore adulto. Cominciò a esaminare la posizione di quelli che si erano succeduti nello studio durante la giornata. Escluse subito Filippo perché aveva solo cinque anni e, per indole remissiva, era incapace di pianificare una simile azione. Suo padre era un possibile sospetto: aveva perso da poco il lavoro ed era molto stressato. Ma poi Gerber rammentò che l'uomo gli aveva affidato il figlio e si era allontanato subito, senza nemmeno entrare, approfittando della seduta per sbrigare alcune commissioni. Camilla non aveva avuto il tempo di fermarsi in anticamera: Gerber l'aveva accolta sul pianerottolo e l'aveva riaccompagnata da basso dove l'attendeva la nonna che aveva difficoltà a salire le scale a causa dell'artrosi. Martin, di dieci anni, era venuto da solo; poteva essere stato lui, ma Gerber non riteneva di poterlo annoverare fra i papabili perché era ancora in una fase di dolorosa elaborazione del lutto per la morte di entrambi i genitori in un incidente stradale. Infine c'era Lavinia ma, anche in quel caso, lui si rifiutava di prenderla in considerazione poiché la ragazzina era portata a fare del male più a sé stessa che agli altri.

Quei bambini venivano da lui per superare un trauma, un disturbo alimentare o del comportamento o dell'umore. La vita li aveva già messi pesantemente alla prova e loro non possedevano ancora gli strumenti per affrontare le trappole dell'esistenza. Pietro Gerber sapeva bene che spesso, per genitori o parenti disperati, la terapia con l'ipnosi era l'ultima risorsa a cui appellarsi. Perciò ora gli procurava un certo disagio dover guardare i suoi fragili e sventurati pazienti in quella nuova luce.

Al momento, la sua unica consolazione era che, grazie al cielo, andando via dallo studio nessuno aveva preso dal cesto la mela con l'ago. Invece di sbarazzarsene, tuttavia, l'ipnotista si era appuntato l'ago sul bavero dell'impermeabile: voleva mostrarlo a Silvia per avere un suo parere. L'avrebbe lasciato lì come memento, finché non fosse venuto a capo dell'enigma. Tuttavia, aveva già compreso che avrebbe dovuto chiudere sempre a chiave la porta d'ingresso della soffitta quando era all'interno.

Mentre cercava di smorzare la propria ansia, Gerber svoltò per via dell'Oche dove, per uno scherzo urbanistico, nell'eco sembrava ancora di udire lo starnazzo degli animali che davano il nome alla strada, poiché anticamente nel giorno di Ognissanti lì si teneva proprio una fiera di oche. Costeggiando un palazzo nobiliare del Trecento e la torre medioevale che apparteneva alla consorteria dei Visdomini, sbucò in via dello Studio dove, dal 1860, aveva sede Pegna. In origine era una fabbrica di prodotti chimici che, chissà come e perché, nel tempo aveva iniziato a proporre alla propria clientela anche generi alimentari. Così alla mesticheria, in cui si trovavano colle e vernici, si era presto affiancata una rinomata rivendita di leccornie di ogni tipo. Pietro Gerber ci veniva da bambino con il *signor B.* e capitava, per esempio, che il padre acquistasse una cera per lucidare le cornici dei quadri e che poi tornassero a casa anche con un sacchetto di preziose caramelle ripiene di rosolio.

Passando davanti al negozio, Gerber pensò che là dentro c'era certamente qualcosa che Silvia avrebbe gradito insieme ai fiori.

Poco dopo, si fece confezionare un cabaret con prosciutto di cinta senese e pecorino stagionato nella paglia. Sarebbe stata una bella sorpresa per la moglie vederlo rincasare prima del solito, carico di doni inaspettati. E avrebbero aperto insieme una bottiglia di Brunello.

Si prospettava una serata perfetta.

Gerber era convinto che simili accortezze fossero necessarie a mantenere vitale anche un matrimonio collaudato. Come tutte le coppie, in quasi cinque anni, lui e Silvia avevano avuto alti e bassi, però niente di irreparabile. Fino al « caso Hall ». Così lo chiamavano, come a voler mantenere una distanza di sicurezza dagli eventi che avevano messo a repentaglio il loro rapporto. In quell'occasione, Gerber aveva allontanato moglie e figlio, ma solo per proteggerli dall'invadenza di una misteriosa paziente, l'unica adulta che avesse mai avuto in cura. Però Silvia si era rivelata più matura e responsabile di lui e, con la sua lungimiranza e forza di volontà, aveva assunto il controllo della crisi impedendo che il loro legame andasse in pezzi.

Quando quella sera varcò la soglia della propria abitazione, animato dai migliori propositi, Pietro Gerber si ritrovò davanti una scena imprevista.

Nell'ingresso c'era un vaso con dentro dei tulipani gialli identici a quelli che stringeva fra le braccia.

Mentre si domandava come fosse possibile, fu accolto dal gelo della casa e da un impenetrabile silenzio. Un'improvvisa sensazione di vuoto intorno a sé. Una serie di dubbi lo assediarono e lo fecero vacillare.

Perché non c'è nessuno? Dove sono finiti tutti? Cos'è successo? Poi dal buio gli venne incontro, con un grido muto, lo spettro dell'amara realtà.

Da quando lui li aveva mandati via, Silvia e Marco non erano più tornati indietro.

5

La rimozione forzata del ricordo era una tecnica di autoipnosi molto pericolosa. Soprattutto perché, in fondo, si trattava solo di un rimedio temporaneo.

Ogni mattina, prima di uscire di casa, Pietro Gerber si sottoponeva ad alcuni esercizi di straniamento: attraverso la respirazione, si poteva allenare la mente ad allontanare la causa del dolore e a confinarla in un angolo remoto della psiche. Non sempre funzionava. Ma era l'unico modo che Gerber conoscesse per evitare di ricorrere ai farmaci, psicotropi o antidepressivi, che non gli avrebbero consentito di proseguire in maniera proficua il proprio lavoro coi pazienti.

Li ho portati io i fiori del vaso. È successo ieri sera, si disse, ricordando.

Poi s'inoltrò nell'appartamento con le volte affrescate, situato nell'antico palazzo del centro storico. Mentre attraversava nell'oscurità le stanze vuote, la restante verità riaffiorava dentro di lui, pezzo dopo pezzo. Silvia si era trasferita a Livorno, aveva chiesto e ottenuto il divorzio e viveva con un nuovo compagno. I loro rapporti attualmente erano rispettosi ma ridotti al minimo. Il tribunale aveva stabilito che Gerber poteva tenere il figlio con sé per due fine settimana al mese. Ma, dopo un paio di occasioni in cui il bambino aveva palesato il disagio di stare con lui nella vecchia casa di Firenze, il padre, d'accordo con l'ormai ex moglie, aveva deciso di optare per delle semplici visite domenicali.

La causa di tutto era stata Hanna Hall.

Con la sua apparizione, l'esistenza di Pietro Gerber era andata in frantumi. Si era trattato di una vera e propria deflagrazione ma al rallentatore, così lui aveva potuto seguire, istante dopo istante, ciò che stava avvenendo intorno a sé ma senza poterlo fermare. E, quel che era peggio, Hanna Hall era sparita nel nulla prima che Gerber potesse ottenere da lei tutte le risposte. E ora l'ipnotista era rimasto con una serie di interrogativi irrisolti che lo perseguitavano.

La scoria che si accompagnava alla devastazione era una cupa solitudine.

Gerber si sbarazzò dei tulipani gettandoli nella spazzatura e si aprì una bottiglia di vino. Portandosi appresso il piccolo vassoio con il prosciutto e il formaggio, si rintanò esausto sul divano in soggiorno e azionò il videoregistratore.

Silvia aveva comprato una vecchia videocamera in un mercatino dell'usato e per un periodo si era messa in testa che i loro ricordi di famiglia avrebbero avuto la stessa grana e la stessa luce di quando lei e Pietro erano piccoli, negli anni Novanta. La videocassetta, destinata a Marco, alla fine era rimasta a Gerber come unico cimelio di quello che sembrava un grande amore.

La guardava tutte le sere. Senza volume, perché così faceva meno male.

Quarantacinque minuti scarsi di spezzoni. Su quel nastro c'erano un paio di compleanni, qualche gita domenicale, le vacanze al mare, anche un Natale. Sottratti allo scorrere del tempo prima che la videocamera si rompesse irreparabilmente, come tutto il resto.

Qualcun altro avrebbe considerato la visione di quel filmato una tortura evitabile. Guardandolo, Gerber non rincorreva più l'impossibile desiderio di far tornare le cose come prima. In quei fotogrammi, l'ipnotista cercava sempre un dettaglio sfuggito, un indizio che gli segnalasse ciò che non aveva funzionato, l'errore commesso, la crepa che anticipava il crollo. Come se queste cose si potessero ancora correggere ma solo nel passato, come se lui possedesse la formula magica per riavvolgere il tempo.

Pietro Gerber conosceva la causa della fine del proprio matrimonio, solo che non si trovava in quel video e lui lo sapeva bene, anche se non voleva ammetterlo.

Perciò, alla fine, si sarebbe accontentato di mettere in guardia le persone che sorridevano sullo schermo. Avrebbe voluto avvertire sé stesso e Silvia e Marco di ciò che stava per accadere, così perlomeno loro tre si sarebbero salvati e avrebbero potuto continuare a essere felici almeno lì.

Ricominciare dall'inizio. Non era così che diceva sempre ai suoi giovani pazienti? Anche a Lavinia, poco prima, aveva ribadito la necessità di tornare indietro. Ma per sé stesso non ne aveva il coraggio e, quando con l'autoipnosi riavvolgeva la propria memoria come fosse una videocassetta, si fermava sempre un attimo prima che tutto cominciasse a precipitare.

Perché ciò che avrebbe voluto rivivere all'infinito non era il passato, ma quel preciso momento. Quando tutto era perfetto.

Consumò il pasto con lo sguardo perso nel televisore, lasciando che l'alcol addomesticasse lentamente l'angoscia e rendesse la visione tollerabile. Si ritrovò a pensare a tutte le volte in cui, seduto in quello stesso posto, aveva atteso che Silvia tornasse dalla cameretta di Marco, dopo averlo fatto addormentare. I suoi passi che si avvicinavano nella penombra del corridoio, la sua apparizione sulla soglia. Spesso l'aveva attirata a sé con un pretesto e avevano fatto l'amore proprio lì, fra quei cuscini. In fretta, col timore che il figlio si svegliasse, interrompendoli. In quel momento, immaginò di scostarle i capelli dalla nuca, affondando il viso nel suo collo caldo, e di baciarla lungamente. Vide la moglie tirare indietro il capo e, contemporaneamente, socchiudere gli occhi e abbandonarsi alle sue carezze. Si figurò mentre le sbottonava la camicetta e le accarezzava un seno. E sentì la mano di lei infilarsi nei suoi pantaloni e iniziare a massaggiarlo, il suo fiato che si confondeva col proprio. Ma quando in quella fantasia Silvia si voltò per cercare le sue labbra, non era più lei.

Era Hanna.

Ancora adesso la sconosciuta, venuta da un altro

mondo e da un altro tempo, riusciva a invadere uno spazio intimo e privato. E lui non poteva farci nulla, era impotente, in balia di quell'incantesimo che si era già portato via gran parte della sua vita. Ma forse lui voleva sentirsi così, annientato nell'abbraccio con quella strana creatura con due teste, due identità. Perché Silvia riemergeva nel volto di Hanna e viceversa: in quel sogno a occhi aperti le due donne si scambiavano costantemente, come in un esperimento di clonazione mal riuscito.

L'incubo seducente venne interrotto dal suono aspro del citofono.

Improvvisamente, Gerber si ritrovò sobrio di vino e di sesso. Erano passate le dieci. Chi poteva essere a quell'ora?

Spense il videoregistratore e andò ad aprire la porta di casa con ancora il bicchiere fra le mani. Si ritrovò di fronte due uomini che indossavano completi scuri. Gli bastò un'occhiata per capire che si trattava di carabinieri in borghese. Solo loro, infatti, annodavano la cravatta come fossero sempre in divisa.

« In cosa posso esservi utile? » chiese lo psicologo, quando gli mostrarono i tesserini di riconoscimento.

« Dovrebbe seguirci, dottor Gerber. »

« Non vengo da nessuna parte se non mi dite di che si tratta. »

« Ci ha mandati il giudice Baldi, vuole vederla. »

La vecchia amica magistrato in passato lo chiamava

spesso per svolgere perizie per conto del tribunale dei minori. Ma, dopo il caso Hall, Gerber aveva tagliato i ponti anche con lei. Inoltre, il giudice non l'aveva mai convocato a un'ora così tarda, soprattutto mandando qualcuno a prelevarlo.

Doveva essere accaduto qualcosa di grave.

« È una semplice formalità » mentì chiaramente uno dei due carabinieri, per superare la sua titubanza. « Il giudice ha bisogno di un consulto. »

Gerber sapeva che era inutile insistere, ma rammentò con un brivido che anche il caso Hall era iniziato con una normalissima telefonata. « Prendo l'impermeabile e un taccuino nuovo » disse tuttavia, acconsentendo ad andare con loro.

Tutto, pur di scappare da quella rimpatriata di fantasmi e brutti ricordi.

6

I passi dei carabinieri in borghese che lo precedevano riecheggiavano all'unisono nelle vie deserte, vicoli aggrovigliati come viscere nel centro storico della città. Percorsero in silenzio il breve tragitto che li separava dall'unico palazzo anonimo in mezzo a splendidi edifici del Trecento che affacciavano su via della Scala.

La sede del tribunale dei minori aveva avuto diverse vite nel corso dei secoli.

In origine, era stato un rifugio per orfanelli, figli illegittimi, neonati abbandonati. L'ordine religioso che lo gestiva aveva il compito caritatevole di accoglierli ma anche di nasconderli agli occhi di chi considerava la loro venuta al mondo una svista di Dio. Si diceva che le mura fossero spesse perché fuori non si udisse cosa accadeva all'interno. Nonostante adesso in quel luogo si celebrasse una giustizia a misura di minore, si avvertiva ancora l'inquietante presenza del passato, nonché un lamento sommesso che secondo alcuni era l'effetto dell'architettura del palazzo quando era esposto alla tramontana. Secondo altri invece era il pianto dei bambini ancora custodito dalle pietre.

Pietro Gerber non era mai stato lì dopo il tramonto.

I carabinieri lo scortarono fino allo scalone di marmo che conduceva ai piani superiori. A metà dei gradini, lo attendeva Anita Baldi. Impettita nel suo tailleur scuro, con i capelli raccolti in una crocchia grigia. Nonostante avesse raggiunto l'età per andarsene in pensione, continuava a chiedere di prorogare il proprio servizio. D'altronde, i superiori erano ben lieti della sua permanenza.

Non solo era la più esperta nelle questioni che riguardavano i bambini. Lei era la migliore.

Dalla sua espressione preoccupata, l'ipnotista intuì che non si sarebbe trattato affatto di una semplice formalità, come gli era stato promesso, e il suo compito quella notte sarebbe andato ben oltre un mero consulto.

Poco dopo, il giudice lo fece entrare nel suo ufficio al primo piano. Alle spalle della scrivania della Baldi c'era uno strano affresco che arrivava fino al soffitto. Vi era raffigurato uno scorcio dell'inferno. Nel tardo Medioevo, la stanza era adibita a far partorire prostitute e ragazze madri. Come penitenza, le gestanti erano costrette a fissare quella scena mentre mettevano alla luce il frutto del loro peccato. Ma l'opera, di mano ignota, adesso era quasi totalmente nascosta dietro un enorme collage di disegni che i bambini passati da lì negli anni donavano al magistrato. A Gerber facevano sempre venire in mente gli *ex voto* che i fedeli lasciavano nelle chiese come pegno per la grazia ricevuta. In fondo, pur non essendo propriamente una santa, anche quella donna coraggiosa ne aveva salvati tanti.

Nessun convenevole o commento da parte della

Baldi sulla sua situazione familiare, né in generale sulla vita privata o sul perché avesse un aspetto così provato. Eppure era più di un anno e mezzo che non s'incontravano. Il giudice si limitò a porre una sola domanda.

« Come stai? »

« Bene. »

La sua conferma sbrigativa le fu sufficiente, forse perché non aveva altra scelta che affidarsi a lui. La donna gli illustrò per sommi capi la vicenda.

Era stato ritrovato un bambino.

Il fatto era avvenuto all'alba di quello stesso giorno nei boschi del Mugello, grazie a un'anziana allevatrice di cavalli che stava portando a spasso i cani. Il minore si chiamava Nikolin ed era scomparso otto mesi prima insieme alla madre, dopo che avevano forato una gomma dell'auto in cui vivevano da quando erano stati sfrattati. L'incidente era accaduto sull'unica strada asfaltata che attraversava il parco naturale ma che poi s'interrompeva, ramificandosi in sterrati e mulattiere.

« Non si è mai capito cosa ci facessero in quel luogo sperduto » concluse la Baldi.

Gerber ricordava a malapena la foto sui giornali di una vecchia utilitaria, stipata di roba, abbandonata sul ciglio della carreggiata con la ruota estratta dal semiasse e le portiere aperte. Erano i primi giorni di giugno. « E dopo quel piccolo inconveniente, cosa può essere successo? »

« C'erano due ipotesi al vaglio degli inquirenti, entrambe molto accreditate. La prima, la più drammatica, era che madre e figlio si fossero avventurati improvvidamente nei dintorni in cerca d'aiuto, finendo per smarrirsi fra i boschi... Sarebbe stato più logico seguire a ritroso la strada asfaltata, ma forse sono stati sorpresi dal buio e hanno perso l'orientamento – chi poteva saperlo. »

« Ma, se fosse andata così, dopo tanti mesi sarebbero entrambi morti » concluse Gerber. « E la seconda teoria? »

« La più rassicurante: l'automobilista di passaggio. Un buon samaritano che li carica a bordo e li lascia chissà dove. La donna e il bambino, in fondo, sono abituati a vivere alla giornata, perciò spariscono dai radar dei servizi sociali. Ci si aspettava di vederli riapparire da un momento all'altro in qualche altra parte d'Italia. Oppure, dopo aver peregrinato un po', potevano essere semplicemente tornati in Albania: d'altronde la donna non aveva più futuro qui e si era ridotta ad accettare impieghi modesti e malpagati. »

« E cosa non convinceva di questa ricostruzione? »

« Il fatto è che, pur trattandosi di una notizia rimasta senza sviluppi, a livello locale se n'è parlato parecchio... »

« ... e nei mesi successivi nessun buon samaritano si è mai fatto avanti per dichiarare di aver dato un passaggio alla donna e al ragazzino che tutti stavano cercando » completò lo psicologo per lei. « Però la riapparizione del bambino scombina ogni possibile versione dei fatti. Perciò da stanotte c'è una terza ipotesi, è esatto? » Finalmente aveva compreso la ragione per cui la Baldi fosse in ansia.

« Proprio così: l'abbiamo definita la 'variante misteriosa' e vorrei che tu la verificassi. »

« E come? » domandò lui, incuriosito.

« Il bambino non parla » spiegò il magistrato mettendosi a sedere dietro un'antica scrivania di noce e lasciando Gerber in piedi. « Non spiccica una parola, anche se reagisce quando lo si chiama per nome. Non aveva documenti con sé ma sulla sua identità non ci sono dubbi, visto che corrisponde alle descrizioni delle due assistenti sociali che vigilavano su madre e figlio prima che scomparissero. Ma, se vogliamo capirci qualcosa, è a lui che dobbiamo chiederlo, perché sono troppi gli interrogativi ancora in sospeso. » Poi elencò: « Cosa è successo esattamente quel giorno di giugno? Dove è finita la madre? E, soprattutto, dov'è stato lui per tutto questo tempo? »

« E io dovrei sbloccarlo? » Gerber l'aveva già fatto in passato. Ricordava il caso di una bambina di cinque anni che un giorno si era chiusa in un inspiegabile mutismo e che sotto ipnosi aveva rivelato che la baby-sitter la maltrattava senza che i genitori se ne fossero mai accorti.

« Il fatto è che, a parte forse i capelli un po' troppo lunghi, Nikolin non sembra trasandato o denutrito. Pur essendo scomparso d'estate, adesso indossa abiti invernali. E il posto in cui l'anziana coi cani l'ha incontrato non è molto lontano dal luogo in cui si erano perse le sue tracce insieme alla madre. »

Gerber, però, non capiva. « Cosa sta cercando di dirmi esattamente, giudice? »

« Questa storia è piena di buchi neri, Pietro. E, alla fine, la verità potrebbe rivelarsi più semplice e insieme più agghiacciante di quanto possiamo immaginare. E soltanto quel bambino la conosce. » La Baldi non riusciva a esprimere meglio di così l'idea che la angustiava. « Allora, cosa suggerisci di fare? »

L'ipnotista tirò fuori dalla tasca del trench il taccuino nero con le pagine ancora immacolate. « Riapriamo la stanza dei giochi. »

7

La «stanza dei giochi» era di fatto una stanza con dentro dei giochi. Cambiava solo la funzione degli oggetti.

Servivano a esplorare la mente dei bambini.

Anche se non c'era un letto, sembrava in tutto e per tutto la cameretta di un bambino. Il pavimento era rivestito da una moquette coi colori dell'arcobaleno. Le pareti erano giallo paglierino, ricoperte di poster che variavano a seconda dell'età e del sesso del minore che doveva ospitare temporaneamente. Potevano essere personaggi dei cartoni animati per i più piccoli. Oppure cantanti, gruppi rock o sportivi amati dai teenager. Anche i giocattoli cambiavano, si andava da trenini e bambole fino a puzzle e videogame.

Lo scopo era anche aiutare il minore a distrarsi dal trauma di ciò che aveva visto o che gli era accaduto, al fine di raccogliere la sua deposizione. Grazie al gioco, di solito i racconti erano depurati dall'ansia che invece avrebbe provocato un ufficio o un'aula di giustizia.

La stanza era stata allestita dagli psicologi infantili, ogni oggetto pensato per avere uno specifico ruolo. Se un bambino o una bambina si accaniva su un pupazzo o una bambola, era probabile che avesse subito una qualche violenza. Le sedute erano sempre condotte da professionisti, mentre microcamere nascoste nei muri registravano ciò che accadeva ai fini della verbalizzazione. E poi c'era una parete con un falso specchio, dietro il quale di solito c'erano un giudice, un cancelliere, a volte una giuria, le forze dell'ordine, gli imputati con i loro difensori.

Nella stanza dei giochi, il ricorso all'ipnosi non era la regola. C'era il rischio concreto che un abile avvocato impugnasse la testimonianza contro il proprio cliente perché ottenuta con metodi suggestivi che avrebbero potuto inficiarne la genuinità. Il giudice Baldi, però, nei casi più difficili si era servita della collaborazione del *signor B.* e poi, dopo la sua morte, del figlio Pietro.

Spesso era l'unico modo per ricostruire verità complesse.

Dopo aver dato disposizioni ai carabinieri perché si approntasse una seduta, la Baldi accompagnò Gerber alla stanza dei giochi. Lungo il corridoio, lo psicologo notò un vecchio con stivali e giaccone verde: se ne stava appoggiato al muro con lo sguardo basso. Mani callose torturavano un Borsalino e lui masticava un sigaro toscano spento. Al loro passaggio, sollevò per un attimo il capo e accennò un saluto rispettoso. Solo allora Gerber si rese conto che si trattava di una donna dall'aspetto mascolino.

« Chi è? » domandò l'ipnotista.

« L'allevatrice di cavalli che ha trovato Nikolin nel bosco » rispose il magistrato.

« E perché è ancora qui? »

L'altra sollevò le spalle. « Le è stato detto che può tornarsene a casa, ma insiste a dire che non vuole lasciare solo il bambino. »

Gerber provò rispetto per quella donna mossa da un anacronistico senso di responsabilità verso un perfetto sconosciuto. Poteva addirittura leggerle nel pensiero: siccome era toccato a lei ritrovare Nikolin, era come se qualcosa o qualcuno l'avesse affidato alle sue cure.

L'ipnotista entrò nella stanza dei giochi. Non ricordava quasi più da quanto tempo non ci rimettesse piede. Per un attimo provò un senso di claustrofobia, prese fiato per tenere a bada l'emotività ma si rendeva conto benissimo di non essere più quello di prima.

Mettiamoci al lavoro, si disse.

Si sfilò l'impermeabile e lo appoggiò in un angolo sulla moquette, poi si tirò su le maniche del maglione e arrotolò la camicia a quadretti fino ai gomiti. Quindi iniziò a preparare ogni cosa in attesa del paziente. Tolse i poster dalle pareti, mise via i giochi nei cassetti. Aveva bisogno di un ambiente neutro. Lasciò soltanto matite colorate e fogli bianchi sparsi sul tavolo basso, posizionato al centro: siccome il bambino era albanese e forse parlava ancora a malapena l'italiano, Gerber pensava che potesse aiutarsi disegnando.

Con un cursore a parete, regolò la luminosità. C'era un vecchio metronomo elettronico, simile a quello dello studio della soffitta: lo settò su un ritmo in quattro quarti, con un accento sul primo battito.

Poco dopo, autorizzò i carabinieri a condurre lì il giovane Nikolin.

8

Il ragazzino varcò la soglia quando era da poco passata mezzanotte. Per prima cosa, si guardò intorno, forse domandandosi il motivo del suono persistente che si sentiva in sottofondo, ma senza lasciar trasparire alcuna reazione. Indossava un maglioncino a rombi con sotto una camicia chiara, pantaloni di flanella e un paio di Adidas consumate. Il caschetto biondo gli scendeva sulla fronte fin quasi a coprirgli gli occhi azzurri, i tratti del viso erano delicati, quasi efebici, forse per via dell'incarnato lattiginoso. Pur essendo alle soglie dell'adolescenza, su di lui non c'era traccia di pubertà.

« Vieni avanti, Nico » lo invitò Gerber, impiegando lo stesso nomignolo che, a quanto gli avevano detto, usava con lui sua madre. Poi gli indicò le sedie basse intorno al tavolino, in modo che scegliesse quella che preferiva. « Io sono Pietro » si presentò. « Benvenuto. »

Come previsto, il bambino non disse nulla. Però andò a sedersi.

Al fine di farlo ambientare, Gerber si prese tutto il tempo per richiudere la porta e lanciò un'occhiata alla parete con lo specchio, come a voler comunicare a chi stava dall'altra parte che lì erano pronti a cominciare. Quando tornò a voltarsi verso il bambino, Nikolin aveva allineato le matite colorate e impilato i fogli che lui invece aveva sparso poco prima sul tavolo. Senza un motivo specifico e senza che nessuno glielo avesse chiesto.

Gerber andò a sedersi accanto al ragazzino e attese che, dopo quell'accurata operazione, si apprestasse a disegnare qualcosa. Invece Nico rimase appoggiato al ripiano, la testa china, le braccia conserte e lo sguardo indirizzato al polsino sinistro della camicia che spuntava dalla manica del maglione.

Gerber si accorse che un bottone si era quasi scucito e penzolava da un filo di cotone. Il bambino ci giocherellava con le dita, estraniandosi dal resto.

Nel farlo, però, non sbatteva le palpebre.

La cosa gli parve subito strana. Iniziò a misurare per quanto tempo fosse in grado di resistere in tale condizione. Quaranta secondi. Poteva sembrare poco ma era un'eternità, visto che normalmente una persona sbatteva le palpebre ogni cinque secondi. Anche se non si spiegava il motivo, Gerber avrebbe dovuto tenere conto di quell'anomalia.

« Adesso faremo una specie di esperimento, ti va? » Lo psicologo non si aspettava una risposta, infatti proseguì: « Senti questo suono? Vorrei che ti concentrassi bene e che provassi a inspirare ed espirare nel momento preciso in cui ti sembra che il battito diventi più forte » spiegò.

Il respiro di Nikolin era regolare ma non andava a tempo.

Gerber non era sicuro che il ragazzino avesse capito bene, così provò a reiterare la richiesta e, per rassicurarlo, aggiunse: « Questo ti farà sentire molto rilassato: sarà piacevole, vedrai ».

Però quello continuava solo a tormentare il bottone della camicia.

Gerber allora allungò una mano verso il congegno elettronico e girò la manopola affinché fosse il battito a seguire il ritmo della respirazione di Nico. Ma si accorse che il bambino ancora non si lasciava andare. Decise d'inserire una breve nota che emergeva e si inabissava.

Niente da fare, il paziente opponeva resistenza. Sembrava che per lui non esistesse altro che quel maledetto bottone penzolante. Era impossibile penetrare la sua concentrazione.

Lo sguardo sconfortato di Gerber cadde sulle matite e sui fogli ordinati. Entrando in quello spazio vuoto e del tutto nuovo per lui, Nikolin aveva avvertito subito il bisogno impellente di sistemare per bene quegli oggetti.

Disturbo ossessivo-compulsivo, si disse lo psicologo.

In contemporanea, ebbe un'intuizione. Era inutile eccitarsi troppo, avrebbe scoperto presto se si sbagliava. L'ipnotista si alzò dal proprio posto e andò a recuperare l'impermeabile che aveva poggiato per terra.

Sul bavero era appuntato l'ago da cucito con il filo blu che aveva trovato nella mela dello studio.

Lo levò, portandolo con sé al tavolo. Poi afferrò con gentilezza il braccio del bambino e tirò via il bottone della camicia insieme al filo a cui era appeso: per coincidenza, anche quello era blu. Nikolin osservò l'operazione senza protestare. Quindi Gerber iniziò a ricucire con calma il bottone al polsino col nuovo cotone. Poteva immaginare cosa stesse pensando la Baldi dall'altra parte dello specchio. Sicuramente il magistrato si stava domandando cosa diamine stesse accadendo. Ma lui era sicuro che fosse la mossa giusta.

Infatti, quando il bottone tornò al proprio posto e l'ordine delle cose fu ripristinato, il bambino gli dedicò completa attenzione. Di lì a poco, anche il respiro rallentò, segno che stava scivolando in uno stato di quiete. Gerber ne approfittò per modificare il metronomo.

Grazie a quell'espediente, Nico era caduto in una *trance* leggera. Lo testimoniavano lo sguardo perso e le braccia abbandonate lungo i fianchi.

« Mi senti? » domandò allora l'ipnotista.

Si aspettava di vederlo semplicemente annuire, invece si sorprese quando udì il suo: « Sì ».

Lo psicologo era galvanizzato da quel progresso imprevisto. « Sai dove ti trovi? »

Una breve pausa. « No. »

« Sai almeno come sei arrivato qui? »

« No. »

La seconda risposta negativa non era un buon segno: significava che probabilmente il bambino versava in uno stato confusionale, qualcosa di simile a una specie di shock post-traumatico. « Sai chi sei? »

« Sì » disse stavolta, sempre parlando in maniera automatica.

Gerber si aspettava l'inflessione tipica di uno straniero che ha dovuto imparare l'italiano, e si meravigliò che la pronuncia fosse così limpida. « E ricordi anche il tuo nome? »

L'altro non rispose, ma il respiro accelerò: la banalissima domanda lo rendeva inquieto.

Gerber decise di non insistere, la sospensione in cui si trovava il ragazzino era fragilissima e poteva infrangersi da un momento all'altro. « Qual è l'ultimo ricordo che hai? » chiese allora.

« Il bosco. »

Fu come se, improvvisamente evocato, il bosco si materializzasse intorno a loro. « Cosa c'è nel bosco? »

Il bambino iniziò ad agitarsi. « Prima le tre condizioni, poi le domande. »

Gerber non capiva. La frase era incomprensibile, ma fu soprattutto il tono autoritario a sembrargli stranamente fuori luogo. La definizione esatta era che *stonava* in bocca a un bambino, però lo psicologo non sapeva perché. Decise di spostare l'attenzione su un altro tema. « Ricordi l'incidente, quando tu e tua madre avete forato la gomma dell'auto? »

Nico annuì.

« Cosa ricordi di quel momento? »

« Sono stato io » disse.

La risposta spiazzò Gerber. « In che senso sei stato tu? Vuoi dire che hai bucato tu la gomma? »

« Sì » confermò l'altro, secco.

Non aveva tentennato, pensò l'ipnotista. Anche questo gli parve strano. « Perché? » azzardò allora.

Il ragazzino sembrò pensarci su. Poi disse, tutto

d'un fiato: « ... Arnau aveva capito dove sarebbe andata a finire prima degli altri, ma lui non poteva più farci niente... »

La frase non aveva senso. « Chi è Arnau? »

Nikolin tacque.

L'ipnotista attribuì quelle parole a una sorta d'interferenza: come se un ricordo, venuto da chissà dove, si fosse inserito arbitrariamente nella ricostruzione dei fatti. « Ti va di parlarmi di tua madre? » chiese.

« Arnau aveva capito dove sarebbe andata a finire prima degli altri, ma lui non poteva più farci niente » ripeté invece il bambino, come una cantilena.

Cercava di sviare l'argomento? C'era solo un modo per scoprirlo: insistere. « Nico, cosa è successo a tua madre? » domandò, in modo diretto.

Silenzio.

« Le è accaduto qualcosa? »

« Sì. »

« È colpa di questo Arnau? »

« No. »

« Allora di chi? »

« Sono stato io. »

La stessa frase di poco prima, la stessa nettezza. Pietro Gerber provò un senso di disagio. Improvvisamente, si pentì di non essere rimasto a casa quella sera. Non voleva più stare lì. « Cosa intendi? Puoi essere più chiaro, per favore? » si sforzò di domandare.

Stavolta il bambino voltò lentamente il collo verso di lui. Lo fissò e, con tono glaciale, ribadì: « Sono stato io ».

9

Prima seduta: 24 febbraio 2021.
Paziente: Nikolin (12 anni).

Note

L'ho riportato indietro staccando nuovamente il piccolo bottone dal polsino della camicia. Non è stato necessario contare a ritroso. Il gesto l'ha come «disconnesso». Dopodiché, il ragazzino è tornato a chiudersi in un silenzio imperturbabile.

Al termine della seduta, Nikolin non aveva una chiara percezione di quanto mi aveva appena rivelato, né delle conseguenze che ciò avrebbe comportato per lui. Al risveglio, si è limitato a osservarmi coi suoi occhi innocenti che sembravano esplorare il mondo per la prima volta.

Allora Pietro Gerber rammentò di aver provato un'immensa compassione per lui, il mostro bambino.

Sollevando lo sguardo dal taccuino nero e guardandosi intorno nel corridoio semideserto del tribunale dov'era seduto su una panca di formica, lo psicologo si rese conto di essere molto coinvolto. Non gli era mai capitato e non era accettabile. Specie verso la fine della seduta con Nikolin, l'insolito stato d'animo aveva messo seriamente a rischio la sua imparzialità.

Il giudice Baldi aveva definito una chiara ammissione di colpa l'ultima frase pronunciata da Nico. I carabinieri concordavano con lei. La procura era stata informata subito del drammatico sviluppo della vicenda. Anche se la dichiarazione resa sotto ipnosi non aveva lo stesso valore legale di una confessione, adesso si sarebbero cercati gli elementi per corroborarla.

All'alba sarebbero iniziate le perlustrazioni dei boschi in cui era stato ritrovato il ragazzino con l'impiego dei cani da cadavere.

Gerber non poteva fare a meno di pensare che lo stesso sforzo non era stato profuso ai tempi della scomparsa, per cercare madre e figlio mentre erano forse ancora entrambi vivi. Probabilmente perché erano poveri e, soprattutto, perché non erano italiani. E anche all'opinione pubblica era importato poco di loro. Ma forse adesso, con quella svolta inaspettata, ci sarebbe stato materiale succulento per appagare anche l'appetito dei social.

Alla fine, la verità potrebbe rivelarsi più semplice e insieme più agghiacciante di quanto possiamo immaginare.

Aveva detto proprio così Anita Baldi quando aveva esposto a Gerber le motivazioni per cui era necessario un suo intervento. E, alla luce di ciò che era accaduto poi nella stanza dei giochi, quello del giudice non era soltanto un presentimento.

Quel bambino nascondeva un segreto più grande di lui.

Siccome non sarebbero bastate mille sedute d'ipnosi per scandagliarlo e capire cos'era realmente successo, il ruolo dello psicologo infantile poteva dirsi esaurito. Dopo aver apposto la firma sulla dichiarazione giurata, poteva tornarsene a casa. Non avrebbe più dovuto occuparsi di quella storia e non avrebbe più rivisto Nico. Dopo ciò che era accaduto quella notte, l'idea lo sollevava.

Eppure non riusciva a smettere di annotare le proprie impressioni sul taccuino che aveva riservato al caso.

Forse perché, mentre attendeva che si espletassero tutte le formalità, dalle porte aperte degli uffici gli era capitato di carpire l'ipotesi che si faceva strada fra gli inquirenti. Cioè che Nikolin, dopo aver condotto la madre con un pretesto in una zona isolata, avesse provocato intenzionalmente il piccolo incidente della gomma forata. Approfittando della situazione, l'aveva uccisa e, dopo essersi sbarazzato del corpo, si era avventurato nel bosco con l'intento di far perdere le proprie tracce.

Tralasciando per un attimo l'idea che un bambino di dodici anni potesse escogitare un simile piano, la circostanza che fosse stato davvero in grado di sopravvivere per mesi da solo, nascosto nei boschi, non sembrava un problema per gli investigatori. C'erano diversi ruderi abbandonati dove avrebbe potuto trovare rifugio. Quanto al cibo, avrebbe potuto sempre avventurarsi saltuariamente fuori dalla foresta e procurarselo nei casali o nei paesini limitrofi, rubando o, alla peggio, frugando tra i rifiuti.

Gerber, però, non era del tutto persuaso da quella ricostruzione.

Non poteva fare a meno di pensare che il ragazzino fosse ben nutrito e, a detta pure della Baldi, il suo aspetto non era affatto malmesso, a cominciare dall'abbigliamento e proseguendo con l'igiene personale. Sicuramente c'era una spiegazione anche per quello, ma lo psicologo criticava il modo in cui gli inquirenti a volte cercavano di forzare i fatti solo per farli combaciare con la versione che gli faceva più comodo.

Tuttavia, l'unica che ancora si rifiutava di dare credito a quella verità era l'anziana allevatrice di cavalli che aveva trovato Nico nel bosco: dopo aver appreso che il bambino sarebbe stato portato in una struttura detentiva per minorenni, aveva capito da sé la piega che aveva preso la faccenda, senza bisogno che qualcuno le chiarisse che c'era stata una specie di confessione. La donna aveva protestato, chiedendo di poter parlare col giudice. In tutta risposta, era stata pregata di allontanarsi.

Andando via, era sfilata a capo chino davanti a Gerber che aveva provato pena per lei e per il modo in cui l'avevano trattata.

Intanto, l'attesa si prolungava oltremisura e in quel frangente l'ipnotista ebbe modo di tornare col ricordo nella stanza dei giochi. Rianalizzando la seduta e le parole del ragazzino, si rese conto che c'erano delle incongruenze che proprio non riusciva a collocare in uno schema logico.

Inezie, ma più ci pensava e più s'incaponiva a cercargli un significato. Decise di annotarle.

Quando gli ho chiesto se rammentava come si chiamasse, Nikolin si è agitato.

In seguito, ha nominato un certo « Arnau ».

Poi c'è la questione della parlata senza accento straniero: possibile che il bambino abbia imparato cos bene l'italiano in quattro anni?

Infine, la frase stonata.

« Prima le tre condizioni, poi le domande. »

Gerber si rendeva conto che il suo era un esercizio speculativo quasi del tutto inutile, visto che anche lui, in fondo, non vedeva alternative al fatto che Nikolin, nonostante la giovane età, si fosse reso responsabile di qualcosa di tremendo. Forse avrebbe dovuto semplicemente smetterla di immaginare possibili vie d'uscita da quella realtà, perché erano solo miseri espedienti per non essere costretti ad accettare che una forza insensibile governava l'universo e che, perciò, anche i bambini potevano macchiarsi di delitti innominabili. E ostinarsi a cercare particolari fuori posto che rimettevano in moto la spirale dei pensieri non avrebbe cambiato certamente le cose.

Però c'era ancora qualcosa che s'inceppava nel meccanismo logico.

Il bottone della camicia scucito e il fatto che avessi con me ago e filo dello stesso colore blu ora mi sembrano casualità fin troppo... casuali.

Mentre la scriveva, si rese conto che quell'ultima annotazione esulava dalla valutazione del bambino e lui, in quanto consulente del tribunale, avrebbe dovuto esimersi da simili considerazioni, anche se lo coinvolgevano direttamente. Ancora una volta, era come se cercasse una verità alternativa a quella ufficiale. Ma questo era comunque compito degli investigatori, non suo.

Verso le tre del mattino, finalmente una carabiniera lo convocò in un ufficio per sottoscrivere la dichiarazione giurata in cui era riassunto il proprio parere di esperto. Quando si trattò di confermare il giudizio di colpevolezza, Pietro Gerber esitò un momento. Anche se, data la giovane età, Nikolin non era imputabile né processabile, la sua opinione avrebbe pesato sul futuro del ragazzino. Tante altre volte lo psicologo si era trovato in una situazione analoga con un minore: si trattava di una responsabilità enorme. Ma mai come in quel caso, gli costò fatica apporre il proprio nome in calce al foglio.

Quando ebbe finito, non aveva voglia di trattenersi oltre o di rivedere la Baldi. Immaginò che il giudice fosse impegnata a districarsi fra le nuove implicazioni del caso. Di lì a qualche ora, era prevista anche una conferenza stampa e Gerber sapeva bene cosa sarebbe accaduto.

Il mondo avrebbe avuto un nuovo mostro di Firenze, stavolta con le sembianze di un bambino.

Allo scalpore e allo sconcerto iniziali avrebbe fatto seguito un sentimento meno nobile, curiosità. Si sarebbe scatenata una morbosa caccia ai dettagli e l'orrore sarebbe evaporato insieme alla pietà, lasciando il posto a una liturgia più prosaica, fatta di chiacchiere e pettegolezzi. In fondo, la prima reazione della gente davanti a un fatto di sangue era cercare il profilo dei carnefici sui social. E solo in un secondo momento anche quello delle vittime. Come se nella normalità ostentata sul profilo Facebook o Instagram del futuro mostro potesse nascondersi qualche traccia di malvagità o di follia.

Ma non sempre il male poteva essere spiegato.

E Gerber avrebbe voluto che quelle persone sperimentassero ciò che aveva provato lui nella stanza dei giochi, la stessa sensazione di terrore e di sgomento prima che Nikolin tornasse a essere soltanto un bambino. Perché era come se ci fossero due entità dentro di lui.

L'innocuo dodicenne e il freddo assassino.

Mentre lasciava il tribunale ridiscendendo rapidamente lo scalone di marmo, lo psicologo teneva una mano in tasca e stringeva il taccuino nero di cui aveva riempito soltanto le prime due pagine. Il resto, invece, sarebbe rimasto intonso e quel quadernetto sarebbe finito nel suo archivio, protetto per sempre da un segreto professionale che gli impediva tanto di diffonderne il contenuto quanto di distruggerlo.

L'addormentatore di bambini avrebbe voluto gettarlo nel primo cassonetto. Ma non poteva.

Una volta per strada, fu investito da una folata di vento freddo che sembrò respingerlo all'interno dell'edificio. Prima di proseguire, si strinse nell'impermeabile e affrontò la tormenta. Un'atmosfera surreale incombeva sul centro storico, l'umidità impregnava pesantemente l'aria.

Era come se piovesse, ma non c'era la pioggia.

In giro non si vedeva ancora nessuno. Si sentivano solo i rintocchi della campana del Leone, collegata all'orologio della torre di Arnolfo che svettava su Palazzo Vecchio. Gerber considerò che fosse il caso di andarsene a dormire, anche perché il primo appuntamento della giornata era fissato per le nove e aveva bisogno di riposarsi prima di affrontare un'altra seduta. Specie dopo una notte come quella.

Si mosse in direzione di casa, quando percepì chiaramente il suono di passi alle proprie spalle. Provò un senso di disagio. Allora accelerò l'andatura. Ma anche lo sconosciuto dietro di lui fece lo stesso.

La concomitanza lo mise in allerta.

In un altro momento, non avrebbe dato molto peso alla cosa. Ma la memoria beffarda gli ripropose il ricordo della porta dello studio nella soffitta che si apriva e si chiudeva da sola, nonché l'accendersi della lampadina rossa che annunciava l'arrivo dei pazienti senza che però nell'anticamera ci fosse qualcuno, poco prima che lui rinvenisse l'ago da cucito nella mela.

Pietro Gerber conosceva il potere della suggestione e sapeva bene che lasciare libera la mente d'immaginare tutto ciò che voleva significava anche perdere il controllo delle proprie azioni. Con l'intenzione di smascherare la propria fervida fantasia, si fermò e si voltò di scatto, mettendosi in attesa.

Avrebbe visto passare la persona dietro di lui e si sarebbe dato dello stupido. Ma l'ombra che lo stava seguendo sembrò spiazzata dalla sua repentina decisione e rallentò, e ciò sorprese anche Gerber.

Trascorse qualche istante di assoluto silenzio. Poi, chiunque fosse, riprese a venirgli incontro.

10

« Non volevo spaventarla » si scusò l'allevatrice di cavalli che aveva trovato Nico nel bosco, cavandosi anche il cappello per presentarsi.

Gerber pensò che doveva esserle sembrato improvvisamente pallido, altrimenti non si spiegava quella giustificazione. « Mi spiace, ma non posso dirle nulla: sono tenuto al segreto professionale » la precedette e, per farle capire meglio, si riavviò.

« Quel bambino non sbatte le palpebre. »

Non aveva dimenticato l'anomalia, ma l'affermazione della donna servì a rinfrescargli la memoria. Tornò a voltarsi verso di lei.

« Non voglio farle delle domande » proseguì l'altra, incoraggiata dall'avere finalmente la sua attenzione. « È solo che non posso tenermi dentro questa roba, ho bisogno di raccontarla a qualcuno » quasi lo supplicò.

Di che « roba » stava parlando? « Non capisco: non ha già riferito tutto ai carabinieri? »

« Ho risposto a tutte le loro domande » si difese l'allevatrice. Ma, evidentemente, c'era dell'altro.

« Se ha omesso qualcosa di rilevante, deve tornare subito da loro e integrare le sue dichiarazioni. »

« Ho chiesto del giudice fino a poco fa, ma non mi ha voluto ricevere... »

Gerber emise un sospiro. « Rischia un'incriminazione per aver intralciato la giustizia, lo sa? »

« Non credo che ciò che ho da dire cambierà molto le cose, o forse sì... Non lo so... »

A cosa si riferiva esattamente la donna?

« È una cosa che è successa, ma non so se è successa veramente. Sono avvenute delle strane... *coincidenze* » asserì. « Ecco perché non ne ho parlato prima. Ma, quando ho capito che forse state accusando il bambino di aver fatto del male a sua madre, mi sono detta che probabilmente sono importanti. »

Tergiversava, sembrava confusa. Gerber, però, decise di concederle lo stesso pochi minuti. « Conosco una caffetteria che rimane aperta tutta la notte: venga con me, così mi spiegherà meglio. »

Poco dopo, erano seduti all'unico tavolino del locale: una piccola torrefazione con servizio d'asporto situata in un bugigattolo a due passi dalla basilica di Santa Croce e che, da quasi cinquant'anni, serviva il più gustoso espresso di Firenze.

Col sottofondo degli sbuffi di vapore di una macchina per il caffè in rame e avvolti dal profumo dei cornetti caldi appena consegnati dal garzone di un fornaio, Gerber provò a capire che cosa intendesse l'anziana allevatrice poco prima. « Allora, mi racconti dal principio e non abbia timore... » la incoraggiò.

« Il fatto è che, da qualche settimana ormai, ogni notte mi sveglio alla stessa ora: le 3.47 » riferì la donna mentre si avvicinava una tazzina calda alle labbra, reggendola con entrambe le mani come fosse un piccolo nido. « Non so perché sia così, ma mi volto verso la sveglia e segna sempre quell'orario. »

Lo psicologo conosceva il fenomeno. « Lei soffre d'insonnia? »

« Sì » ammise l'altra.

« Allora è normale: si tratta di un'illusione creata dal cervello, uno strascico della fase REM anche detto 'sogno cosciente'. Lei pensa di ridestarsi sempre alla stessa ora precisa ma, in realtà, quando guarda la sveglia sta ancora sognando. »

L'allevatrice però non sembrava del tutto persuasa. « E c'è un'altra cosa » aggiunse. « Visto che sono costretta ad alzarmi così presto, ogni giorno ne approfitto per portare i miei cani nei boschi in cui un tempo andavo a caccia con mio marito, prima che i nipoti cominciassero a guardarmi come un'assassina » ci tenne a specificare. « Ma vado sempre nello stesso posto, la Valle dell'Inferno. »

Gerber, però, non capiva. « Perché non cambia? »

« Non lo so: ogni volta che mi metto in macchina mi dico che andrò altrove, ma poi finisco sempre lì. »

Lo psicologo non sapeva come replicare. Gli sembrava una cosa assurda e non voleva che la donna si sentisse offesa per un suo commento, allora la lasciò semplicemente finire di parlare.

« I miei due setter corrono come dei dannati per una mezz'ora e poi li riporto indietro, al casale. »

Gerber sapeva che l'incontro con Nikolin il mattino prima era avvenuto proprio in tali circostanze. « I suoi cani hanno trovato il bambino. »

« Sì, ma non è solo quello... » Dopo aver posato la tazzina, l'allevatrice si torturava le mani incallite dal cuoio delle redini, in preda a una strana inquietudine. « Parcheggio sempre la mia Lada in uno spiazzo dove comincia il sentiero. E anche ieri mattina ero lì, prima che sorgesse il sole, perciò non si vedeva ancora quasi niente, però... »

« Però? » la sollecitò Gerber, improvvisamente incuriosito.

« Ho avuto l'impressione di non essere sola. »

« In che senso? »

« È come se sapessi che il bambino era nel bosco... un attimo prima che i miei cani si mettessero ad abbaiare. »

« Ma ha sentito un rumore o ha notato qualcosa di strano? »

L'altra scosse il capo, mordendosi il labbro. Era spaventata e imbarazzata.

Gerber non voleva umiliarla dicendo che forse era solo suggestione: a suo parere, si trattava delle fantasie di una persona anziana ancora scossa dall'accaduto. Però, in qualche modo, si rivelarono utili perché lo costrinsero a considerare che anche lui aveva provato una strana sensazione mentre cercava di far parlare Nikolin.

Una presenza.

Sì, era come se ci fosse qualcun altro insieme a loro nella stanza dei giochi. Ma l'ipnotista non avrebbe saputo chiarire meglio la cosa, neanche a sé stesso. E poi c'era la faccenda dell'intruso che si era introdotto nel suo studio per infilare l'ago con il filo nella mela. Adesso Gerber non era più così sicuro che l'intento di chi aveva piazzato lo spillo fosse quello di fare del male.

Chi l'ha messo lì voleva semplicemente che me ne accorgessi e che me lo portassi appresso, si disse improvvisamente.

Perché solo ricucendo il bottone che penzolava dal polsino della camicia di Nico, il bambino aveva iniziato a parlare. Ma forse il blocco del dodicenne non dipendeva da un disturbo ossessivo-compulsivo. E adesso, ascoltando il racconto sconclusionato dell'allevatrice di cavalli, l'ipnotista si rese conto che era come se quel gesto lo avesse... *attivato*.

« Mentre era con lei, Nico ha fatto qualcosa? » le chiese.

« No, a parte seguirmi in silenzio fino a casa e poi mangiare pane e latte accanto alla stufa... Ma se devo dirle la verità, per tutto il tempo mi è sembrato come sperduto. »

Gerber ci pensò su: « sperduto » era la parola più adatta per descrivere quello stato. « Le dice niente: 'Prima le tre condizioni, poi le domande'? » chiese, contravvenendo in parte al proprio dovere di riservatezza. Ma al momento non intendeva andare tanto per il sottile, doveva capire perché quelle parole gli erano parse stonate.

La donna alzò le spalle, interdetta, poi chiese: « È stato Nico a dirlo? »

Non confermò ma nemmeno smentì. Non le avrebbe rivelato che il ragazzino si era autoaccusato di ciò che era accaduto alla madre, ma lì per lì decise che sarebbe andato fino in fondo con lei. Gli tornò in mente la frase apparentemente fuori contesto e senza senso che Nikolin aveva proferito di punto in bianco. « 'Arnau aveva capito dove sarebbe andata a finire prima degli altri, ma lui non poteva più farci niente' » ripeté.

La vecchia si drizzò, sbalordita. Ovviamente, sapeva qualcosa che invece Gerber ignorava.

« Ha già sentito questo nome? Sa chi è Arnau? » la incalzò.

L'allevatrice cercava di mettere ordine ai pensieri, come se non sapesse da dove cominciare a spiegare. Ma poi disse: « Tutti a Firenze sanno chi è Arnau ».

11

La maggior parte delle persone non immaginava di trascorrere almeno il dieci per cento della propria esistenza al buio. Perfino di giorno. Perché, sommando tutte le volte in cui un essere umano in media sbatte le palpebre, si ricavava esattamente quel numero.

Siamo immersi nell'oscurità per almeno quattro secondi ogni minuto, rammentò Pietro Gerber. E tutto ciò avviene senza che ce ne accorgiamo, anche mentre stiamo compiendo un'azione che richiede la massima concentrazione, come maneggiare una lama affilata oppure guidare.

Era risaputo che quel semplice automatismo serviva a idratare l'occhio e liberarlo da eventuali impurità, come il pulviscolo presente nell'aria. Ma pochi erano a conoscenza del fatto che avesse anche l'importantissima funzione di far « riposare » il cervello. Infatti, in quella frazione di secondo fra l'apertura e la chiusura delle palpebre il cervello si prendeva una pausa senza che ciò avesse alcun effetto sulle mansioni in cui era impegnato: nella fattispecie, non ci si tagliava e non si andava a sbattere con l'auto perché, in qualche modo, la nostra mente « continuava a vedere ». Ma un'interruzione o un ritardo in questo elementare processo alterava gravemente la percezione del tempo e dello spazio. Una delle torture preferite dagli inquisitori fiorentini nel Medioevo era «l'abbacinamento» e consisteva nel tagliare le palpebre agli eretici per costringerli a confessare. Dopo un po', infatti, questi iniziavano a vedere demoni e spiriti maligni, ma la loro eresia consisteva nell'aver perso la cognizione del mondo che gli stava intorno.

Mi è sembrato come sperduto.

Le parole dell'allevatrice di cavalli descrivevano bene lo smarrimento di Nikolin. Per questo, le palpebre rallentate del bambino avrebbero dovuto far risuonare un campanello d'allarme nella testa di Gerber. E adesso l'ipnotista nutriva il serio dubbio che l'anomalia non dipendesse da Nico, ma fosse determinata da qualcos'altro. Per capire qual era la causa, non poteva permettersi di lasciare nulla d'intentato.

A tal fine, lo psicologo era tornato subito in studio e adesso era seduto davanti allo schermo di un computer. Aveva appena digitato il nome «Arnau» su YouTube.

L'anziana donna forse aveva esagerato asserendo che tutti a Firenze lo conoscevano. Ad esempio, Gerber non ne aveva mai sentito parlare, e nemmeno la Baldi. Però, a giudicare dalla quantità di video e di commenti che gli apparvero sul monitor, l'episodio per cui Arnau veniva ricordato a Firenze aveva fatto scalpore.

Risaliva a più di vent'anni prima.

Il 2 novembre del 1999 allo stadio Franchi si giocava la partita di Champions League tra la Fiorentina e il Barcellona. In mezzo ai vari campioni schierati in campo, c'era anche un centrocampista che fino a quel momento aveva avuto una dignitosa ma modesta carriera da gregario. Si chiamava Mauro Bressan e fino al tredicesimo minuto del primo tempo nessuno immaginava che potesse entrare nella storia della città di Firenze, tantomeno lui stesso.

Guardando il filmato che immortalava la sua impresa e leggendone la didascalia, Gerber non poté fare a meno di meravigliarsi.

Nella ripresa televisiva, Bressan si trovava abbondantemente fuori dall'area avversaria quando aveva visto venirgli incontro una palla alta. Era di spalle alla porta e doveva solo addomesticarla per provare a lanciare qualche compagno più talentuoso di lui. Almeno era ciò che avrebbe dovuto suggerirgli l'istinto di comprimario.

Invece ecco la follia, oppure il genio.

Bressan si elevava e colpiva il pallone in rovesciata. La sfera compiva una traiettoria impossibile e andava a insaccarsi alle spalle del portiere *blaugrana*, Francesc Arnau: così come aveva detto giustamente Nikolin, Arnau era stato il primo a intuire che la traiettoria sarebbe terminata nella sua rete. Prima dei compagni di squadra, del pubblico e certamente anche dello stesso Mauro Bressan. Ma l'unica cosa che poté fare fu assistere impotente al capolavoro balistico che si stava realizzando davanti ai suoi occhi.

Gerber guardò e riguardò quel video, cercando di capire cosa c'entrasse l'evento sportivo con la storia di

Nico e di sua madre. L'unica cosa che gli venne in mente fu che il ragazzino nel 1999 non era ancora nato.

E allora da dove veniva quel ricordo?

Forse conosceva l'episodio perché era un tifoso della Fiorentina, ma gli sembrò un dettaglio troppo anacronistico. Un bambino albanese che è arrivato in Toscana da soli quattro anni non sa queste cose, si disse.

L'informazione era penetrata in un altro modo nella sua mente, Gerber ne era sicuro.

Un terribile sospetto, ma anche un'incontrollabile paura. Non ti immischiare, gli disse una vocina. Il tuo compito è finito. Sapeva anche troppo bene che non le avrebbe dato retta, doveva prima avere la certezza di essersi sbagliato.

Non sbatte le palpebre.

Aggiunse l'appunto sul taccuino perché era convinto che ci fosse un nesso fra l'anomalia fisica che aveva notato nel bambino e una partita di calcio di più di vent'anni prima. La *presenza* che aveva avvertito mentre parlava con Nikolin non era solo un frutto della sua immaginazione. Non avrebbe saputo definirla e, prima di allora, avrebbe diffidato di certe cose. Però, dopo quella notte, non era più sicuro di ciò in cui credeva veramente.

Perché era come se quel bambino fosse posseduto.

12

« Perché? » fu la domanda secca della Baldi al telefono.

Ci avevano messo venti minuti a passargliela e Gerber temeva un rifiuto solo per il fatto che l'avesse disturbata in un momento critico, mentre il suo ufficio si apprestava a diffondere la notizia dell'esistenza di un matricida minorenne.

« Per non lasciare nulla d'intentato » fu la risposta parzialmente veritiera con cui cercò di rabbonirla e, contemporaneamente, di giustificare il fatto che volesse rivedere Nikolin. Si stava già recando a piedi verso l'istituto in cui era detenuto il bambino.

« Non è che poi rischiamo di mandarlo in confusione o qualcosa del genere? »

Lo psicologo capì che il giudice voleva fidarsi di lui. Le aveva fatto balenare il pensiero che l'accusa non fosse poi così solida. Forse era davvero così, ma per ora non aveva voglia di illustrarle il proprio sospetto. Anche perché difficilmente il magistrato avrebbe creduto a una possessione.

C'era qualcos'altro nella mente di Nico. Qualcosa che Gerber non era riuscito a far emergere durante la seduta d'ipnosi. O forse era venuto fuori e lui non aveva saputo interpretarlo.

Provò a spiegarle la storia delle palpebre e aggiunse: « Devo solo eseguire un test sullo stato di coscienza: che danni posso causare se provo a fare ancora due chiacchiere con lui? In fondo, avete già verbalizzato ciò che vi serve ». Avevano una confessione che, probabilmente, presto sarebbe stata confermata dal ritrovamento di un cadavere. Perciò la Baldi non aveva nulla da temere. « Non ho intenzione di ipnotizzarlo » le assicurò per farla sentire più tranquilla.

« Niente ipnosi? »

« Niente ipnosi » promise, anche perché era convinto che non ce ne sarebbe stato bisogno.

« D'accordo » si arrese la Baldi. « Li avverto che stai arrivando, ma poi dovrai riferire subito a me » lo ammonì.

Chiusero la comunicazione quando Gerber era quasi giunto a destinazione. Erano appena le sette del mattino e lo psicologo calcolò che, nel caso si fosse sbagliato, avrebbe fatto in tempo a tornare in studio per il primo appuntamento della giornata.

Desiderava più di ogni altra cosa essere in errore.

Nico si trovava in un palazzo a poca distanza dalla basilica di Santa Maria Novella e dall'omonima stazione ferroviaria. L'anonimo istituto era l'ultima destinazione per i minori che, a causa della giovane età, non potevano subire un processo ed essere condannati. Sarebbero rimasti lì a tempo indeterminato, finché un giudice non avesse stabilito che erano pronti a tornare a una vita normale in mezzo agli altri. Non c'erano sbarre alle finestre e l'edificio era soggetto a vincoli per la sua rilevanza architettonica. Il *signor B.* diceva sempre che a Firenze ogni cosa è impreziosita dalla storia. Perfino una prigione per bambini non si sottraeva a quella regola. Ma c'erano due motivi perché non dovesse somigliare a un carcere. Per tutelare i ragazzi che stavano là dentro. Ma anche per proteggere il mondo esterno dall'idea che ci fossero bambini in grado di uccidere. Infatti, a chi gli domandava se esistessero davvero posti del genere, Gerber rispondeva sempre di no.

Lo psicologo c'era già stato in passato, per svolgere il proprio lavoro di consulente del tribunale. Perciò sapeva che spesso i giovani ospiti si erano macchiati di azioni orripilanti. La capacità criminale di quei ragazzini era del tutto simile a quella degli adulti, così come la spietatezza. Ma con in più un vantaggio: l'età era una maschera ingannevole, grazie alla quale molti di loro erano stati in grado di raggirare le proprie vittime, facendole sentire al sicuro prima di colpirle con ferocia.

Gerber fu accolto sul portone da un'operatrice sulla quarantina, capelli scuri raccolti in una coda e occhiali da vista. Era stata già informata di tutto dalla Baldi. « Nikolin è stato affidato a me » precisò, presentandosi con modi cordiali.

Un minore, un operatore: era questa la regola. Gli operatori avevano il compito precipuo di monitorare i comportamenti con particolare attenzione ad aggressività e cambi repentini dell'umore. La loro valutazione avrebbe pesato sul curriculum carcerario, ma l'intenzione principale era capire se il crimine commesso avrebbe potuto o meno essere reiterato in età adulta.

Mentre lo accompagnava lungo i corridoi, la donna ci tenne a ragguagliarlo: al momento i ragazzi detenuti erano già svegli e stavano facendo colazione in perfetto orario con l'inizio dell'attività scolastica, previsto come sempre per le otto esatte. Nikolin era esentato perché quello era il suo primo giorno.

« L'hanno portato qui un paio di ore fa e quindi non ha riposato molto » disse l'operatrice mentre attraversavano diversi varchi di sicurezza, sorvegliati da guardie. « È il più piccolo e perciò l'abbiamo messo in stanza da solo, ma valuteremo se spostarlo con gli altri. »

La stanza, come l'aveva definita la donna, in realtà era una vera e propria cella. Gerber scorse Nikolin attraverso lo spioncino di una porta chiusa. Era seduto in punta al letto, la schiena ricurva e le mani strette fra le gambe. Non portava più i vestiti di quando era stato trovato nel bosco: come gli altri compagni, era tenuto a indossare una tuta bianca. Guardava in alto, verso l'unica finestrella da cui filtrava la prima luce del mattino.

« Come va? » lo salutò lo psicologo. « Ti ricordi di me? » Ma sapeva già che non avrebbe ottenuto alcuna risposta.

« Sta così da un bel po' » affermò la donna. « Non dice e non fa nulla, però è tranquillo. »

Allora Gerber andò a sedersi accanto a lui e gli passò anche una mano fra i capelli biondi, accarezzandogli amorevolmente la testa. « Sei contento che sono venuto a trovarti? »

Nikolin non spostò nemmeno lo sguardo, era come catatonico.

« Sì che è contento » rispose l'altra per lui, con il tono commiserevole che molti usano a sproposito con i bambini.

Ma Gerber non era certo che Nico fosse felice di rivederlo. Lui non lo era. Non era ancora sicuro di sapere con quale strano fenomeno avesse a che fare, né che Nikolin fosse innocuo come voleva far sembrare. Le domande di circostanza e l'atteggiamento amichevole servivano solo a fare scena con l'operatrice, che infatti si congedò subito.

« Tornerò fra mezz'ora » li avvertì, allegra. « E magari vi porto anche un po' di colazione. »

« Grandioso » commentò Gerber. Ma appena l'operatrice si fu allontanata, il suo sorriso si spense.

Aveva promesso alla Baldi che non avrebbe ipnotizzato Nico, ma solo perché era convinto che non fosse necessario ripetere il solito rituale col metronomo e il conto alla rovescia. Senza perdere altro tempo, recuperò dalla tasca lo smartphone. A causa dei controlli, non avrebbe potuto introdurre un ago da cucito in un carcere. Ma era anche sicuro che qualcun altro avesse previsto quell'impedimento, offrendogli nel contempo anche la soluzione.

Se le sue supposizioni erano giuste, sapeva come attivare il bambino una seconda volta.

Sul telefono, andò in cerca del video del gol di

Bressan in Fiorentina-Barcellona e piazzò lo schermo di fronte a Nikolin. Avviò la riproduzione.

Mentre attendeva speranzoso che facesse effetto, si sentiva fortemente inquieto. Ripensò a Lavinia e al fatto che la ragazzina non riuscisse ad aprire una porta chiusa dentro di sé. Come poteva pretendere che ci riuscisse se il suo terapeuta non era in grado di fare altrettanto in quel momento? Solo che la soglia che si apprestava a varcare Pietro Gerber affacciava sul baratro dell'ignoto. E lui non sapeva se avrebbe fatto meglio ad appellarsi a Dio o alla propria scienza.

Il filmato stava per terminare, ma Gerber si accorse che Nico già abbandonava braccia e spalle. Era il segnale. La porta nella sua mente si era aperta per lasciar entrare l'ipnotista.

Mise via il cellulare. « Come vedi, ho scoperto chi è Arnau » esordì, rivolgendosi al bambino. « E forse ho capito perché tu abbia avvertito il bisogno di fornirmi quest'informazione... Penso che fosse una specie di test, che volessi mettermi alla prova. Mi sbaglio? »

« Non ti sbagli » disse l'altro, senza scomporsi.

« E ti sei servito di un episodio del passato per farmi anche capire che non sto parlando con un bambino di dodici anni, ma con un adulto... Perché in questo momento tu non sei Nikolin, vero? »

Il ragazzino tacque. Quel silenzio ebbe ugualmente il potere di far rabbrividire Gerber.

Poi, come la prima volta che si erano visti, il paziente ribadì in tono monocorde: « Prima le tre condizioni, poi le domande ».

Lo psicologo si sentiva in tumulto. Per quanto fosse spaventato, cercava di rimanere calmo. « D'accordo: sentiamo queste condizioni... »

L'altro iniziò a elencare meccanicamente: « Primo: non dovrai parlare a nessuno di me. Secondo: ascolterai ciò che ho da dire... *fino in fondo* ». Sottolineò l'ultima parte.

Gerber considerò le varie implicazioni di quelle richieste. Lui non aveva la facoltà di incontrare Nico come e quando voleva e mantenere pure la cosa riservata. Non era certo di poter stringere un simile patto, però si ritrovò lo stesso a chiedere: « Qual è la terza condizione? »

« Non dovrai cercarmi là fuori. »

L'ultima frase confermò la teoria che lo psicologo aveva maturato fin dall'inizio. Cioè che a parlare attraverso il bambino fosse chi l'aveva rapito e poi tenuto prigioniero in quegli otto lunghi mesi. Perciò, quando nella stanza dei giochi Nico aveva detto: « Sono stato io » era l'altro che confessava.

« Che fine ha fatto la madre di Nikolin? » azzardò, con timore.

Ma la richiesta non sortì alcuna reazione, come se ci fossero risposte che il bambino non era stato programmato a fornire.

Gerber era sempre più allarmato. « Se accetto le tue condizioni, cosa otterrò in cambio? »

Non ci fu alcuna replica.

« Sei venuto tu al mio studio ieri pomeriggio, hai lasciato tu l'ago nella mela... » L'affermazione rimase senza riscontro, ma Gerber era certo che fosse andata così. La visita aveva un duplice scopo: fornirgli uno strumento per attivare il racconto nel bambino e fargli capire che lui era vicino, molto più di quanto Gerber potesse immaginare. « Se ti avvicini di nuovo ai miei pazienti, dovrai vedertela con me » lo minacciò, sapendo anche che era del tutto inutile perché chi stava realmente parlando non avrebbe potuto sentirlo.

Nikolin era una specie di registratore che riproduceva quanto era stato inciso nella sua mente, come su un nastro magnetico. Ecco perché la sua pronuncia non aveva un'inflessione straniera.

Ma, per lo stesso motivo, Gerber si accorse che in quel momento avrebbe potuto promettere qualsiasi cosa: qualunque patto gli avrebbe solo fatto guadagnare tempo prezioso per capire meglio cosa stava accadendo e se esistevano davvero dei pericoli. « D'accordo » disse allora. « Farò ciò che chiedi. »

Nikolin non si scompose e continuò a inspirare ed espirare con regolarità, fluttuando nel suo stato di quiete come un pesce rosso in un'ampolla di cristallo.

Gerber aveva ancora una domanda, ma era intimorito da ciò che avrebbe potuto sentire stavolta. Tuttavia non aveva scelta, anche se a spingerlo non era la curiosità bensì, paradossalmente, la stessa paura che lo frenava. Alla fine, osò: « Chi sei tu? »

Un debole sorriso. « Lo sai chi sono... »

Sì, è vero: lo sapeva. « Sei un ipnotista. »

13

Pietro Gerber non avrebbe immaginato di tornare così presto in quell'opprimente corridoio del tribunale dei minori, ma aveva interrotto la seduta con Nikolin per riferire alla Baldi. D'altronde, gliel'aveva assicurato. Però al momento il giudice era impegnata proprio con la conferenza stampa sul caso e lui attendeva di essere ricevuto.

«Non capisco cosa dici, possiamo sentirci più tardi?» A causa dei muri spessi dell'antico palazzo, c'era poco campo per i cellulari. Perciò Gerber camminava nervosamente, avanti e indietro, cercando di trovare il punto giusto in cui piazzarsi per parlare.

«No, dobbiamo risolvere adesso la questione» replicò Silvia, con fermezza.

L'ex moglie aveva scelto il momento meno opportuno per chiamarlo, ma Gerber decise di lasciarla sfogare. Tanto conosceva già l'argomento. Mentre il segnale andava e veniva, lui pensava a come impostare il discorso con la Baldi. Non sarebbe stato facile riassumere ciò che aveva scoperto e, soprattutto, renderlo credibile per un profano. Gli venne in mente una spiegazione e, stando in piedi col cellulare bloccato fra l'orecchio e la spalla, tirò fuori la stilografica e provò ad abbozzarla sul taccuino nero.

Nikolin sembra imperturbabile perché la sua coscienza si trova a un livello sospensivo, in una specie di *trance* costante. Come se lo stato d'ipnosi in cui è stato immerso dal rapitore fosse permanente.

Gerber confidava di poterlo liberare, ma chiunque gli aveva fatto questo meritava di essere punito. Perciò, lo psicologo se ne infischiava delle tre condizioni dello squilibrato. E se l'ago infilzato nella mela era anche un modo per intimorirlo, quel tipo si sbagliava di grosso: lui non si sarebbe lasciato influenzare.

«Non ti fai sentire mai» lo rimproverò Silvia. La sua voce emergeva di tanto in tanto per poi inabissarsi. «Se non fossi io a scriverti, non sapresti neanche come sta tuo figlio.»

A Gerber apparve l'immagine dei tulipani gialli che aveva comprato per lei la sera prima e che adesso marcivano nella spazzatura. Avrebbe voluto dirle che non si faceva sentire perché, nella sua mente, lei e Marco erano ancora nella loro casa di Firenze e che lui ogni giorno era costretto a fare un esercizio di straniamento per rimuovere il fatto che, invece, non fossero più nella sua vita. Avrebbe voluto sbatterle in faccia il fatto che ormai tutto ciò che gli restava era una maledetta videocassetta con quaranta minuti scarsi di dolorosi ricordi che lui ogni sera usava come metadone per disintossicarsi dal passato. Ma poi non disse nulla e lasciò che Silvia continuasse a elencare tutte le sue mancanze come ex marito e come padre.

Intanto, mille altri pensieri vorticavano dentro di lui.

Avrebbe dovuto spiegare alla Baldi che la teoria del buon samaritano, cioè di un terzo attore intervenuto nella scena della scomparsa di madre e figlio, non era del tutto inesatta. Ma non si era trattato di un automobilista di passaggio, tantomeno di un benefattore. Perché nella stanza dei giochi l'ipnotista misterioso si era accusato con la voce di Nikolin di aver causato la foratura dello pneumatico.

Quel «sono stato io», reiterato più volte, faceva pensare a un piano articolato.

Forse lo sconosciuto aveva attirato la donna e il ragazzo sulla strada nel bosco. O forse erano soliti andarci e lui ne aveva approfittato. Di fatto, l'incidente e il luogo deserto si erano rivelati perfetti per seminare false piste per gli inquirenti.

Un'altra cosa era sicura: li aveva scelti.

Due sbandati senza fissa dimora, entrambi stranieri. Nessuno si sarebbe affannato troppo a cercarli. Ma il rapitore aveva bisogno solo del bambino, si disse. In un simile disegno, la madre era superflua e poteva essere eliminata. E questo faceva dello sconosciuto un assassino, Gerber non doveva dimenticarlo.

«E poi, se permetti, mi sono rifatta una vita.» Silvia si riprese con prepotenza la sua attenzione.

La precisazione stavolta lo infastidì, era del tutto gratuita. «Non ho mai detto nulla sul conto del tuo nuovo compagno» ribatté.

« Non è un semplice compagno » puntualizzò lei, stizzita. « È il mio fidanzato. »

Poi sparì di nuovo e Gerber pregò che cadesse presto la linea per poter spegnere il cellulare. La parola « spegnere » lo riportò a Nikolin, perché era proprio ciò che era accaduto al bambino. Il sequestratore aveva selezionato con cura il ragazzino disadattato da poter manipolare a piacimento. Pensò ai vari metodi con i quali poteva essere riuscito a entrare nella sua testa. Li conosceva bene. Facevano parte di una pratica d'indottrinamento forzato, detta comunemente « lavaggio del cervello ».

La prima fase era quella dell'isolamento.

Se vuoi che qualcuno creda a qualcosa che è in contrasto con la propria esperienza o, per esempio, con l'educazione ricevuta dalla propria famiglia, allora devi portarlo via dal mondo e tenerlo lontano da ciò che conosce. Era tipico delle sette millenariste, che così si assicuravano che gli accoliti fossero totalmente immersi nell'apprendimento dei precetti religiosi.

La prigione del ragazzino doveva essere ubicata in un luogo appartato, considerò Gerber e decise che sarebbe stato anche il primo suggerimento da fornire alla Baldi e ai carabinieri per iniziare la caccia al rapitore.

La seconda fase era quella del controllo.

Consisteva nell'impedire che il soggetto da corrompere entrasse in contatto con idee in conflitto con quelle che si voleva inculcargli. Ovviamente, niente telefono, tv o internet. Ma, soprattutto, nessun altro contatto umano.

Ha fatto tutto da solo, si disse Gerber. L'ipnotista di Nico non ha complici.

La terza fase era quella dell'incertezza.

Far credere al soggetto che il mondo esterno non ha bisogno di lui, lo rifiuta oppure che, addirittura, è stato sconvolto da un evento catastrofico o da un olocausto. Molti manipolatori riuscivano a convincere le proprie vittime di essere gli ultimi umani sulla Terra.

Poi c'era la quarta fase: la reiterazione.

Ripetere all'infinito un concetto finché non attecchiva totalmente o si radicava in forma di ossessione. Così facendo, mettere in discussione o anche modificare una semplice verità acquisita costava alla vittima dolore fisico e smarrimento. Era la cosiddetta « obbedienza senza pensiero », il risultato era un'azione pedissequa depurata da ogni possibilità di critica. Come appunto il riferire meccanicamente fatti appresi da qualcun altro, come stava accadendo a Nikolin.

Infine, c'era la fase della rieducazione emotiva o della « nuova madre », con cui il manipolatore rendeva la vittima completamente dipendente da sé, come in un rapporto filiale.

Perciò, lo svezzamento psicologico di Nico sarebbe stato un'impresa complessa per Gerber. Anche questo avrebbe dovuto dire alla Baldi non appena l'avesse ricevuto.

La cosa straordinaria e insieme più inquietante era che, per ottenere un simile risultato, non occorrevano la coercizione o la violenza. Era sufficiente disporre dell'habitat giusto per addomesticare il soggetto nonché del tempo per farlo.

Otto mesi erano un intervallo perfetto, considerò lo psicologo. Il paziente diventava cavia.

Naturalmente, la premessa necessaria era che il plagiatore possedesse un'enorme competenza. E Gerber temeva che il loro antagonista, oltre che senza scrupoli, fosse anche molto esperto.

C'era un nome per quelli che si servivano di tecniche psicologiche invasive senza alcun riguardo per la salute o il benessere del soggetto da ipnotizzare.

Affabulatori.

« Davvero, io non ti capisco » carpì dal telefono, avvicinandosi a una grande finestra. Aveva trovato un punto in cui il segnale era discreto, ma non era sicuro che fosse un bene. Silvia proseguì: « Se vogliamo conservare un rapporto onesto, dobbiamo imparare a rispettarci. E tu non puoi fare come ti pare ».

« Io non faccio come mi pare » protestò.

« E allora perché continui a comportarti così? »

Che diavolo stava dicendo? A cosa si riferiva?

In quel momento, la porta del giudice Baldi si aprì. Gerber fu investito da una piccola folla di cronisti, operatori televisivi e fotografi che uscivano dall'ufficio. Poi anche il magistrato apparve sulla soglia. « Scusa se ti ho fatto aspettare, Pietro. Vieni pure, ma ti informo già che ho molta fretta » disse, invitandolo nella propria stanza.

Gerber, però, le fece cenno che gli serviva ancora un momento. « Cerca di essere più chiara, per favore » spronò Silvia, provando a non farla arrabbiare ulteriormente. Davvero, non capiva.

«Avanti, sai di che sto parlando...» lo accusò. «Nostro figlio è confuso e anche il mio fidanzato pensa che tu sia stato inopportuno.»

«Io non ho fatto nulla» si difese ancora una volta. Improvvisamente, però, comprese che lei non l'aveva chiamato per una delle sue solite sfuriate. C'era un motivo. «Non me ne starò qui ad ascoltare le tue insinuazioni» finse d'indignarsi per spingerla a parlare senza però impaurirla.

«I fiori» disse lei, seccata.

Gerber si irrigidì. «Quali fiori?»

«I tulipani gialli che mi hai mandato stamattina.»

14

Uno degli espedienti che mandavano avanti un buon matrimonio era conoscere qualcosa dell'altro che nessuno sapeva. Silvia lo ripeteva sempre. Una delle sue passioni, di cui solo Pietro era al corrente, riguardava i fiori. Ufficialmente, lei amava le orchidee. Solo lui, però, era il depositario della verità.

Tulipani gialli.

Non era un granché come segreto, ma soltanto una piccola cosa che avevano deciso insieme quando erano fidanzati. E si erano anche promessi che quell'informazione sarebbe rimasta fra loro per sempre e nonostante tutto.

Perché solo Pietro avrebbe potuto regalarle i suoi fiori preferiti.

Ecco perché, entrando nell'ufficio della Baldi dopo la telefonata con l'ex moglie, Gerber si accorse di avere improvvisamente la bocca secca. Era la tensione.

«Allora, come è andata?» gli domandò il giudice mentre apriva la finestra per cambiare l'aria nella stanza, ansiosa di conoscere l'esito del nuovo colloquio con Nikolin all'istituto.

Gerber, però, se ne stava impalato e non riusciva a proferire parola, con la lingua impastata come se avesse mangiato un pugno di sabbia. Tuttavia sapeva di doversi inventare qualcosa nel giro di pochi secondi, altrimenti il magistrato avrebbe capito subito che qualcosa non andava. Non poteva dirle la verità.

Primo: non dovrai parlare a nessuno di me.

«Non è semplice da spiegare» affermò, ma solo per prendere tempo. Continuava a pensare al sottile avvertimento che l'affabulatore gli aveva fatto pervenire mandando i tulipani gialli a Silvia.

Il romantico segreto dei fiori preferiti di sua moglie.

Mentre cercava qualcosa da dire, era travolto da un turbinio di supposizioni. Sa molte cose di me e del mio passato, si disse con sgomento. L'avversario era in possesso di informazioni a cui nessun altro avrebbe dovuto avere accesso, mentre Gerber non conosceva nulla di lui.

«Allora?» lo sollecitò Anita Baldi. In quel momento, una folata di vento dalla finestra aperta fece staccare alcuni fogli dal collage che si trovava dietro la scrivania del giudice. I disegni donati dai bambini volarono per la stanza, la donna si mise a raccoglierli dal pavimento. «Ma guarda qui che disastro» commentò.

Il diversivo, però, fece guadagnare altro tempo a Gerber per pensare a una strategia. Quest'uomo è pericoloso, si disse. Ha già ucciso la madre di Nikolin. Non si fa scrupoli perché ha un piano preciso, farà di tutto per realizzarlo. «Ho deciso di revocare la mia firma dalla perizia di stanotte» affermò, di getto. «Non avallerò la confessione resa dal bambino in stato d'ipnosi nella stanza dei giochi » ribadì, nel caso non fosse ancora chiaro.

L'affermazione spiazzò la Baldi, che si sollevò da terra con i fogli fra le mani. Sul suo volto, un'espressione sorpresa e risentita. « Perché dovresti fare una cosa del genere? Per favore, puoi spiegarmi cosa ti ha fatto cambiare idea? »

Era rammaricato dal dover trattare così la vecchia amica. « Stamattina, all'istituto, ho avuto modo di riconsiderare meglio il mio approccio con Nikolin e credo di aver bisogno di più tempo per valutarlo. »

Ciò che stava chiedendo era un azzardo. Quanto rivelato sotto ipnosi dal bambino non aveva valore legale, perciò la Baldi poteva tranquillamente farne a meno e sbarazzarsi anche di lui. In fondo, le parole di Nikolin erano servite soltanto per iniziare la ricerca del corpo della madre e trattenere il figlio in custodia per impedire che fuggisse o reiterasse il crimine di cui si era autoaccusato.

« D'accordo: ritira pure la perizia » disse infatti il magistrato, senza scomporsi. Ma, dal tono, era delusa e arrabbiata.

« Farò una dichiarazione pubblica » rilanciò e, per supportare la minaccia, Gerber fece un passo in avanti. « Dirò alla stampa che, secondo me, il bambino andrebbe riesaminato. »

La Baldi lo scrutò per capire se faceva sul serio. « Mi metteresti in difficoltà, ma ti rovinerai per sempre la reputazione... »

Era vero e avrebbe subito un procedimento disciplinare dall'ordine degli psicologi per violazione del codice deontologico che prevedeva che non si dovessero fornire ai media dettagli del rapporto con i pazienti. Ma la conseguenza più grave, se si fosse rimangiato davanti a tutti ciò che aveva messo nero su bianco, era che nessuno si sarebbe più fidato di lui. Avrebbe dovuto dire addio al proprio lavoro, la cosa che l'addormentatore di bambini adorava di più. Però la sua famiglia poteva essere in pericolo e lui al momento non vedeva alternative.

« Lo so » affermò, cercando di sembrare credibile. Se la Baldi non si fosse lasciata intimidire, era la fine.

« Sentiamo le tue richieste... » accondiscese momentaneamente il giudice.

Gerber sperava che avesse intuito da sé che esisteva un motivo per cui era costretto a comportarsi in quel modo, e che lui non poteva parlarne. Forse l'amica voleva davvero aiutarlo. « Le chiedo di poter svolgere altre sedute d'ipnosi, a partire da oggi. »

« Per quanto tempo? » domandò lei.

Secondo: ascolterai ciò che ho da dire... fino in fondo.

« Per il tempo che riterrò necessario » ribatté lui, sperando che il corpo della madre di Nikolin spuntasse fuori il più tardi possibile, perché a quel punto le sue minacce alla Baldi non avrebbero avuto più alcun valore.

Il magistrato si diresse verso la scrivania, lasciò i disegni raccolti e prese la cornetta del telefono. « Avvertirò il direttore dell'istituto che dovranno portare qui il bambino: ti daremo la stanza dei giochi e tutto il supporto di cui avrai bisogno. »

« No » la frenò Gerber. « Dovrà avvenire nel mio studio. »

La Baldi gli lanciò un'occhiataccia per avvisarlo che stava esagerando un po' troppo con le pretese. « Le sedute dovranno essere filmate e verbalizzate, perciò non se ne parla. »

« Ho bisogno di un ambiente che Nikolin non conosca, devo stabilire un nuovo patto con la sua mente altrimenti non si aprirà. » Era vero solo in parte ma confidava sul fatto che il giudice avesse visto coi propri occhi quanto era stato difficile farlo parlare la prima volta.

La Baldi fece trascorrere un lungo momento di silenzio. Gerber pregò che il responso gli fosse favorevole.

« Non so perché ti stai comportando così, Pietro » affermò l'altra, che di solito non si faceva abbindolare. « Ma spero con tutto il cuore che tu abbia davvero una valida ragione perché, da adesso in poi, sarai completamente solo. »

« Lo so » rispose lui di rimando, reggendo il suo sguardo senza aggiungere altro.

Non dovrai cercarmi là fuori.

Avrebbe dovuto dare la caccia a un affabulatore. Da solo.

15

C'è un posto dentro di noi, remoto e sconosciuto. Gli ipnotisti lo chiamano « la stanza perduta ». Nessuno sa esattamente dove si trovi e come ci si arrivi. È una specie di ripostiglio dove negli anni accantoniamo tutto ciò che non ci piace di noi stessi o le scorie del nostro inconscio. Di solito, le cose più segrete che, a volte, perfino noi ignoriamo o ci rifiutiamo di vedere. Gli istinti impuri, i pensieri reconditi, le paure inesplorate, i desideri più aberranti.

Nikolin si trova lì. È stato rinchiuso in quella specie di prigione dall'affabulatore. Gli è stata lasciata la possibilità di interagire con gli altri e con l'ambiente che lo circonda in modo del tutto elementare.

La stanza perduta è un luogo senza uscita. E lui è solo.

Indossava la tuta bianca dell'istituto, lo scortavano l'operatrice che Gerber aveva già incontrato e due guardie carcerarie. Lo psicologo se ne stava appoggiato al muro del corridoio con le braccia conserte e osservava mentre gli toglievano le manette.

Un bambino con le manette era un'immagine semplicemente surreale.

Nikolin li lasciava fare, imbelle. Intanto fissava la porta della stanza del *signor B.* chiusa da anni, come se sapesse che dall'altra parte c'era una giungla di cartapesta. Capitava a tutti i bambini che andavano lì per la prima volta: inspiegabilmente, si fermavano lì davanti con la stessa espressione, stregati dal richiamo del piccolo mondo fantastico nascosto dietro quella sottile barriera e creato solo per loro dal primo dottor Gerber, molti anni prima.

« È sicuro che non vuole che restiamo qui? » chiese una delle guardie, un omone dall'aspetto rassicurante.

« Grazie, ma preferisco che aspettiate sotto il palazzo. Vi chiamo io appena abbiamo finito » li congedò l'ipnotista.

I due, che avevano ricevuto l'ordine di assecondare le sue richieste, non replicarono e si avviarono verso l'uscita.

L'operatrice con gli occhiali rimase immobile. Il suo atteggiamento era cambiato rispetto all'altra volta. Nell'espressione e nei modi si percepiva meno cordialità, se non proprio aperta ostilità nei confronti di Pietro Gerber. Ma dopo uno scambio di occhiatacce, anche lei si decise a seguire le guardie.

L'addormentatore di bambini fece strada a Nikolin nel suo studio. « Puoi metterti lì » disse, indicandogli la sedia a dondolo. « È molto comoda » gli assicurò.

Il ragazzino obbedì. Lo psicologo non sapeva quante delle sue azioni dipendessero realmente da lui. Anche se poteva sembrare incredibile, rinchiudendolo nella stanza perduta, qualcuno l'aveva impostato per comportarsi in un certo modo, lasciando alla sua volontà solo un numero esiguo di decisioni.

Nico è libero di nutrirsi, dormire, camminare, di rispettare determinate abitudini o di compiere una serie di piccoli gesti come, per esempio, lavarsi i denti o grattarsi il naso se gli prude.

Mentre scriveva quella nota, Gerber si era ricordato della « setta dell'albero », nelle Filippine, quando nella foresta furono trovati circa trecento adepti di un santone che, a comando, ripetevano all'unisono gli stessi atteggiamenti, come in un'assurda coreografia. Ci vollero mesi per infrangere quella specie di sortilegio, ma molti di loro non riuscirono più a risvegliarsi da quello stato.

Erano come persi nella propria mente. Costretti a rimanere lì e a vagare per sempre.

L'ipnotista si avvicinò al ragazzino. Gli prese il viso fra le mani, con delicatezza, cercando il suo sguardo. « Prima di cominciare, voglio dirti una cosa, Nico... So che sei da qualche parte, e che puoi sentirmi. »

Il bambino non si scompose, gli occhi che lo fissavano senza sbattere le palpebre erano vuoti.

Sperduto.

L'aveva definito così l'allevatrice di cavalli, descrivendolo mentre mangiava pane e latte accanto alla stufa.

« Probabilmente hai paura, perché neanche tu sai dove sei » proseguì l'ipnotista. « Ma devi farti coraggio, e devi fidarti di me. Perché io ti troverò, e ti porterò via.» E concluse: «Torneremo a casa insieme, te lo prometto».

Sperò che quelle parole avessero raggiunto Nikolin, ovunque fosse.

Gerber era fiducioso che, col tempo, avrebbe ottenuto le risposte che cercava e tutto sarebbe stato via via più chiaro. Adesso era pronto al passo successivo.

Come nella stanza dei giochi, anche nello studio erano nascoste delle microcamere, celate dietro i quadri o collocate in alcuni giocattoli sulla libreria. Di solito l'ipnotista riprendeva le sedute. Ma, per non contravvenire alle condizioni dell'affabulatore, nel caso di Nico era costretto a fare un'eccezione.

Ciò che stava per accadere sarebbe rimasto fra lui e il bambino.

Così si limitò a chiudere le tende. La luce del giorno si affievolì assumendo una tonalità rossastra, simile a un tramonto permanente. Poi lo psicologo andò a sedersi sulla propria poltrona, si protese verso la sedia a dondolo e le diede una piccola spinta. Il ragazzino era rigido, con le dita artigliate ai braccioli. Gerber allungò una mano per prendere qualcosa dal tappeto rosso sotto di sé.

Un tulipano giallo. Lo depose in grembo al bambino.

Aveva intuito che il suo omologo aveva creato vari livelli nella mente di Nikolin. Per accedervi, era necessario uno specifico innesco. Nel primo caso erano stati l'ago da cucito e il bottone. Nel secondo, le immagini del gol in una vecchia partita. Adesso supponeva che toccasse al fiore preferito di Silvia.

Ascolterai ciò che ho da dire... fino in fondo.

E Gerber era pronto a sentire quella storia.

L'odore del tulipano era pregnante: lo stimolo olfattivo stava funzionando poiché il respiro del ragazzino iniziò ad accelerare. Poi l'ipnotista vide emergere qualcosa nello sguardo del paziente, una luce nera. Capì che era il momento di stabilire il contatto. Si annunciò: « Sono qui ».

« Alcuni recano in sé ferite invisibili, che sanguinano continuamente. Oppure vuoti incolmabili in cui riecheggiano urla disperate » esordì il misterioso narratore. « Ciò che ho vissuto mi ha portato fin qui, perché dovevo mostrarlo a qualcuno. E adesso tu verrai con me. »

L'ultima frase era in bilico fra un invito e una minaccia. In quel momento, Nikolin era come un ponte radio che captava segnali da un'altra dimensione, profonda e invisibile.

« Ti sei chiesto perché ho scelto un bambino e non un adulto, dottore? »

Perché la loro psiche è più malleabile, pensò Gerber ma non disse nulla.

« Avevo la sua età quando è successo... »

La trasmissione proveniva dal passato. A quanto pareva, l'affabulatore voleva riferirgli una storia personale risalente all'infanzia.

« Da piccolo, la sera hai paura ad addormentarti da solo. Però a dodici anni sei troppo grande per scappare nel letto dei tuoi genitori e comunque ormai hai capito che non può esserci alcun mostro nascosto nell'armadio. Ma è proprio quando hai appena smesso di crederci, che quel mostro appare... » Una pausa. « Tu l'hai mai incontrato un mostro, dottore? Uno di quelli che pensi esistano soltanto nelle fiabe o nei film dell'orrore? Un essere immondo, uno sbaglio di Dio? Per capire che ce l'hai proprio davanti agli occhi, devi prima convincerti che è possibile. Ed è la parte più difficile. Perché nessuno ti ha mai insegnato a riconoscerlo. Nessuno ti ha mai spiegato che, quando lo vedrai, ti sembrerà del tutto simile alle persone che incontri ogni giorno. Una testa, due gambe, due braccia. Capelli, occhi, unghie, dita delle mani e dei piedi – tutto quanto. »

Gerber era turbato, poiché la premessa era delirante ma gli sembrava che esprimesse una sofferenza autentica. Quel dolore veniva da lontano e non era mai guarito. Lo psicologo non sapeva se dovesse dire qualcosa, ma non avrebbe saputo lo stesso cosa dire.

« Sei veramente pronto ad ascoltare tutto questo, dottore? » domandò l'altro con tono dolente, colmando il suo silenzio.

« Avanti » lo esortò con calma l'ipnotista. « Sono pronto... »

« Bene » affermò l'affabulatore con la voce di Nikolin. « Anche se adesso ti sembrerà incredibile, a dodici anni io ho incontrato un orco. »

16

È il sette di giugno. Ho dodici anni e oggi è l'ultimo giorno di scuola.

La mattina è fresca e calda insieme. E c'è una nuova luce, più dorata. Anche l'aria è diversa. Lo senti dall'odore che la primavera arretra, sta facendo posto all'estate. Le lezioni sono finite e cominciano le vacanze. E tu sei felice.

Non può accaderti nulla in un giorno così.

All'una e venti, lo scuolabus mi lascia, come al solito, a un centinaio di metri dal podere, proprio sotto alla collina. Devo solo scavalcarla e sarò arrivato. Guardo distrattamente il pulmino proseguire lungo la striscia d'asfalto che si perde nel paesaggio ondulato. In seguito penserò spesso a questo preciso momento, quando potevo ancora salvarmi. Ma adesso non immagino nemmeno che sto vedendo allontanarsi l'ultima possibilità di evitarmi tutto il resto. Perché se solo avessi un presentimento, chiederei ai miei compagni e all'autista di non lasciarmi solo o di portarmi con loro.

Il più lontano possibile dal luogo che amo di più e in cui sono stato sempre amato. Casa mia.

Credo capiti la stessa cosa a chi si trova sulla nave mentre affonda o sull'aereo che sta precipitando. Sono convinto che pensano tutti alla vocina vigliacca che al momento dell'imbarco gli diceva di voltarsi e andar via. E loro non le hanno dato ascolto.

Ma, complice l'allegria che mi riempie il cuore, non ho alcuna percezione di ciò che sta per accadere.

M'incammino come sempre lungo il sentiero in salita e, a metà strada, sono già sudato. Sento la maglietta appiccicata alla schiena e le goccioline calde che scivolano sulla fronte, facendomi il solletico. Quando mi inumidisco le labbra, sono salate. Lo zaino di scuola oggi pesa meno e ho voglia di togliermi le scarpe.

Non abitiamo troppo lontano dalla strada, ma il podere è nascosto dalla collina. Giunto in cima, vedo il vecchio casale che spunta nella piccola valle in mezzo ai boschi antichi: un torrente la solca come una cicatrice trasparente e, per attraversarlo, c'è un ponte di pietra. Un tempo apparteneva ai nonni dei miei nonni, la mamma l'ha ereditato otto anni fa. Era poco più di un rudere, me lo ricordo, ma lei e il babbo l'hanno rimesso in sesto poco alla volta, spendendo tutti i risparmi che avevano da parte. Per otto anni, siamo venuti qui dalla città tutti i fine settimana per controllare come procedevano i lavori. All'inizio dormivamo nel camper, un Ducato dell'Ottantacinque che il babbo aveva parcheggiato stabilmente accanto al portico. Non era il massimo, specie d'inverno. Però era divertente stare stretti in quella scatola di lamiera. Praticamente, sono cresciuto in questa casa ancor prima di venirci ad abitare. Cosa che è avvenuta l'anno passato, più o meno in questo stesso periodo, quando da un condominio mi sono ritrovato a vivere in mezzo alla campagna.

Ma, siccome è praticamente dall'età di quattro anni che trascorro ogni estate qui al casale, dopo il trasloco mamma ha deciso che quest'anno faremo un viaggio.

Il babbo ha accolto subito la proposta e ha rimesso a nuovo il camper, ha sistemato il motore che stava fermo da otto anni. Andremo a fare un lungo giro nel Nord Europa. Con lui e la mamma ogni sera delle ultime settimane abbiamo segnato su una cartina i posti da visitare, le soste e gli itinerari. Ieri abbiamo caricato i bagagli e la cambusa. Stamattina il babbo sarebbe andato a fare il pieno. La partenza è prevista per questo pomeriggio.

Un pranzo veloce e poi via sulla strada, a macinare subito chilometri. Non sto nella pelle.

Solitamente, il Ducato è posteggiato sul retro e dalla collina non si riesce a scorgerlo. Mentre mi avvicino al casale, immagino i miei genitori indaffarati là dietro per sistemare le ultime cose. Col babbo che fischietta le canzoni di quando era giovane e so già che ci propinerà i suoi cd durante il tragitto. Non mi sembra nemmeno strano che Bella, il mio golden retriever, non mi venga incontro abbaiando e scodinzolando come sempre. Sarà impegnata anche lei a mendicare qualche boccone di cibo mentre la mamma prepara i panini con la finocchiona sul tavolo di marmo.

È incredibile che riesca a figurarmi tutto questo e non che, invece, possa attendermi qualcosa di diverso.

Entro in casa, recupero la pagella dallo zaino, poi lo getto in un angolo e so già che lo riprenderò almeno fra tre mesi. Con il foglio fra le mani mi dirigo subito in cucina, perché voglio partecipare ai preparativi e ho pure una gran sete. Chissà che faccia farà il babbo quando scoprirà che ho preso ottimo pure in matematica, l'algebra è la mia bestia nera.

Lui e la mamma saranno sicuramente fieri di me.

La casa è silenziosa, ma mi dico che i miei saranno all'esterno. Mentre attraverso gli ambienti e il corridoio, però, sento dei suoni. Mi aspetto già di vedere mamma che litiga con Bella accanto al frigo. Magari le concederò perfino un bacio, visto che si lamenta sempre che, da quando sono diventato più grande, ogni volta che prova a farmi una carezza mi scanso come se stesse cercando di accoltellarmi.

Varcata la soglia della cucina, però, mi blocco.

C'è un uomo che non ho mai visto. Non saprei calcolare la sua età, non è giovane ma nemmeno vecchio. Me lo dicono i capelli nerissimi, l'ombra di barba incolta che gli incornicia il viso, i peli che spuntano dallo scollo di una T-shirt bianca indossata sotto una salopette blu da meccanico o da operaio, le grosse scarpe da lavoro. È seduto al tavolo. Chissà perché mi colpiscono le sue mani, ha le unghie sporche. Sta sbucciando una mela con un coltello.

Vedendomi, non si scompone. Anzi, ho come l'impressione che mi stesse aspettando.

« Buongiorno » lo saluto subito, perché è così che mi è stato insegnato quando incontro un adulto. Per il momento, non si accende nessuna lucina rossa intorno a me, nessuna sirena d'allarme si mette a suonare nella mia testa. Anzi, sono abbastanza tranquillo. È soltanto tutto molto strano.

« Buongiorno » risponde lui, cordiale, parlando con la bocca piena.

Mi guardo intorno cercando anche i miei genitori, ma mi sorprendo a scoprire che siamo soli. Provo a sbirciare fuori dalla portafinestra aperta, non si vede nessuno. Lui lo nota, ma non avverte il bisogno di dire niente. Mi chiedo come sia arrivato al casale, perché non c'era alcun veicolo parcheggiato sul piazzale. Mi accorgo che ai suoi piedi c'è una sacca da marinaio. Il cervello mi dice che forse è appena sbarcato da una nave portacontainer o da una petroliera. Non so ancora come tutto questo possa fare qualche differenza al momento. Forse il mio cervello sta solo cercando di fuggire da qualcos'altro, un'idea che fa paura.

« Mamma » chiamo, perché mi infastidisce come l'uomo mastica la mela. Invece è la sua presenza a mettermi a disagio, ma non voglio ancora ammetterlo. « Mamma » ripeto, avviandomi verso la portafinestra.

« Sono partiti » mi gela lo sconosciuto, prima che metta piede fuori.

Quell'eresia mi rallenta ma non mi ferma e guardo all'esterno. « Non è *posss...* » La frase mi muore in gola perché in effetti sotto il portico manca qualcosa. Il camper. C'è rimasta solo la vecchia Volvo, accanto alla quale c'è uno spazio vuoto che spicca come il buco sulla gengiva dopo l'estrazione di un dente. Torno a voltarmi verso l'estraneo.

« Che significa che sono partiti? » mi sento domandare con voce rotta, e sono arrabbiato con loro come se davvero fossero andati via senza di me. Ancora non mi sfiora nemmeno il pensiero che non avrebbero mai potuto farmi una cosa del genere, ché è semplicemente ridicolo anche solo immaginarlo. Ma in quel frangente ci credo, ci voglio credere. Perché tutte le possibili alternative sono peggio.

« Un'ora fa » mi conferma l'uomo, tranquillo, continuando a dedicarsi al proprio frutto. « Si sono portati via anche il cane. »

E per la prima volta mi rendo conto che, arrivando, non ho sentito abbaiare Bella. Di solito è molto diffidente con gli estranei e, finché non si abitua a un nuovo ospite, bisogna tenerla al guinzaglio.

« Devo chiamarli » dico subito.

« Fa' come credi » mi risponde quello, come se la cosa non facesse alcuna differenza per lui.

Poi mi ricordo che non abbiamo una linea fissa e che, nonostante tutte le mie insistenze, i miei non mi hanno ancora dotato di un cellulare. « Potrei avere il suo telefonino, per favore? » domando, e la richiesta mi sembra bizzarra almeno quanto la situazione in cui mi trovo.

« Mai posseduto uno » dice lo sconosciuto. « Mi dispiace, ragazzino. »

Ora mi viene davvero da piangere. « E io cosa dovrei fare? » chiedo, come se un tizio che non ho mai visto in vita mia potesse davvero aiutarmi a venirne a capo.

« Starai con me » afferma, come fosse la cosa più scontata del mondo.

« Con lei? » domando. Braccia e gambe pesano una tonnellata e mi sento improvvisamente debole, sto quasi per crollare. « E fino a quando? » chiedo, come se la battuta appartenesse davvero a un dialogo sensato.

« Finché non saranno tornati i tuoi genitori » mi risponde, come fosse ovvio.

Più passano i minuti, più mi convinco che la mia speranza che sia tutto un brutto scherzo andrà miseramente delusa. Ma non mi sento ancora pronto a fare i conti con questa nuova realtà. Ecco perché azzardo: « Chi è lei? »

« Puoi chiamarmi... *zio.* »

Per quanto ne so, la mamma e il babbo sono figli unici. Allora da dove viene fuori questo zio? « Ma ce l'avrà un nome, no? »

« Chiamami zio e basta, a me sta bene » afferma, asciugandosi col dorso della mano il succo di mela che gli cola dal mento.

Mi accorgo che, oltre a lui, non ho mai visto prima nemmeno il coltello che sta impugnando. Non è nostro. Quando ha finito di mangiare, lo ripone sul tavolo e tira fuori dalla tasca un fazzoletto rosso, appallottolato, con cui si pulisce il muso e si terge il sudore dal collo. Poi allunga un braccio verso di me, indicando qualcosa.

« Posso? »

Impiego qualche secondo a capire che ce l'ha con la pagella che stringo ancora in mano. Esito ma, siccome non saprei come oppormi a qualsiasi sua richiesta, alla fine gliela porgo.

L'uomo la prende delicatamente e, reggendola fra due dita e stando attento a non macchiarla, se la porta davanti alla faccia per leggerla meglio. Si prende tutto il tempo per esaminarla. « Accipicchia » si lascia scappare quando ha finito, e sembra sinceramente ammirato. « Davvero una bellissima pagella, non c'è che dire » commenta, restituendomi il foglio.

« Sono migliorato in matematica » affermo, senza nemmeno sapere perché. O forse perché, insensatamente, spero di meritare un premio: magari far cessare subito questo brutto sogno.

« Lo conosci l'indovinello dei calzini spaiati? » mi domanda l'uomo.

« No. »

« Allora... Hai ventisei calzini bianchi, diciotto calzini neri e sedici rossi sparsi in un cassetto in una stanza buia: quanti calzini devi portare fuori dalla stanza per avere almeno una probabilità d'indossarne un paio dello stesso colore? »

« Tre » rispondo subito. « Se i primi due calzini sono spaiati, basta combinarli con il terzo. »

Lui sembra pensarci su. Evidentemente, conosceva già la soluzione e forse è sorpreso dal fatto che ci sia arrivato così presto. Ho subito l'impressione che quel calcolo elementare mi abbia come messo al riparo da qualcosa. Il pensiero non mi fa stare bene. Perché è come se l'algebra mi avesse appena salvato da un destino ancora più terribile. E, infatti, mi trafigge una domanda.

Cosa sarebbe accaduto se avessi sbagliato la risposta?

« Sei proprio un ragazzino intelligente » si complimenta l'uomo. Ma non sembra troppo contento, forse per lui è un problema il fatto che io non sia stupido.

Ho paura a informarmi su cosa accadrà adesso. Ci pensa lui, però, a fugare ogni mio dubbio.

« Ti spiego cosa faremo » esordisce, risoluto e insieme rassicurante. « Mi farò una dormitina: i tuoi mi hanno dato il permesso di usare il loro letto finché staranno via. Credo che dormirò fino all'ora di cena. »

A parte l'assurdità della storia del letto, mi domando cosa dovrei fare io nel frattempo. Ma, prima che possa aprire bocca, lo vedo alzarsi dalla sedia e dirigersi verso la portafinestra.

« Te ne starai buono qui, vero? » domanda, guardando all'esterno.

Non rispondo, lasciandogli intendere che potrei anche tentare la fuga.

« Ci sono un sacco di malintenzionati là fuori e non vorrei che uno di loro ti facesse del male » mi spiega con calma. « I tuoi si sono tanto raccomandati perché badassi a te in loro assenza. »

Allora capisco che il pericolo non è fuori, ma qua in casa. E non basterà fuggire.

« Ma certo che non andrai da nessuna parte » si risponde da solo lo sconosciuto, sicuro di sé e, a quanto pare, anche di me. « Sei un ragazzo troppo furbo. »

Nei suoi occhi si cela qualcosa di più pericoloso di qualsiasi lama di coltello. Un intendimento. Non è banale malvagità, c'è qualcosa di geniale. Qualcosa che mi dice che l'uomo che ho davanti ha un talento unico: lui è speciale. È stato creato appositamente da Dio per compiere una missione di sangue e sofferenza. Qualunque sia il suo scopo, i miei genitori hanno incrociato casualmente la sua strada. Non so cosa ne sia di loro, perché non credo che siano davvero partiti per il Nord Europa come sostiene l'intruso. In questo frangente, tuttavia, la domanda che mi assilla veramente è perché questo mostro che indossa con disinvoltura sembianze umane voglia tenermi con sé.

« Hai ragione, zio » lo assecondo allora, con tono improvvisamente confidenziale. « Resterò qui. » La speranza è che, mostrandomi docile, forse scoprirò il più tardi possibile quale sia il mio ruolo nel suo disegno. Inoltre, ho bisogno anche di tempo per capire bene cosa sta accadendo e prendere eventuali contromisure. L'unica cosa che so è che sono impreparato, perché non ho mai vissuto un'esperienza simile. Mi rendo conto solo adesso che sono stato sempre felice. Ma l'entità benevola che finora ha vegliato in silenzio sulla mia infanzia ha smesso improvvisamente di proteggermi.

Lo sconosciuto annuisce. Forse mi ha creduto, o forse è troppo astuto. Però, per mia fortuna, si accontenta della mia risposta. Si avvia e, mentre sale di sopra, rimango ad ascoltare i suoi lenti passi pesanti sui gradini. Non so cosa mi aspetti, sono spaventato ma anche stranamente sollevato, perché ogni cosa brutta mi sembra rimandata. Non so nemmeno per quanto, ma per adesso va bene così. Ed è proprio adesso che, dalla cima delle scale, lui butta lì una frase, come se niente fosse.

« Fossi in te, non scenderei in cantina. »

17

All'improvviso, Nikolin smise di parlare.

Gerber non se l'aspettava. « Mi senti? » provò a domandare, sperando di rimettere in moto la narrazione.

Ma il bambino continuava a cullarsi sulla sedia a dondolo senza emettere un suono, come se avesse d'improvviso esaurito le parole. In sottofondo, soltanto il cigolio costante. Ossessivo.

Lo psicologo non sapeva cosa fare e non si capacitava. Cos'era accaduto? Era convinto che l'affabulatore volesse raccontargli una storia.

Ascolterai ciò che ho da dire... fino in fondo.

Si alzò dalla poltrona e si avvicinò a Nico per capire perché si fosse bloccato. L'altro spostò semplicemente lo sguardo su di lui. Allora Gerber prese dalla tasca una piccola torcia a penna, l'accese per testare il riflesso oculare e capire se fosse sveglio. Il ragazzino lo lasciò fare: anche con quella luce intensa, non abbassò le palpebre. L'ipnotista si rese conto che, in realtà, il paziente continuava a fluttuare in un lieve stato di torpore. I suoi occhi vedevano ma non guardavano.

Era tornato nella stanza perduta.

Gerber spense la torcia e indietreggiò di un passo, turbato. Aveva capito. Nikolin si comportava come un pupazzo a molla che ha terminato la corda o come gli automi di certe attrazioni dei luna park, che interrompono di colpo la propria esibizione e non ricominciano finché non li imbocchi con un altro gettone.

Ascolterai ciò che ho da dire...

« ... fino in fondo » completò la frase, sottovoce. L'affabulatore ha sepolto la storia suddividendola in vari strati di coscienza, si disse. Come gironi infernali, ognuno di essi conteneva un pezzo del racconto. E questo era un'ulteriore prova della sua abilità come ipnotista. Nessuno avrebbe saputo dire quanto in profondità avrebbe dovuto spingersi Pietro Gerber per conoscere l'intera vicenda.

Né cosa si celasse al termine di quella discesa abissale.

L'addormentatore di bambini comprese subito che non sarebbe stato così semplice riattivare Nikolin. Come con l'ago e il bottone, la partita di calcio e poi il fiore, anche stavolta c'era bisogno di un nuovo innesco per passare di livello. Non ne coglieva la ragione pratica, gli sembrava quasi un dispetto. Sarebbe stata una maledetta caccia al tesoro.

Ma a pagare il prezzo di quella follia sarebbe stato Nikolin.

Contravvenendo ancora una volta alle regole che si era sempre imposto coi pazienti, con cui tendeva a mantenere una distanza di sicurezza, Gerber gli prese la mano. « Molto bene, Nico » lo rincuorò.

Il ragazzino non ebbe alcuna reazione, però sembrava sereno.

A quel punto, lo psicologo fermò la sedia a dondolo e riaprì le tende, lasciando che la giornata uggiosa riprendesse possesso della stanza. Poi avvisò per telefono l'operatrice e le due guardie che attendevano sotto al palazzo affinché venissero a prendere Nico per ricondurlo all'istituto.

Assistette di nuovo all'insensato rito delle manette.

Prima che se ne andasse, gli si avvicinò. « Domani andrà meglio » gli sussurrò. Ma, in realtà, non avrebbe saputo dire quanto ci fosse di vero nella promessa. Era bastata quella seduta a far dissolvere il suo ottimismo iniziale. Poi si rivolse all'operatrice. « Rimanderei ancora l'inserimento di Nikolin nel gruppo degli altri ragazzi » si raccomandò. « Credo dovrebbe restare isolato, anzi vi chiederei di tenerlo nella stanza di contenimento. »

« Non ne vedo il motivo » ribatté l'altra, stizzita. « Anzi, mi sembra fin troppo tranquillo » aggiunse, indicandolo, poiché la stanza di contenimento era riservata ai ragazzi irrequieti o a chi all'improvviso dava in escandescenze.

« È semplice » provò a spiegarle Gerber, senza provocarla. « In quell'ambiente ci sono le telecamere: attraverso un monitoraggio costante avremo modo di sapere se si verificano cambiamenti significativi nel suo umore. »

La donna sembrò valutare la cosa come fosse davvero una proposta. Lo psicologo comprendeva la frustrazione per essere stata esautorata, ma sarebbe stato sgradevole rammentarle che non spettava a lei decidere.

Alla fine, quella sospirò, esasperata. « Va bene » accordò.

Gerber vide sfilare il bambino con la scorta. Appena se ne furono andati guardò l'ora. Erano le sedici e lui era distrutto: la notte precedente non aveva dormito, ma non intendeva arrendersi. In quel momento, squillò il suo cellulare. Era Silvia. Avrebbe voluto rifiutare la chiamata, perché non era dell'umore per affrontare un'altra sfuriata. Ma poi rispose.

« Oggi mi ha cercata la Baldi » lo aggredì lei, senza neanche salutare.

Gerber riusciva a immaginare il tenore della conversazione fra l'ex moglie e la vecchia amica di famiglia. Il giudice doveva averle raccontato del suo colpo di testa. « La Baldi ce l'ha con me » chiarì subito. « Siamo in forte disaccordo su un caso. »

« Non è scesa nei particolari, ma mi ha informato che stai mettendo a repentaglio la tua reputazione per un incomprensibile puntiglio. » Poi aggiunse: « Mi ha pregato di farti ragionare ».

« In qualità di consulente matrimoniale? » ironizzò Gerber, con stizza. « A proposito, cosa pensano i tuoi assistiti del fatto che la loro terapeuta non sia riuscita a salvare il proprio di matrimonio? Nel tuo mondo, non è un granché come referenza. » Si pentì subito dello sfogo, ma non c'era più modo di rimediare.

« Non ti sei cacciato in un altro caso Hall, vero? » domandò l'ex moglie, replicando con la stessa perfidia.

Anche se lei e Marco ormai vivevano lontano, era

comprensibile che Silvia temesse che lui li facesse piombare di nuovo in un incubo, come un anno e mezzo prima. E ripensando alla storia dei tulipani gialli che le aveva fatto recapitare l'affabulatore, non poteva darle torto. Con quel gesto, il misterioso ipnotista aveva dimostrato ampiamente che non si sarebbe fermato davanti a nulla. E, soprattutto, che era mosso da uno scopo indecifrabile. E Pietro Gerber era lo strumento per raggiungerlo. A qualunque costo.

« Io... » accennò, ma non gli venne in mente nessuna frase che potesse convincerla che aveva il controllo della situazione e che, alla fine, ogni cosa si sarebbe aggiustata. Non potendo assicurarle nulla, si limitò a concludere la telefonata. « Da' un bacio a Marco da parte mia. »

Avrebbe voluto dirle ogni cosa, cercare in lei una sponda, come faceva un tempo. Ma negli anni della separazione aveva imparato a fare a meno di Silvia. Non era stato facile, però c'era riuscito. Si maledisse. In poche ore la sua esistenza si era disfatta di nuovo. Anche la routine a cui si teneva tenacemente aggrappato per non smarrirsi in tristi pensieri era stata stravolta. Per dedicarsi a Nikolin, infatti, aveva spostato le sedute con gli altri pazienti alla settimana successiva. Aveva dovuto inventare delle scuse per giustificare i rinvii, sperando che il tempo che si era ritagliato fosse sufficiente. Mentire si era rivelata un'impresa difficile, soprattutto farlo con la madre di Lavinia: la visita in stato d'ipnosi alla villa di Forte dei Marmi era un notevole passo avanti per la figlia, ma adesso rischiava di essere vanificato. La ragazzina era arrivata sulla soglia di una porta che doveva assolutamente aprire, e Gerber temeva che se ne sarebbe di nuovo allontanata.

Tuttavia, la priorità al momento era far uscire Nico dalla stanza perduta.

Ma, prima di tutto, doveva trovare la chiave per accedere al capitolo successivo della storia dell'affabulatore. Aveva capito che poteva trattarsi di un oggetto o di uno stimolo sensoriale, come nel caso del video o dell'odore del tulipano.

Forse la risposta era proprio negli appunti presi durante la lunghissima sessione.

18

Si munì di foglietti e nastro adesivo. Stava in piedi al centro dello studio con quegli oggetti fra le mani, gli occhiali da vista appoggiati sulla fronte e la stilografica dietro l'orecchio. Ogni tanto si piegava per rileggere quanto aveva annotato sul taccuino spalancato sul tavolino sotto di lui. Ogni volta che trovava qualcosa di rilevante o che meritasse un approfondimento, lo appuntava su un bigliettino che poi attaccava in un punto della stanza per focalizzarlo meglio. Era un metodo che aiutava ad avere una visione tridimensionale delle cose.

12 anni

Appiccicò il primo foglietto sul camino. Non gli era sfuggito che l'affabulatore avesse proprio dodici anni quando erano avvenuti i fatti che voleva fargli per forza conoscere, la stessa età di Nikolin.

7 giugno

Perché l'ultimo giorno di scuola con cui era iniziata la narrazione cadeva il sette giugno e la data corrispondeva al rapimento di Mira e suo figlio sulla strada nel bosco, anche se il secondo evento si era verificato molti anni dopo. Quanti per l'esattezza?, si domandò. Forse la risposta era nella partita Fiorentina-Barcellona, risalente al 1999.

22 anni fa

In base a quei riferimenti temporali, calcolò anche l'età approssimativa dell'affabulatore.

34 anni

Piazzò quel numero accanto agli altri tre. Senza ammetterlo apertamente, stava cominciando a delineare un profilo dell'avversario. Anche se gli aveva intimato di non cercarlo, probabilmente pure l'altro era consapevole che sarebbe giunto a simili conclusioni e, chissà, magari quelle informazioni erano state collocate apposta nella storia memorizzata da Nico con lo scopo di depistare Gerber. Non era più sicuro di nulla. Tranne forse del fatto che l'incipit degli avvenimenti risalenti all'estate di ventidue anni prima era struggente.

L'ultimo giorno di scuola per un ragazzino di dodici anni non è una giornata come le altre, si disse. Da qualche parte è celata una promessa che aspetta soltanto di essere svelata. Quel giorno è un varco nel tempo: il passaggio si richiuderà dietro di te subito dopo che l'avrai attraversato. E quando alla fine dell'estate tornerai a rivedere i tuoi compagni, sarai cambiato e saranno cambiati anche loro. Ma ancora non lo sai. Da quando suona l'ultima campanella, non ci sono più regole né limiti. Tutto può accadere. Nessuno ti dice mai che, crescendo, non sperimenterai più la gioiosa anarchia di un giorno così, la sfrontata spensieratezza al cospetto dell'ignoto. Ma, nel caso di quel ragazzino senza nome, quel ricordo felice se l'era preso un orco.

Fossi in te, non scenderei in cantina.

C'era un ulteriore parallelismo con Nikolin. Entrambi alla stessa età erano stati prigionieri. La prigione di Nico non era l'istituto dove l'avevano appena condotto. Era rinchiuso nella propria mente.

Ma quanto avrebbe potuto resistere ancora in quella condizione, senza nemmeno poter sbattere le palpebre quando ne avvertiva il bisogno?

Mentre il pomeriggio si disperdeva nella sera e il fuoco nel caminetto della soffitta si esauriva lentamente, Gerber lasciava che la penombra lo avvolgesse. Gli era sufficiente la tenue luce che filtrava dalla finestra, scivolando come un fiume dorato sui tetti di Firenze. Lo psicologo non aveva intenzione di accendere l'abat-jour che stava accanto alla poltrona, poiché ben presto si era accorto che l'oscurità non lo infastidiva, anzi era come una bolla di quiete che gli serviva per riflettere.

Per essere imparziale, si sforzò ancora di dimenticare che l'affabulatore e il piccolo protagonista dello spaventoso racconto di Nico fossero la stessa persona: creare un ponte empatico gli era utile per credere fino in fondo alla storia. Per quel ragazzino doveva essere stato scioccante tornare a casa e trovarsi davanti un intruso che non aveva mai visto prima.

Zio.

L'orco aveva scelto un appellativo che celava un'ambiguità inquietante. Scrivendo il nome e collocando il foglietto sulla libreria, Gerber si pose una serie di interrogativi che distribuì nella stanza.

Chi è realmente lo « zio »? Da dove è spuntato fuori?

Che fine hanno fatto i genitori del bambino? Sono semplicemente scomparsi o gli è accaduto qualcosa? Sono stati vittime di un incidente oppure è stato lo sconosciuto a farli « sparire »?

In quest'ultimo caso, però, era d'obbligo un'ulteriore domanda:

Come ha fatto il figlio a salvarsi?

Ma, soprattutto, perché Gerber non aveva mai sentito accennare a quella storia? Lo psicologo si soffermò su quell'ultima questione. I giornali ne avrebbero dovuto parlare. E anche la gente avrebbe dovuto continuare a ricordarla, come accadeva abitualmente con i fatti di cronaca che somigliavano in tutto e per tutto a film dell'orrore.

Mise momentaneamente da parte i bigliettini e lo scotch e, con le mani libere, si frugò subito nelle tasche per cercare lo smartphone. Appena lo trovò, se ne servì per andare su internet. Per prima cosa, digitò il sito di un archivio di notizie. Dovendo risalire all'estate del 1999, immise come riferimento un periodo che andava dal sette giugno fino a settembre. Non venne fuori alcun articolo al riguardo. Riprovò allargando l'intervallo di tempo, ma ancora nulla.

Non se lo spiegava, però non si scoraggiò e cambiò strategia.

Gli sovvenne l'idea d'inserire alcune parole chiave in un motore di ricerca. Dapprima, provò con « *dodicenne+casale+Toscana+genitori-scomparsi+uomo-sconosciuto* ». La formula non funzionò. Allora proseguì aggiungendo qualche nuovo elemento come « *salopette-blu* », « *camper* » o « *sacca-da-marinaio* », ovvero sostituendone altri e combinandoli fra loro in vari modi.

Ma la rete non serbava traccia di quelle vicende.

Strano, pensò. Forse i riferimenti erano troppo vaghi, magari in seguito avrebbe avuto a disposizione qualche indizio più specifico per delimitare il campo. Ma era normale che il vuoto di informazioni fosse quanto meno sospetto e che facesse sorgere dubbi legittimi circa la veridicità del racconto.

Nessuna notizia dell'accaduto.

Gerber aggiunse anche quel dettaglio a tutti gli altri ma, per il momento, decise che non si sarebbe lasciato influenzare. Aveva bisogno di ascoltare interamente la storia per sperare di liberare Nikolin dall'incantesimo dell'affabulatore.

Chi sei?, domandò all'oscurità.

Sollevò lo sguardo verso il soffitto. Attraverso il buio, s'intravedeva la lampadina rossa con cui solitamente si annunciavano i pazienti. Lo psicologo rammentò il momento in cui si era accesa per avvertirlo della presenza dell'ago da cucito nella mela. Era iniziato tutto da lì ed era accaduto appena il giorno prima.

Sei là fuori e, sicuramente, mi starai osservando. E continui a mettermi alla prova.

A quel proposito, gli venne in mente l'indovinello dei calzini spaiati che lo zio aveva sottoposto al ragazzino dopo aver guardato la pagella. Lo annotò.

Hai ventisei calzini bianchi, diciotto calzini neri e sedici rossi sparsi in un cassetto in una stanza buia: quanti calzini devi portare fuori dalla stanza per avere almeno una probabilità d'indossarne un paio dello stesso colore?

Il bambino aveva risposto « tre », sostenendo che, nel caso i primi due fossero stati differenti, il terzo sarebbe stato comunque abbinabile. Anche se Gerber non era mai stato un genio in matematica, si rese conto solo adesso che il ragionamento contenuto nella seconda parte della risposta era corretto, ma il risultato non era esatto. Quello giusto era « quattro calzini »: statisticamente, uno in più dei tre insiemi di diverso colore. A quanto pareva, i rompicapi non piacevano soltanto all'orco. Divertivano anche l'affabulatore diventato adulto.

Ha sbagliato apposta, si disse, provando un brivido. Ha inserito la risposta errata nella memoria di Nico. E l'ha fatto per attirare la mia attenzione su quel numero.

Fu in quel momento che stabilì di fare un tentativo, anche perché non aveva niente da perdere. Allora riprese lo smartphone e, alla lista degli indizi che aveva già inserito nel motore di ricerca sul web, aggiunse il dettaglio apparentemente più insignificante del racconto.

« tre-calzini-spaiati. »

La combinazione delle parole chiave stavolta sortì un effetto, poiché lo schermo del dispositivo che aveva fra le mani si oscurò improvvisamente. Davanti a quel muro nero, Pietro Gerber si domandò se fosse dovuto a un guasto tecnico. E, mentre s'interrogava sull'accaduto, avvertì dei piccoli rumori in sottofondo. Lo smartphone funzionava benissimo. Era stato dirottato su un sito che conteneva un video e ciò che aveva davanti era semplicemente *il buio*.

Dentro quel buio, però, c'era qualcosa.

19

Gli venne subito in mente Lisa, che aveva appena dieci anni e, prima che lui la prendesse in cura, aveva provato a uccidersi varie volte. E gli vennero in mente i video che Lisa aveva trovato su internet e che avevano influenzato le sue scelte fino a portarla a quegli esiti estremi. Rientravano nel fenomeno dei *creepypasta*, erano molto diffusi sui social network per i più giovani come TikTok o 4chan. Tutto iniziava in modo innocente: c'era qualcuno, di solito un coetaneo delle vittime, che raccomandava agli utenti di non cercare mai in rete una particolare sequenza di parole o visitare un determinato sito, perché le conseguenze avrebbero potuto essere sconvolgenti. Ovviamente, prevaleva sempre la curiosità e i ragazzini andavano subito a verificare di cosa si trattasse. La maggior parte delle volte il tutto si risolveva in uno scherzo o comunque in qualcosa di innocuo. Spesso si trovavano di fronte un'immagine disgustosa oppure fintamente raccapricciante perché tratta dall'immaginario horror: *meme* collegati a storie di fantasmi, mostri, serial killer, apparizioni, ufo.

Ma a volte, dietro leggende metropolitane o banali racconti del terrore, si nascondeva un'esca.

Sottili giochi psicologici o persecuzioni, opera di

sadici o pedofili. Gli artefici potevano essere adulti, ma più spesso si trattava di altri ragazzini che, proprio per la giovane età, rimanevano a lungo insospettati. Tutto avveniva online, quindi il persecutore poteva agire indisturbato e a distanza di sicurezza. Quando lo scopo era il sesso, la vittima veniva indotta a mandare foto o video in pose erotiche che spesso costituivano anche la base del ricatto che la obbligava a continuare.

Ma in certi casi la finalità era molto più perversa.

Lisa, ad esempio, era finita nella trappola di quattro adolescenti che, approfittando della sua immaturità, l'avevano spinta ad accettare una serie di prove sempre più estreme. Facendo pressioni su di lei, in un crescendo di condizionamenti e manipolazione, alla fine l'avevano convinta che la realtà che la circondava, anche se sembrava esattamente identica alla sua vita vera, era fasulla. Le avevano spiegato che era entrata senza accorgersene in quella dimensione parallela semplicemente visitando il sito internet che le era stato sconsigliato di visionare. Ma, soprattutto, l'avevano avvertita che l'unico modo per uscirne e tornare a riabbracciare i suoi veri genitori e la sorellina era togliersi la vita.

Gerber l'aveva sottratta appena in tempo a quella paranoia, ma c'era voluto tempo per persuaderla che fosse una mera fantasia costruita ad arte da chi, in fondo, voleva soltanto il suo male. Però si era sempre domandato cosa provasse la ragazzina mentre viveva quella dissociazione e, soprattutto, come si potesse cascare in un simile tranello.

La nostra mente è molto più potente della nostra coscienza.

Lo diceva sempre il *signor B.* per metterlo in guardia. La mente ci domina senza che ce ne accorgiamo e noi non possiamo impedirlo.

Per questo, quando navigava in internet, Pietro Gerber provava sempre un senso d'inquietudine. Davanti al video sul suo smartphone, la sensazione si ripropose amplificata da ciò che stava accadendo senza soluzione di continuità da meno di ventiquattro ore. Poiché era bastato quel breve lasso di tempo a proiettarlo in una spirale di dubbio e di tormento.

Era concentrato sulle immagini scure che scorrevano sullo schermo del cellulare, provando a intuire dai rumori in sottofondo dove fosse stata effettuata la ripresa. Il respiro affannato di qualcuno: pensò subito a chi stava riprendendo. Passi scrocchianti: foglie secche. Siamo all'esterno, si disse. Immaginò un bosco.

Chiunque fosse, stava camminando e riprendeva con un telefonino.

Intanto, la scena iniziava a rischiararsi. Stava sopraggiungendo l'alba, indubbiamente. L'autore del video si fermò in un punto preciso. Quindi rivolse l'obiettivo su un intrico di rami. Mentre l'inquadratura si metteva a fuoco, oltre la barriera di arbusti Gerber riconobbe una struttura in metallo, simile a un traliccio dell'alta tensione. Poi guardò meglio.

Una torretta per avvistare gli incendi contrassegnata dal numero 68, scritto con vernice bianca in parte scrostata.

Quando l'operatore arrivò nei pressi della costruzione, il video s'interruppe.

Gerber abbassò le braccia con lo smartphone e, nell'oscurità della soffitta, provò a dare un senso allo strano filmato a cui aveva assistito. Cosa c'era in quel posto? Perché l'affabulatore glielo stava mostrando? E perché proprio all'alba?

Poi capì e gli si mozzò il respiro. Era un invito.

20

Per effetto della conferenza stampa convocata dalla Baldi insieme alla procura, la notizia del ritrovamento di Nikolin nei boschi del Mugello a otto mesi dalla scomparsa si era diffusa sui media già nella tarda mattinata del giorno prima. Ma soltanto in serata le testate giornalistiche nazionali avevano iniziato a paventare l'agghiacciante possibilità che il ragazzino potesse essere l'artefice dell'omicidio della madre Mira e dell'occultamento del cadavere. Come era prevedibile, il sentimento collettivo nei confronti di Nico era mutato repentinamente nel volgere delle ore. Dal sollievo per la riapparizione e dalla compassione per il dramma vissuto, si era passati all'immediata condanna senza appello.

Mentre guidava nella notte, Pietro Gerber ascoltava la replica di un notiziario alla radio e considerò che quell'atteggiamento era tipico e non c'era da stupirsi più di tanto. Ma lo psicologo voleva restituire l'innocenza a quel bambino. Per questo, dopo essersi interrogato a lungo sull'opportunità o meno di accettare l'invito dell'affabulatore, alla fine aveva optato per quella gita nel bosco.

Senza sapere cosa lo aspettasse.

Aveva tirato fuori dal garage il Defender che il *signor*

B. aveva custodito amorevolmente per gran parte della propria vita. Il fuoristrada era perfetto per gli sterrati. Gerber procedeva aprendosi un varco nell'oscurità, fendendo una coltre di pioggia ghiacciata che si scioglieva subito a contatto col parabrezza spazzato dai tergicristalli. Era prono sullo sterzo per guardare meglio dove andare, pronto ad asciugare la condensa che si formava sul vetro con la manica dell'impermeabile.

Stava tornando nella zona del Mugello.

I luoghi erano sempre quelli in cui erano scomparsi Nikolin e sua madre e dove, otto mesi dopo, era riapparso soltanto il bambino. Avevano nomi antichi e spaventosi come « Valle dell'Inferno », « Canale della strega » o « Prato degli impiccati ». Ma non era questo a turbare Gerber, semmai il fatto che quelle strade non fossero censite dai navigatori e non si trovassero nemmeno su Google Maps. Sui dispositivi elettronici, la zona appariva come un buco nero sullo schermo, una specie di passaggio verso il nulla. E quando pure il segnale radio iniziò a essere disturbato, Pietro Gerber capì che ci stava cadendo proprio dentro.

Anche se si trattava soltanto di un'illusione, il pensiero era lo stesso disturbante.

Era stato necessario rispolverare una vecchia cartina per provare a orientarsi. Il punto di riferimento era la torretta per avvistare gli incendi: non c'era voluto molto per scoprire che le strutture, usate dalla forestale, erano indicate sulle mappe con semplici numeri progressivi.

Poco dopo le cinque del mattino, i fari del Defender intercettarono la casupola in cima ai pali di metallo con il 68 ben in vista.

Gerber arrestò il veicolo, accese la piccola torcia del cellulare e scese per andare a controllare. Nell'abitacolo faceva un bel caldo ma fuori lo investì una corrente fredda e umida. La barriera del Burberry era insufficiente e, nel giro di pochi secondi, lo psicologo senza accorgersene era già zuppo di pioggia. Ciononostante camminava verso la torretta, con le scarpe che affondavano nel fango. Il rumore dei suoi passi pesanti si mischiava coi suoni della notte.

Fronde che sbattevano fra loro. Lo scricchiolio della corteccia delle piante. Folate di vento che sopraggiungevano fischiando e poi sparivano.

Arrivato proprio sotto la palafitta, Gerber fece spaziare intorno a sé il fascio di luce: scandagliò la foresta, liberando via via alberi e cespugli dalla prigione del buio. Era come esplorare un mondo segreto, che non era abituato alla presenza umana. Poi sollevò lo smartphone verso l'alto, per capire cosa ci fosse nella casupola. La struttura era alta più di sei metri e, da dove si trovava, non notò nulla. L'unico modo allora era andare a controllare di persona.

Vi si accedeva tramite una scaletta a pioli.

S'infilò il telefono in tasca e iniziò ad arrampicarsi. La suola liscia delle Clarks tendeva a scivolare, allora fece affidamento soprattutto sulla presa delle mani. Ogni tanto, si voltava a guardare sotto di sé: se fosse precipitato da quell'altezza, si sarebbe rotto l'osso del collo e probabilmente il suo cadavere sarebbe stato divorato dai cinghiali prima che qualcuno lo ritrovasse.

Non fu facile arrivare fino in cima, ma ce la fece. Alla sommità c'era una botola, Gerber la spinse con il palmo: era pesante, ma riuscì a spalancarla. Il portello ricadde dall'altra parte con un tonfo sordo. Lo psicologo s'infilò nell'apertura e, facendo leva sulle braccia, si issò all'interno. Appena si rimise in piedi, recuperò il cellulare dalla tasca dell'impermeabile e riattivò la torcia, perlustrando l'ambiente di pochi metri quadri.

Era vuoto.

La pioggia batteva sulla tettoia ondulata, producendo un rumore incalzante. Oltre il parapetto che circondava interamente la casupola, s'intravedeva solo la folta boscaglia svelata dalle prime luci dell'alba: si estendeva per chilometri, incontaminata. Gerber controllò l'ora, mancava poco alle sei del mattino e si era fatto trovare lì più o meno nello stesso momento in cui era stato girato il video che aveva scovato su internet grazie ai calzini spaiati. Allora perché non c'era nulla per lui? Aveva pensato di trovare un oggetto, magari un biglietto oppure una lettera. Invece, niente. Che senso aveva quell'appuntamento? Stava iniziando a pensare d'aver sbagliato a interpretare il messaggio del filmato, quando si accorse che il paesaggio che aveva davanti gli era familiare.

Anche se non l'aveva mai visto prima.

La piccola valle in mezzo ai boschi antichi con un torrente che la solca come una cicatrice trasparente e il ponte di pietra che lo scavalca: Gerber si rese conto di essere già stato lì grazie al racconto che gli aveva fatto Nikolin. Ma quella descrizione apparteneva ai ricordi dell'infanzia dell'affabulatore. Mancava soltanto un elemento nella scena.

Il casale. Al suo posto, poche rovine aggredite dalla vegetazione.

Lo psicologo capì che il suo avversario l'aveva condotto lì per mostrargli i luoghi dov'erano avvenuti i fatti di ventidue anni prima, narrati attraverso il bambino albanese. Ma perché fargli vedere un rudere abbandonato? Cos'era accaduto nel frattempo al podere? Forse era proprio questa la domanda che avrebbe dovuto porsi l'ipnotista, il nuovo enigma della sfida ingaggiata dal misterioso collega. Mentre ci pensava, si accorse di un bagliore che si muoveva in mezzo alla boscaglia.

Un altro essere umano munito di una torcia. E si stava avvicinando alla sua posizione.

21

Pietro Gerber spense subito la luce dello smartphone, sperando di non essere stato individuato. Ma, dalla postazione rialzata in cui si trovava, era pressoché impossibile. Qualche attimo di confusione. La prima idea fu quella di raggiungere rapidamente il Defender e andare via. Ma considerò che, a causa di quella maledetta scaletta scivolosa, non ce l'avrebbe fatta senza il rischio di cadere nel vuoto. Allora decise che la cosa migliore da fare era scendere dalla torretta e aspettare che lo sconosciuto si palesasse. Anche se l'incontro gli procurava un certo timore.

Non sapeva chi stava arrivando e, soprattutto, che intenzioni avesse.

Ancora aggrappato a un piolo di metallo, fece appena in tempo a mettere il piede a terra che qualcuno varcò l'intrico di rami e gli puntò addosso un fascio di luce bianchissima. Gerber si schermò gli occhi con la mano e non si mosse, pensando che potesse anche trovarsi sotto il tiro di un'arma.

« Chi va là? » domandò una voce maschile con tono autoritario.

L'utilizzo di un'espressione militaresca era alquanto singolare. « Sto andando via » lo rassicurò, sperando che bastasse.

L'uomo non disse nulla ma avanzò ancora di qualche passo. Il raggio luminoso e la fastidiosa pioggerellina che gli finiva negli occhi impedivano a Gerber di vedere che aspetto avesse. Poi quello fece scorrere la torcia su di lui dall'alto in basso, in modo da esaminarlo meglio. Lo psicologo provò a immaginare cosa potesse passargli per la testa trovandosi davanti, di notte e in mezzo a un bosco, uno strano tipo con polacchini scamosciati e trench.

« Non ha armi con sé, vero? » chiese.

« Nossignore » gli assicurò.

Una breve pausa, poi: « È venuto per queste? »

Dapprima, Gerber non capì cosa intendesse. Poi l'uomo lanciò qualcosa ai suoi piedi. Abbassando lo sguardo, lo psicologo indietreggiò inorridito: stava quasi per cadere.

Reti di nylon sporche di sangue, contenenti i cadaveri imprigionati di piccoli uccelli.

L'altro andò verso di lui e finalmente Gerber lo vide bene: sulla sessantina, non troppo alto, berretto e divisa verdi, stivali, bandoliera per la pistola. Un guardiacaccia della forestale.

« Non sono un bracconiere » si difese Gerber, intuendo per chi l'avesse scambiato.

L'uomo ponderò per un po' la cosa. « Lo vedo » affermò, finalmente. « Sa dirmi perché ci troviamo qui? »

Non comprese perché avesse usato il plurale. « Prego? »

L'uomo non ripeté la domanda, si guardò intorno.

Gli sembrò disorientato. Gerber stava già apprestando una scusa quando, senza attendere una risposta, il forestale parlò di nuovo.

« Però devo multarla lo stesso » disse, indicando il fuoristrada poco lontano. « Non poteva arrivare fin qui con quello, questa zona è interdetta ai veicoli a motore. »

Il tono era cambiato, adesso era più rispettoso. Lo psicologo non si oppose. « D'accordo. »

« Deve venire con me in ufficio per firmare il verbale » gli spiegò l'altro. « Andremo con la sua macchina. »

In quel momento, notò che il forestale si era abbottonato male il giaccone, saltando alcune asole. Ne risultava una postura sbilenca, sbilanciata verso destra. Non gli sembrò il caso di avvertirlo, si limitò a precederlo verso il Defender.

22

Percorrevano insieme a ritroso la stessa strada sterrata che aveva condotto Gerber fin lì. Il guardiacaccia era di poche parole, gli aveva fornito solo qualche indicazione per raggiungere la stazione della forestale. Prima di salire sul Defender, aveva chiesto di poter sistemare nel retro del veicolo le trappole con gli uccelli che aveva rinvenuto nella boscaglia. Lo psicologo aveva acceso il riscaldamento al massimo, per cercare di asciugarsi un poco dalla pioggia, ma adesso nell'abitacolo si avvertiva anche l'odore pungente della selvaggina.

« Lei è un giornalista, vero? » domandò il guardiacaccia, di punto in bianco.

Gerber si voltò un attimo a guardarlo. « Come? »

« Se non è un giornalista, allora cosa ci fa qui? »

« Sono uno psicologo » disse.

L'altro ne prese atto senza commentare. « Comunque, sono stati in giro tutto il giorno, fino a tardi. »

Gerber intuì che il riferimento era alle squadre cinofile e alla Scientifica, che stavano cercando il corpo della madre di Nikolin.

« Non hanno trovato niente » precisò il guardiacaccia.

Per Gerber era un bene perché, finché non fosse

spuntato fuori il cadavere di Mira, la Baldi gli avrebbe consentito di svolgere le sedute col bambino. Ma il tempo a loro disposizione si stava esaurendo, Gerber ne era consapevole, e inoltre la sua missione notturna nei boschi era fallita: scoprire il rudere del casale dove erano avvenuti i fatti era inutile ai fini del lavoro che gli restava da fare.

« Dicono che le ricerche dei resti della poveretta adesso si sposteranno più a nord » aggiunse l'uomo.

Infatti, arrivando, l'ipnotista non aveva trovato blocchi stradali e aveva potuto raggiungere la zona senza problemi.

« Lei ci crede alla storia che raccontano i telegiornali? » chiese il guardiacaccia, diventato improvvisamente loquace. « Io non penso che un ragazzino di quell'età possa resistere da solo per mesi in un posto selvaggio come questo » asserì, facendo spaziare il braccio tutt'intorno. « Anche se avesse trovato rifugio in qualche casale abbandonato, sarebbe stato comunque difficile procurarsi del cibo, perfino rubacchiando nei dintorni. »

« Non so che dirle » ammise Gerber, che si era posto lo stesso dilemma. « Però sono convinto che presto sapremo come sono andati i fatti. »

L'uomo parve accontentarsi della sua opinione, ma poi chiese: « Che giorno è oggi? »

Lo psicologo fece un attimo mente locale. « Giovedì. »

« E siamo a febbraio, giusto? »

« Sì, è il venticinque » confermò, anche se la richiesta gli sembrava surreale. Come poco prima nel bosco, quando il guardiacaccia gli aveva domandato perché si trovassero lì senza poi attendere una sua risposta, Gerber ebbe l'impressione che l'altro fosse un po' spaesato.

L'uomo non disse altro e continuò a tacere finché, dopo aver percorso almeno cinque chilometri, arrivarono a destinazione.

La piccola stazione della forestale era situata in una pianura alberata. Gerber parcheggiò proprio davanti all'ingresso. Ormai l'alba dilagava sulla campagna circostante.

« Si accomodi dentro, c'è un bel calduccio » lo invitò il guardiacaccia, aprendo il bagagliaio del Defender per scaricare le trappole dei bracconieri. « Le preparo un caffè. »

Gerber non se lo fece ripetere. La porta d'ingresso era aperta e lui entrò in una specie di ufficio con una scrivania e una brandina raccolte intorno a una stufa di ghisa piazzata proprio al centro della stanza. Il tepore del fuoco lo accolse con benevolenza, come se quel piccolo rifugio lo stesse aspettando. Si guardò intorno: la stazione constava di quell'unico ambiente e di un piccolo bagno cieco, nascosto dietro una porta a vetri. Sulle pareti c'erano mappe della zona del Mugello e vecchi poster con esemplari della flora e della fauna locali. Erano stranamente obliqui: come la postura del guardiacaccia, le cornici che contenevano quelle stampe pendevano leggermente verso destra. Ma non era stato il tempo a inclinarle, bensì qualcuno intenzionalmente, altrimenti non si spiegava l'armonica asimmetria.

Curioso, pensò Gerber.

Poi notò che, accanto ad alcuni stemmi in bronzo del Corpo Forestale, era attaccato un calendario. La data di quel giorno, che proprio poco prima in auto l'uomo faticava a ricordare, era segnata in rosso. Accanto c'era una nota: « Torretta 68 ». Che strano, pensò lo psicologo. La grafia era incerta e, anche quella, tendeva a destra. Si disse che, probabilmente, il guardiacaccia soffriva di una leggera forma di dislessia.

Un tonfo. Gerber si voltò, sorpreso. L'uomo era entrato e aveva riposto le trappole con gli uccelli sulla scrivania, incurante del fatto che il sangue avrebbe imbrattato il ripiano e i fogli sottostanti. D'altronde, anche il pavimento era disseminato delle impronte delle Clarks infangate.

« Mi dispiace » si scusò lo psicologo, accorgendosene soltanto adesso.

« Non si preoccupi, poi passerò uno straccio... Piuttosto, lo vuole ancora quel caffè? »

« Certo. »

Il forestale si tolse il berretto, rivelando la mancanza del padiglione auricolare destro. Al suo posto aveva un piccolo buco nel cranio con intorno un lembo di cartilagine. Gerber considerò che sicuramente era nato con quella malformazione. Il guardiacaccia si accorse che lo stava osservando e l'ipnotista distolse subito lo sguardo.

L'uomo si recò in bagno dove c'era anche un mobile con la moka e tutto l'occorrente, aprì il rubinetto del lavandino per riempire d'acqua la caffettiera.

Lo psicologo intanto si piazzò accanto alla stufa, perché era ancora intirizzito. Aveva già in mente di andare a casa, cambiarsi i vestiti e tornare subito in studio per rileggere gli appunti e rivedere il video su internet al fine di capire in cosa avesse sbagliato. Credeva di trovare un nuovo innesco per la storia dell'affabulatore e invece non aveva niente. E si era spinto fin lì a causa di uno stupido indovinello sui calzini spaiati. Fu colto dall'idea che potesse trattarsi di un sadico scherzo del suo antagonista.

« C'è solo lei, qui? » si ritrovò a domandare per rimuovere quel pensiero fastidioso.

« D'inverno, sì » rispose l'uomo dal gabinetto. « D'estate e nella stagione di caccia invece viene un altro collega, perché c'è molto più movimento. »

« E le piace stare solo in mezzo ai boschi? » Anche se la vera domanda era se avesse o meno paura a restare isolato dal resto del mondo.

« Ormai non saprei più stare con le persone, perché mi sono abituato a vivere così. Ho una casetta in città ma quando ci vado non riesco nemmeno a dormire: il più piccolo rumore mi tiene sveglio. »

Gerber pensò che avesse optato per un'esistenza solitaria anche per via della malformazione fisica. « E come mai si è scelto questa vita? »

« È una cosa che si eredita, credo » disse l'altro. « Anche il mio babbo era guardiacaccia. »

In passato, Gerber si sarebbe vantato di aver ereditato l'abilità di addormentare i bambini da suo padre. Ora, però, non raccontava più a nessuno chi fosse il *signor B.* Forse pure a lui sarebbe toccata la stessa sorte e suo figlio Marco l'avrebbe detestato una volta diventato adulto, chi poteva dirlo. Anche se era solo un pensiero fugace e senza fondamento, gli fece male lo stesso.

« Adesso mettiamo la moka sulla stufa » annunciò l'uomo senza un orecchio, tornando da lui. « Intanto, preparo il verbale: le costerà un pochino » quasi si scusò.

Lo psicologo si voltò verso di lui e, per evitare di guardare di nuovo il buco che aveva nel cranio, abbassò lo sguardo. La prima cosa che notò fu che il guardiacaccia era insolitamente senza scarpe.

La seconda, che lo paralizzò, era che indossava calzini spaiati.

23

Il pensiero andò subito all'anziana allevatrice di cavalli. Al fatto che, a suo dire, da settimane si svegliava sempre alla stessa ora, le 3.47. O che si sentisse in qualche modo *costretta* a recarsi coi cani sempre nello stesso luogo, la Valle dell'Inferno. E, soprattutto, al presentimento che la donna aveva avuto la mattina in cui i suoi setter avevano ritrovato Nikolin: la consapevolezza che ci fosse un bambino nel bosco si era materializzata nella sua mente proprio un attimo prima che gli animali si mettessero ad abbaiare.

Gerber aveva liquidato quelle confidenze attribuendole allo strascico della fase REM o allo stato emotivo di una persona di una certa età. Gli erano sembrate quasi farneticazioni. Era stato ingiusto oltre che irresponsabile, perché quelle informazioni invece avrebbero dovuto metterlo in allerta. Ma forse era stato semplicemente pavido, poiché non sarebbe stato semplice affrontare le conseguenze. Tuttavia, adesso era arrivato finalmente il momento di confrontarsi con la verità e di porre una domanda.

« Perché si è tolto le scarpe? »

Il guardiacaccia si fissò i piedi, interdetto. « Non lo so » ammise, senza sapersi dare una spiegazione. Poi guardò Gerber: « Perché me le sono tolte? » chiese, ed era scosso.

La scoperta di un paio di calzini spaiati non era una semplice casualità. E quell'esitazione era la conferma che l'addormentatore di bambini temeva di più. Il video girato dall'affabulatore nel bosco non serviva per indicargli semplicemente un luogo, bensì anche una persona. E adesso lui ce l'aveva proprio davanti.

Probabilmente, senza saperlo, il forestale possedeva il nuovo innesco.

« Poco fa, in macchina, lei mi ha chiesto che giorno fosse... Le capita spesso di scordarlo? »

L'uomo gli parve interdetto.

« Come le ho già detto, sono uno psicologo » ribadì, per convincerlo a fidarsi.

« Sì » confermò l'altro, con tono apprensivo.

« Ed è la sola cosa che dimentica? » domandò Gerber, cercando di non agitarlo ulteriormente.

Il guardiacaccia posò la caffettiera e si passò una mano sulla fronte, come volesse scacciare una febbre invisibile. « No. »

« E da quanto vanno avanti queste piccole amnesie? »

Il guardiacaccia ci pensò su. « Un mese, forse un po' di più » calcolò rapidamente.

« Quando ci siamo visti nel bosco, lei mi ha domandato perché fossimo lì » lo incalzò.

« Davvero? » L'uomo sembrava di nuovo spaesato. Dopo aver riflettuto, disse: « Avevamo un appuntamento all'alba ».

Gerber scosse il capo. « Non ci siamo mai visti prima di stanotte. »

« Già, è vero » concordò l'altro, stupito. « Allora come è possibile? Io sapevo che lei era lì... »

La data di quel giorno cerchiata sul calendario e la nota « Torretta 68 » confermavano quella versione. Insieme alle cornici sulle pareti che pendevano verso destra e all'abbottonatura sbilenca del giaccone costituivano dei segni inequivocabili che l'ipnotista avrebbe dovuto saper interpretare. Non si trattava di semplice dislessia, sicuramente c'era dell'altro.

« Sto per farle una domanda un po' particolare » premise. « Ma non mi chieda il motivo e ci pensi bene prima di rispondere, per favore. »

L'altro lo scrutò, preoccupato. « D'accordo. »

« Ultimamente, ha notato che alcuni oggetti che utilizza abitualmente erano fuori posto? » Lo psicologo sapeva di avventurarsi in un territorio pericoloso, ma non poteva esimersi.

« Che intende? »

« Un mazzo di chiavi o un paio d'occhiali che si trovano dove non dovrebbero essere, una sedia spostata o una porta aperta quando invece avrebbe dovuto essere chiusa... »

« Sta forse dicendo che ho fatto queste cose e non me lo ricordo? »

Il tono era sulla difensiva. La reazione era comprensibile. Gerber, però, aveva bisogno che credesse di avere un problema di salute, perché la vera spiegazione forse era più traumatica.

L'uomo senza un orecchio ci pensò. « Sì » ammise, con voce incerta. « Nelle ultime settimane mi è sembrato di andare in confusione... Piccolezze, niente di che » ci tenne a precisare.

« Come indossare calzini di diverso colore? » gli domandò, indicando in basso.

Il guardiacaccia si guardò nuovamente i piedi. « Questa è la prima volta che lo faccio, giuro » si giustificò, con la voce di un bambino a cui un banale errore appare come uno sbaglio irreparabile. « Ma ieri ho trovato lo spazzolino in frigo » confessò.

« E le è mai successo di ritrovarsi in un luogo senza sapere come c'era arrivato? »

L'uomo non ebbe bisogno di pensarci. « Qualche sera fa stavo fumando la pipa qui fuori e un attimo dopo ero in mezzo al bosco ed era giorno fatto » asserì, sbiancando in volto. « Secondo lei, ho qualcosa che non va? Soffro di una di quelle malattie per cui fra poco scorderò ogni cosa e perfino come mi chiamo? » chiese, allarmato.

« Non credo sia questo » lo rassicurò subito. A pensarci bene, nella frase non c'era nulla di tranquillizzante. Gerber aveva solo un modo per scoprire se si stava sbagliando, però non voleva nemmeno spaventare ulteriormente il guardiacaccia. « Faremo un piccolo test, d'accordo? » asserì, fingendo di sottoporlo a una specie di esame per valutare le capacità cognitive. Invece era tutt'altro. « Le piacciono gli indovinelli? »

L'uomo annuì.

« Hai ventisei calzini bianchi, diciotto calzini neri e

sedici rossi sparsi in un cassetto in una stanza buia: quanti calzini devi portare fuori dalla stanza per avere almeno una probabilità d'indossarne un paio dello stesso colore?»

Il guardiacaccia si bloccò. Invece di rispondere, il suo sguardo si velò all'improvviso. Bisognava essere esperti per riconoscere quel segnale, a cui fece seguito anche un rapido rilassamento delle spalle e delle braccia.

Gerber comprese che era caduto in uno stato di *trance*. E che era opera dell'affabulatore.

L'indovinello aveva avuto il potere di aprire un varco nella sua mente. Era come la *backdoor* di certi sistemi informatici. In ipnosi c'era una definizione per un simile evento, anche se la terminologia era più che altro convenzionale.

Portale del subcosciente.

Una specie di passaggio segreto: a volte, il terapeuta ne creava uno per garantirsi un rapido accesso all'inconscio del paziente senza doverlo sottoporre al rituale di addormentamento. Bastava una precisa e spesso insolita sequenza di parole oppure un gesto, come battere le mani un certo numero di volte rispettando un ritmo particolare, e l'ingresso si spalancava. Si trattava di una procedura di emergenza di cui solo l'ipnotista, per ovvi motivi di sicurezza, era a conoscenza. Sottrarre a qualcuno il controllo di sé stesso poneva degli evidenti problemi etici e perciò si usava solo nei casi più gravi, quando esisteva il rischio concreto che un soggetto borderline potesse farsi del male o procurarne agli altri.

L'affabulatore aveva ipnotizzato l'allevatrice di cavalli, programmandola in modo da presentarsi puntuale all'appuntamento col bambino nel bosco. E aveva fatto la stessa cosa con quel forestale, creando una porta nella sua mente per far passare Gerber, se solo lui avesse individuato la combinazione per aprirla. A quanto pareva, l'aveva trovata. Lo stato confusionale era uno degli effetti collaterali del trattamento, ma era anche l'indicatore grazie al quale un altro ipnotista si sarebbe accorto della presenza di quell'anomalia.

Adesso, però, non restava che vedere cosa sarebbe venuto fuori da quel varco.

L'addormentatore di bambini attese in silenzio. Il guardiacaccia mosse un primo passo, poi un secondo. Era diretto verso la stufa di ghisa. Gerber lo seguì tenendosi a distanza per non interferire. Lo vide aprire lo sportellino, infilare una mano all'interno e afferrare un piccolo tizzone. Non fece in tempo a fermarlo, ma l'uomo sembrò non provare alcun dolore. Poi si diresse verso una parete su cui c'erano i poster incorniciati di piante e animali. Con un rapido gesto del braccio, li fece cadere per terra, sgombrando il muro.

Subito dopo, si servì del carbone per iniziare a tracciare le linee di un disegno.

Gerber lo osservava, cercando di comprenderne il significato. Il guardiacaccia sembrava in preda a una pulsione irrefrenabile. Dopo un paio di minuti, smise di disegnare e rimase come a contemplare la propria opera. In realtà era semplicemente inebetito. Lo psicologo era sempre intenzionato a non intromettersi. Pochi secondi e l'uomo lasciò cadere sul pavimento ciò che rimaneva del tizzone.

Si voltò a fissare Gerber. Poi gli andò improvvisamente incontro.

Pur intimorito, l'ipnotista rimase immobile. Il guardiacaccia si arrestò a pochi centimetri da lui, sollevò la mano sporca di carbone e gli impresse tre rapidi tocchi.

Spalla sinistra. Fronte. Spalla destra.

Completato lo strano gesto, le sue gambe cedettero di schianto e crollò per terra. Gerber riuscì a frenare la caduta, afferrandolo appena in tempo. Quindi lo distese sul pavimento. Reggendogli il capo, lo esaminò per capire come stesse.

Il velo che aveva sugli occhi si sollevò.

« Dio santo » esclamò il forestale. L'improvviso dolore alla mano l'aveva riportato in sé. « Ma che... » L'interrogativo, però, gli morì sulle labbra.

« Va tutto bene » gli disse l'ipnotista, mentre lo aiutava a mettersi a sedere.

« Mi gira la testa » affermò l'altro, in preda a una vertigine.

« Respiri profondamente, fra poco passerà. »

Il guardiacaccia si guardò la mano ustionata con espressione sgomenta. « Ero qui, ma non ero qui... Non so come spiegarlo... Mi sentivo... »

« Prigioniero » lo precedette lo psicologo, per fargli

sapere che comprendeva esattamente ciò che stava cercando di dirgli.

« Esatto: qualcun altro guidava il mio corpo e io potevo solo assistere. È stato orribile. »

Gerber gli controllò l'ustione: nonostante tutto, non era grave. Ma fu distratto dalle parole del guardiacaccia.

« Lui è stato qui... » affermò, cominciando a rammentare. « È stato qui » ribadì, deglutendo a fatica il groppo che aveva in gola.

Capì che si stava riferendo all'affabulatore. « Ricorda il suo aspetto? »

L'uomo senza un orecchio ci pensò su, poi scosse il capo. « Lo vedo aggirarsi in questa stanza ma è come un'ombra nera nei miei ricordi... » Quindi indicò il muro. « Davvero l'ho fatto io? » chiese, incredulo.

Anche Gerber sollevò lo sguardo sul disegno. Neanche lui ancora ci credeva. Su quella parete era raffigurato un incubo. Una casa senza porte e con una sola finestra. Dietro quella finestra, due figure umane senza faccia. Una più alta, l'altra più bassa.

Un orco e un bambino.

24

Il padre di Gerber era stato il primo, autentico addormentatore di bambini. E soltanto i bambini erano autorizzati a chiamarlo *signor Baloo* o *signor B.* Sempre per loro, aveva trasformato il proprio studio nel *Libro della giungla* e li ipnotizzava facendogli ascoltare *Lo stretto indispensabile* con un vecchio disco di vinile che a metà del secondo ritornello s'incantava. Ma era un trucco perché il suono della puntina che saltava ripetutamente sullo stesso solco diventava una guida nel buio: seguendola, i piccoli pazienti scivolavano in uno stato di *trance* senza accorgersene.

Era stato lui a tramandare al figlio le proprie conoscenze.

Ma per comprendere cosa avesse spinto Pietro a scegliere lo stesso mestiere del padre era necessario prima capire che c'erano due diversi *signor B.* Uno era quello che a Firenze ricordavano tutti come l'uomo allampanato, un po' maldestro, anche simpatico, che d'inverno indossava un Burberry consumato e d'estate orrendi sandali marroni. Che chiamava tutti per nome e salutava sempre con un ampio gesto del braccio, tracciando in aria un arcobaleno invisibile. Che in tasca teneva palloncini colorati e caramelle Rossana da offrire a chiunque, costantemente sbadato e spettinato. Il vedovo sorridente che aveva cresciuto da solo un bambino molto piccolo che, sicuramente, non avrebbe serbato alcun ricordo della madre. La gente e i pazienti lo adoravano e Pietro non si era mai stupito per questo, ne avevano tutte le ragioni.

Ma loro non conoscevano l'altro *signor B.*, perché quello era riservato soltanto a suo figlio.

L'uomo che in casa si chiudeva in inspiegabili e interminabili silenzi. Incapace di qualsiasi slancio affettivo. Mai un bacio, mai una carezza. Che aveva fatto sempre sentire Pietro più orfano di madre che figlio di suo padre. Lo stesso *signor B.* che fino in punto di morte si era lasciato lacerare da un segreto triste e che, con l'ultimo fiato che gli restava in corpo, si era liberato l'anima rovinandogli anche il resto dell'esistenza. Pietro non l'avrebbe mai perdonato. Ciononostante, doveva essergli grato per avergli trasmesso la propria attitudine. Perché di questo si trattava.

Un dono.

Si era iscritto alla facoltà di psicologia senza troppa convinzione, solo per evitare che il padre potesse criticarlo come faceva di solito con tutte le sue scelte. Sicuro che su quella non avrebbe avuto nulla da ridire, Pietro si apprestava soprattutto a guadagnare tempo nell'attesa di capire cosa volesse fare realmente della propria vita. Non credendosi figlio d'arte, aveva portato avanti gli studi in modo svogliato.

Verso la fine del terzo anno di università, però, era accaduto un episodio che avrebbe cambiato tutto.

Fino ad allora, non aveva mai sentito nemmeno accennare all'ipnosi. Per quanto ne sapeva, il *signor B.* era soltanto uno psicologo infantile che a volte collaborava col tribunale dei minori ed era abituato a ricevere i propri pazienti in un mondo fantastico fatto di cartapesta. La sua specialità era la finzione. Solo un mistificatore, infatti, sarebbe stato capace di convincere tutti di poter guarire la fragile psiche di bambini tormentati quando invece non era in grado di comprendere quella del suo unico erede. Finto era l'affetto per suo figlio, finti i suoi metodi: Pietro Gerber non nutriva alcun rispetto per lui. Pur studiando le stesse materie, non si era mai interessato alla professione del padre, perciò non aveva mai nemmeno sospettato ciò che faceva realmente.

Lo scoprì in una notte d'estate.

Una mano lo scosse mentre dormiva. « Mi serve il tuo aiuto » disse il *signor B.*, spiazzandolo. Ogni parola di quella frase, in realtà, era una sorpresa: il fatto che avesse bisogno di assistenza e che lo stesse chiedendo addirittura *a lui*. Ma il tono grave con cui aveva pronunciato quelle parole non ammetteva replica, né commento. Così, senza pretendere ulteriori spiegazioni, Pietro era saltato giù dal letto e si era rivestito in fretta.

Poco dopo, erano entrambi in macchina, diretti fuori Firenze. Il *signor B.* guidava senza dire nulla, ma questo ormai per il figlio non rappresentava una stranezza. Era stata la frase che aveva preceduto il silenzio a colpirlo.

« Mi ha convocato la Baldi. »

Se si trattava di un incarico ufficiale, allora a cosa gli serviva la sua presenza? Non aveva alcuna esperienza sul campo, inoltre aveva dato meno della metà degli esami del piano di studi e ormai era destinato a diventare uno studente fuoricorso.

Eppure il padre l'aveva voluto con sé.

Verso l'una giunsero in un'antica villa sperduta nelle campagne della Garfagnana, circondata da statue neoclassiche. La presidiavano le forze dell'ordine. Dal fiocco azzurro piazzato in bella mostra sul cancello, s'intuiva che in quella casa era da poco arrivato un neonato. I giovani genitori appartenevano all'aristocrazia lucchese, gente di cultura elevata e dotata di un ingente patrimonio. Erano in preda alla disperazione perché quel pomeriggio il figlioletto era scomparso dalla culla mentre dormiva, portato via da qualcuno per un motivo ignoto. Col passare delle ore, però, aveva iniziato a prendere sempre più corpo il terribile sospetto che dietro l'accaduto ci fosse la sorellina di sei anni. Ed era anche la ragione per cui il giudice Baldi aveva chiesto l'intervento del *signor B.*

Pietro non avrebbe mai dimenticato la scena a cui si ritrovò ad assistere quella notte.

Vide suo padre sedersi accanto alla bambina e poi farla cadere in *trance* servendosi di un mangiadischi con la canzone di un vecchio film di Walt Disney. Dopo che fu sprofondata in sé stessa, le consegnò un foglio e dei pastelli a cera. Poi, con parole dolci e frasi misurate, la convinse a mostrargli dove si trovava in quel momento il fratellino. Così la piccola disegnò la casa, il giardino e un pozzo che poi si rivelò essere una cisterna per l'acqua piovana in disuso da tempo e nascosta dalla vegetazione.

Quella fu anche la prima volta che Pietro fu testimone di una seduta di « scrittura automatica », in cui l'inconscio prende il sopravvento sulla coscienza. Credeva che fosse roba per sedicenti medium o impostori che sostenevano di essere in contatto con l'aldilà, ignorava che perfino Freud si fosse occupato di quello straordinario metodo d'indagine.

Però per lui, giovane studente di psicologia, la cosa più sorprendente fu che il *signor B.*, dopo aver ottenuto l'informazione che cercava, non chiese alla bambina perché l'avesse fatto o se fosse consapevole di aver commesso una bruttissima azione. Invece l'ipnotista, con infinita umanità e cura amorevole, richiuse il portale che aveva provvisoriamente aperto nella sua mente dicendole: « Ora non avere paura ».

Subito dopo, in macchina, tornando insieme a lui verso casa, Pietro aveva ripensato a lungo a quella frase. Non sembrava un consiglio, semmai un vero e proprio comando impartito alla psiche di una bambina che aveva compiuto un atto al di fuori della sua capacità di comprensione.

« Perché le hai detto proprio quelle parole? » trovò il coraggio di chiedere al padre.

Sembrava quasi che il *signor B.* si aspettasse la domanda. « Crescendo si renderà conto della gravità del proprio gesto e dovrà imparare a convivere con questo per il resto della vita. Le ho solo dato un piccolo aiuto per affrontare l'inevitabile che arriverà.»

Era una risposta scontata e piuttosto evasiva: Pietro ebbe la netta sensazione che il *signor B.* avrebbe potuto fare molto di più per lei e, se non ci fossero stati la Baldi e gli altri a controllarlo, probabilmente lui non si sarebbe sottratto. L'impressione era che il padre fosse in possesso degli strumenti per rimuovere l'accaduto dalla memoria della bambina, liberandola dal futuro senso di colpa e azzerando il suo destino. E che, verosimilmente, il *signor B.* riteneva anche che fosse la cosa più giusta. Le sue capacità d'ipnotista andavano ben al di là di ciò che aveva messo in pratica quella notte. E, chiedendogli di accompagnarlo, aveva voluto dargli una dimostrazione pratica, lasciandogli intendere al contempo che, se solo Pietro avesse voluto, gli avrebbe messo a disposizione tutto il proprio sapere.

A molti anni di distanza, rientrato nella soffitta del vecchio palazzo nel centro storico di Firenze, mentre passava davanti alla porta chiusa dello studio del *signor B.*, Gerber ripensò a quel viaggio notturno con suo padre. Mai allora avrebbe potuto immaginare le potenzialità del dono che stava per ricevere. Soprattutto, non credeva che esistesse qualcuno in grado di adoperare quello stesso talento come faceva l'affabulatore.

Ciò che era accaduto col guardiacaccia, quel prodigioso esperimento di scrittura automatica, andava oltre la competenza di Gerber e aveva superato perfino la sua immaginazione. La verità, anche se gli costava ammetterlo, era che avrebbe avuto bisogno del *signor B.* per comprendere cosa stava accadendo: lui avrebbe sicuramente saputo come reagire agli eventi che lo stavano travolgendo.

Se quella con l'altro ipnotista era una sfida, Pietro Gerber la stava decisamente perdendo.

Solo in quel momento lo psicologo si rese conto di essere stremato. Inoltre, la gita nel bosco con la sola protezione del vecchio Burberry era stata una leggerezza imperdonabile. Infatti, non riusciva ancora a sbarazzarsi della sensazione di umidità che gli era penetrata sotto pelle. Avrebbe dovuto passare da casa per cambiarsi, magari fare anche una doccia bollente, ma era già in ritardo. Andò in bagno e si accontentò d'infilare le mani sotto l'acqua calda. Guardandosi allo specchio, si accorse di avere ancora in mezzo alla fronte l'impronta di carbone lasciata dal tocco della mano del forestale mentre quello era in *trance*.

Spalla sinistra. Fronte. Spalla destra.

Aveva annotato la sequenza sul taccuino.

Dopo essersi lavato la faccia, si preparò un tè e mandò giù un paio di aspirine, ma aveva i brividi e sentiva già la febbre che saliva. Non poteva permettersi di ammalarsi, adesso aveva bisogno di disporre al meglio di tutte le proprie facoltà. Sul telefonino c'era un messaggio di Silvia, una chiamata persa. Non era contento di come si era chiusa la loro ultima conversazione, ma alla fine avevano litigato solo a causa della Baldi. Anche se l'aveva fatto per il suo bene, il giudice non avrebbe dovuto chiedere all'ex moglie d'intercedere per fargli cambiare idea riguardo alla perizia.

Non ti sei cacciato in un altro caso Hall, vero?

Gerber stava per telefonare a Silvia per chiarirsi, ma poi ci ripensò. Si rimise il cellulare in tasca e, con la tazza di tè fumante, tornò nella propria stanza e accese il caminetto.

L'aver visto l'uomo senza un orecchio prendere un tizzone ardente dalla stufa senza emettere neanche un suono l'aveva sconcertato. Era come se la mente e il corpo si fossero scissi all'improvviso, e il secondo fosse diventato una semplice appendice. Qualcosa di sacrificabile.

... La nostra mente è molto più potente della nostra coscienza...

Anche il guardiacaccia non riusciva a capacitarsi di ciò che gli era capitato. Ma, d'altronde, nessuno pensava mai che fosse tanto facile cadere in balia dell'ipnosi, si disse Gerber, sistemando sul tavolino accanto alla poltrona un foglio con la riproduzione del disegno tratteggiato sul muro della piccola stazione della forestale.

La casa senza porte. La finestra. L'orco col bambino.

Le persone erano convinte di possedere piena padronanza di sé e delle proprie azioni. Molti consideravano l'ipnosi ciarlataneria. Solitamente, erano anche le menti più facili da permeare. Un buon ipnotista lasciava al paziente l'illusione di continuare a governare ciò che gli accadeva *intorno*. Intanto, però, assumeva il controllo di ciò che avveniva *dentro* di lui.

Quella regola non valeva per i bambini.

Mentre staccava i foglietti con gli appunti che aveva distribuito in giro per la stanza dopo la precedente seduta con Nikolin e nell'attesa che le guardie dell'istituto lo conducessero di nuovo lì, lo psicologo rammentò alcune raccomandazioni del *signor B.*

Il padre gli ripeteva sempre che, al contrario di quello che si credeva di solito, la mente di un bambino o di un adolescente non era così intellegibile. Infatti, agli occhi di un terapeuta si presentava come un labirinto. Era facile entrare ma difficile uscire. E la cosa peggiore era che ci si poteva perdere. Se l'ipnotista si smarriva nella testa di un piccolo paziente, questi non aveva scampo: sarebbe cresciuto con un intruso nell'inconscio, il che aveva implicazioni notevoli sullo sviluppo della psiche.

E questo era il più grande fallimento per chi faceva il mestiere di Pietro Gerber.

Lui era abituato a ripulire la mente dalle scorie dei traumi, a rimarginare le ferite invisibili della violenza psicologica che, come il graffio di un chiodo arrugginito, col tempo rischiavano d'infettarsi. Ma non gli era mai successo di dover liberare qualcuno da una presenza estranea, un parassita.

Tuttavia, servendosi di Nico, l'affabulatore voleva dargli anche un assaggio di ciò che aveva sperimentato in prima persona da piccolo, quando era stato prigioniero di un orco che lo costringeva perfino a chiamarlo zio. E Gerber era curioso di conoscere il resto della storia.

Fossi in te, non scenderei in cantina.

La luce rossa sul soffitto dello studio si accese e si spense per tre volte. Il suo giovane ospite era arrivato. Poco dopo, lo psicologo fece accomodare nel sottotetto le guardie e l'operatrice arcigna. Nikolin indossava ancora la tuta bianca dell'istituto ma stavolta gli erano state tolte preventivamente le manette. Si muoveva sempre come se fosse radiocomandato o seguisse delle linee sul pavimento che però vedeva soltanto lui.

« L'avete tenuto in isolamento come vi avevo richiesto? » chiese Gerber. La sua voce era già diventata nasale per via di un incalzante raffreddore.

« Sì » confermò controvoglia l'operatrice.

« Avete monitorato i suoi comportamenti? È emerso qualcosa d'interessante? »

« Nulla: il bambino svolge le attività quotidiane, per il resto del tempo se ne sta seduto a guardare fuori dalla finestra. »

Gerber prese atto, ma per tutta risposta non riuscì a trattenere uno starnuto.

La donna indietreggiò di un passo. « Sta bene, dottore? » chiese, più infastidita che realmente interessata alla sua salute.

« Benissimo, grazie » replicò, frettolosamente.

Poco dopo, vide andar via il gruppetto di persone: come sempre, avrebbero atteso la fine della seduta standosene sotto il palazzo. Rimasto solo col bambino, gli posò le mani sulle spalle e lo guidò fino alla sedia a dondolo.

« Abbiamo molto lavoro, stamattina » gli preannunciò mentre chiudeva le tende, creando una penombra innaturale. Si sforzava di apparire gioviale, ma era preoccupato. « Molti pensano che gli ipnotisti usino soprattutto stimoli visivi per far cadere in *trance* le persone » disse, anche se non era sicuro che il bambino potesse cogliere appieno il senso dei suoi discorsi. « Un pendolino mosso davanti agli occhi o una spirale che gira vorticosamente... » Diede una piccola spinta alla sedia e Nico prese a cullarsi da solo. « Ci sono quelli che utilizzano input sonori, come me con un metronomo e mio padre con un vecchio disco. Invece, gli ipnotisti più bravi si servono del tatto... » L'ipnotista impresse tre rapidi tocchi sul bambino, come il guardiacaccia aveva fatto con lui con la mano sporca di carbone.

Spalla sinistra. Fronte. Spalla destra.

Il respiro di Nikolin accelerò, si era aperta un'altra porta nella sua mente. Era l'innesco.

Gerber si accomodò sulla sua poltrona. Aveva una domanda in sospeso dalla seduta del giorno prima e gliela fece. « Cosa c'è in quella cantina? »

25

Non c'è nulla. In cantina non c'è nulla.

Continuo a ripetermelo, cercando di convincermi. Ma non ci riesco. Sono disteso nel mio letto e non posso dormire, l'ansia mi paralizza e tengo gli occhi fissi sulla porta chiusa. Al di là del corridoio c'è la camera di mamma e babbo. Nel loro letto c'è un intruso, ancora non posso crederci. Così come non credo a una sola parola della storia che mi ha raccontato. I miei genitori non sono partiti, non si sono portati via il nostro cane lasciandomi qui con quest'uomo che non ho mai visto. Non sono in vacanza senza di me.

« Sono in cantina. »

Non sono io a pronunciare questa frase, è una presenza nella mia testa. Ha preso in prestito la mia voce e adesso mi parla, riferendomi cose che non ho il coraggio di dire. E, per quanto io provi a contraddirla, lei insiste. A questo punto, non so se devo avere più paura dello zio o di me stesso, perché potrei anche impazzire.

Verso l'alba, stremato, mi arrendo e scivolo in un sonno cattivo e faccio sempre lo stesso sogno, a ripetizione, e non riesco a uscirne. È come quando hai la febbre e scotti e vorresti svegliarti ma rimani lì, imprigionato. Nel mio sogno sono insieme a Bella. Sto lanciando il suo giocattolo preferito, un Pinocchio di gomma del babbo quand'era piccino, che se lo schiacci emette un lungo lamento straziante. E Bella lo va a prendere per riportarmelo indietro. Io tiro lontano il Pinocchio e il mio cane me lo restituisce. All'infinito. Sono stanco, Bella invece no. E allora sono costretto a continuare. Però poi mi accorgo che Bella non è la solita Bella, quando corre perde sangue dalla pancia. Sì, qualcuno le ha aperto la pancia con un coltello come quello che lo sconosciuto ha usato per sbucciare la mela in cucina la prima volta che l'ho visto. Il mio cane sta morendo, mi dico. Anche se non sembra soffrire per ciò che le è stato fatto. Per forza, è già morta – replico a me stesso. È morta e non se n'è accorta.

E fra poco finirà in cantina.

Voglio uscire da questo sogno, voglio smetterla di gettare in aria il maledetto Pinocchio di gomma. Forse se lo lanciassi un po' più distante, lei non vorrà andare a riprenderselo. Ci provo, ma per quanto lo tiri lontano, lei non si arrende. Perché Bella non si separa mai dal suo pupazzo preferito. E lo nasconde sempre dove non riusciremo a trovarlo.

Mai.

Quando finalmente mi sveglio, prima che apra gli occhi, trascorre un piacevolissimo secondo di vuoto e di quiete in cui non mi ricordo nulla. Ma poi la verità mi assale, l'angoscia mi afferra la gola. Mi guardo. Indosso gli stessi vestiti con cui sono tornato da scuola il giorno prima, non ho avuto nemmeno la forza di mettermi il pigiama. A che serve?, mi sono chiesto.

Tanto, lo sconosciuto mi ammazzerà mentre sto dormendo. Il risultato è che ora sono zuppo di sudore e puzzo.

Però constato con stupore che sono ancora vivo.

Mi alzo e apro piano la porta della mia stanza, guardo fuori e ascolto. È giorno fatto ma la casa è ancora silenziosa. Per un attimo mi sfiora il pensiero che forse l'orco se n'è andato, sarebbe fantastico se fosse così. Ma poi lo sento russare. E allora mi viene un crampo alla pancia, una mano invisibile che mi stringe le budella, e devo correre al gabinetto se no rischio di farmela addosso.

Poi vado di sotto. Potrei approfittare del fatto che l'uomo sta dormendo e scappare. L'ho pensato anche ieri, ma oggi forse ho più coraggio per andare fino in fondo. Però, quando ieri ho paventato questa possibilità allo sconosciuto, lui non ha fatto una piega. Anzi, si è detto sicuro che non lo farò.

Sei un ragazzo troppo furbo.

Perché gli do retta? È da pazzi! Dovrei almeno tentare. Ma poi è esattamente così che mi comporto: desisto, accampo scuse, m'invento mille motivi per arrendermi e gli do perfino ragione. Allora, non sapendo che altro fare, mi siedo in soggiorno e aspetto. Una, due, tre ore. Il mio sguardo passa dalla cucina, dove c'è la porta che conduce in cantina, alle scale che ho appena disceso.

Verso le due del pomeriggio, sento l'uscio della camera da letto dei miei che si apre, la cadenza inesorabile dei passi sui gradini. L'uomo appare mentre si sgranchisce le braccia e sbadiglia senza coprirsi la bocca. Indossa solo mutande e calzini ed è spettinato.

« Buongiorno » mi saluta, come se nulla fosse. « Hai dormito bene? » s'informa, come se gli interessasse davvero.

« Sì » mento.

A differenza di me, non è affatto stupito che io non sia scappato. Mi rendo conto che non è tanto lui a farmi paura, quanto semmai tutta questa situazione. È talmente assurda che non so più cosa dovrei fare o cosa è giusto. Ogni cosa mi terrorizza e mi confonde, perciò non riesco a prendere alcuna decisione. Mi sento come la lucertola catturata in un barattolo di vetro che ha timore di fuggire dall'imboccatura aperta perché non sa cosa l'attende là fuori e piuttosto preferisce starsene lì a farsi arrostire dal sole.

« Ho una gran fame » mi annuncia l'orco, poi si zittisce.

Mi guarda e io lo guardo di rimando, chiedendomi cosa si aspetti da me. Poi capisco e mi sembra assurdo. « Devo preparare la colazione? » domando, esterrefatto.

« Mi andrebbero due uova fritte e un caffè » approva, accarezzandosi la pancia. « Io intanto vado a fare un goccio d'acqua » annuncia solenne e ride sguaiatamente.

Non ho mai cucinato nulla in vita mia. Non so da dove cominciare. Ma temo che, se lo ammettessi, non gli servirei più a niente. E allora ci metterebbe un attimo a sbarazzarsi di me. Allora decido d'improvvisare: proverò con quel po' che mi ricordo di quando guardavo la mamma a casa oppure il babbo in campeggio. Due uova non saranno poi così difficili da preparare, mi dico. Entro in cucina, passo davanti alla porta chiusa della cantina, ma evito di guardarla. Mi dirigo in dispensa e prendo l'olio d'oliva. Metto una padella sul gas. Apro il frigo e cerco le uova, ce ne sono sei: mi solleva l'idea che posso perfino permettermi di sbagliare. Proprio mentre sto richiudendo lo sportello, mi cade lo sguardo per terra. E anche il cuore mi casca nel petto. Fa un tonfo sordo. Come quando, per pietà, ributti nello stagno il pesce che hai appena pescato ma quello è già morto. Ciò che vedo mi stordisce e mi uccide.

Incastrato dietro il frigo c'è il Pinocchio di Bella.

Non so se avrei mai voluto scoprire l'ultimo nascondiglio del pupazzo preferito del mio cane. Forse no, perché questo significa che la presenza nella mia testa ha ragione. E se qualcuno è riuscito davvero a separare Bella da quel maledetto giocattolo, allora anche per tutto il resto esiste un'unica spiegazione.

Prendo il burattino di gomma e lo piazzo sul tavolo.

Poi preparo anche la moka. Quando sento l'olio che sfrigola, rompo le uova ma la mano mi trema e il tuorlo si spacca a contatto con la padella. Forse gli piaceranno comunque, forse no. Non mi importa. Mentre spargo l'albume sui bordi e attendo che si formi la crosticina dorata, l'uomo torna dal bagno e va a sedersi a tavola, dove nel frattempo ho apparecchiato solo per lui.

« Non hai fame? » mi chiede, vedendo che c'è un solo piatto.

« No » rispondo, perché il buco che ho nella pancia è come quello di Bella nel sogno di stanotte: anche se il mio non sanguina, fa male lo stesso. E, se mi strizzi, emetto solo un lungo lamento stridulo come il Pinocchio di gomma. Vorrei piangere, vorrei urlare, vorrei colpirlo con la padella rovente.

« Dovrai pur mettere qualcosa sotto i denti » si raccomanda, fingendo di preoccuparsi.

Ma non me la bevo, non credo più a una sola parola di questo bastardo che ha ammazzato il mio cane. « Non ho fame » ribadisco con fermezza, perché adesso sono così arrabbiato che non ho più paura di affrontarlo.

Mi esamina. « Che succede, ragazzo? Che ti prende? »

« Niente » ribatto, sapendo che la mia espressione dice tutt'altro. Poi gli servo le uova.

Lui le fissa in silenzio. Poi, tenendo sempre il capo piegato sul piatto, afferma: « Non è vero, c'è qualcosa che non va ».

« Va tutto bene » asserisco cercando di fare il duro, mentre gli verso il caffè in una tazza. Ma la voce, che mi esce un po' acuta, mi smaschera subito.

L'uomo afferra la forchetta, ma poi ci ripensa: l'appoggia di nuovo sul tavolo e solleva lo sguardo su di me. « Non prendermi in giro, per favore. »

Non dice parolacce. Quest'uomo non dice parolacce, penso. Non ha detto: « Non prendermi per il culo, stronzetto » o una cosa del genere. No, lui non l'ha fatto! Lui ha detto addirittura: *per favore*! E la cosa mi manda al manicomio perché so che non ha bisogno di un linguaggio volgare per risultare minaccioso. Ci riesce lo stesso. È il suo tono, basta quello. È cattivo, ma di una crudeltà gentile, che solo gli orchi sono in grado d'imprimere alle frasi. Non urlano, non si arrabbiano. Col tono di voce loro dicono tutto. Il messaggio è chiarissimo. Ti entra nelle orecchie e arriva dritto dove deve arrivare. In quel posticino segreto fra lo stomaco e il cuore dove le parole precipitano e diventano paura nera che ribolle.

« Hai fatto del male al mio cane. » Non è una domanda. È un'accusa precisa, e stavolta mi esce dalle labbra senza alcuna esitazione.

« Io non farei mai del male al tuo cane » afferma. « Te l'ho spiegato: i tuoi genitori se lo sono portati appresso quando sono partiti col camper. »

« Non ti credo. » So che sto rischiando grosso, ma non m'importa. Tanto, prima o poi toccherà anche a me. E se devo finire in cantina, allora voglio risparmiarmi quest'inutile agonia di spavento.

« Come fai a essere così sicuro che non sono sincero? » mi concede l'intruso, rimandando ancora un po' l'inevitabile.

« Perché me l'ha detto un Pinocchio di gomma » ribatto, lanciando uno sguardo al pupazzo sul tavolo.

Lui lo osserva ed è come se se ne accorgesse soltanto ora. « Hai ragione » dice.

Non me l'aspettavo. Quelle due parole hanno il

potere di prosciugare tutte le mie forze. Non riuscirò a fuggire da quell'ammissione, perché non c'è via di scampo dalla confessione di un orco che finalmente ammette di essere un orco. Lui può permettersi perfino la sincerità, perché in fondo non ha nulla da perdere. Sei tu che adesso smetterai di vivere. E, anche se aver messo fine alla farsa mi è sembrato un atto di coraggio, è sempre sua l'ultima parola. Come il gatto che si diverte col topo dopo averlo chiuso in un angolo, e lo illude di lasciarlo andare finché non si stufa.

Il suo scopo non cambia, ha solo smesso di giocare con me.

« Il tuo cane non è con i tuoi genitori » conferma, senza problemi. « E ti chiedo di scusarmi per questo, avrei dovuto dirti la verità. »

Che altro giochino è questo? La conosco già la verità, *stronzobastardovigliacco*.

L'uomo sposta gli occhi dal burattino e li punta su di me e sembra quasi pentito mentre mi guarda. « I tuoi genitori mi hanno chiesto di occuparmi anche del cane ma, appena se ne sono andati, lui è scappato. »

« Lei » lo correggo subito, infastidito. « Si chiama Bella » ribadisco, come se fosse sufficiente pronunciare il suo nome per fargli capire che non credo neanche a questo e che è inutile che continui a provarci con me. Ho dodici anni ma non sono stupido.

« Bella si è messa a correre, si è infilata nel bosco e non sono più riuscito a riprenderla » prova a giustificarsi. Ma poi capisce da sé che è inutile.

Perché mi dice bugie? Forse gli servo, perché non c'è altra spiegazione. Sì, ha bisogno di me per qualcosa. Il pensiero mi atterrisce perché non so cosa ha in serbo per me. Forse, semplicemente, gode a vedermi impotente. Quando si stancherà, mi farà scontare anche questa impudenza. E siccome non replico all'ultima menzogna che ha detto, prende il piatto con le uova, la tazza col caffè e la forchetta e, con le spalle ricurve e l'aria offesa, se ne va a mangiare in soggiorno. Sprofonda con le chiappe nel divano e accende la tele. Dovrei domandargli della cantina.

Cosa c'è in cantina, *stronzobastardovigliacco*?

È il momento giusto perché non riuscirò mai più ad avere tanto coraggio – me lo sento. Però non lo faccio.

La risposta mi fa più paura di lui.

E allora mi siedo al tavolo della cucina e rimango a osservare il soggiorno al di là della porta aperta. La nuca dell'uomo, immobile davanti allo schermo. E mi chiedo cosa pensa mentre guarda un telefilm o la pubblicità di un nuovo detersivo, oppure quando salta da un canale all'altro. Cosa cerca realmente? Che ci fa qui? Cosa vuole da me? Passano le ore e non fa nient'altro. Si alza solo per prendersi qualcosa da mangiare o per andare in bagno. Poi torna sempre al suo posto. Mi ignora. Quest'uomo non fuma, non beve alcolici, non si droga. Non ha nessuno dei vizi che di solito hanno i cattivi.

È soltanto pigro.

Per questo mi mette addosso molta più paura. Perché non riesco a inquadrarlo, è sfuggente. Questo m'impedisce di prevedere le sue mosse, di capire in anticipo cosa farà. Non ci si può difendere da un uomo così. E sono sicuro che, quando la sua rabbia esploderà, mi farà *molto molto* male.

Dopo un po', verso la fine del pomeriggio, quando la luce tende a imbrunire, noto il suo capo che inizia a piegarsi da un lato. Capisco che si sta addormentando sul divano. Infatti, di lì a poco, comincia anche a russare. Non so come, ma in quel momento mi balena per la testa un'idea. Forse c'è un modo per sapere qualcosa in più sull'intruso.

La sacca da marinaio che ha portato con sé.

Sono certo che si trovi in camera dei miei genitori. Allora mi alzo dalla sedia e, dosando bene i passi per non svegliarlo, salgo di sopra. Apro l'uscio e, guardando il letto disfatto di mamma e babbo e tutto il disordine, mi riempio di una tristezza infinita. Le loro cose fuori posto, l'intimità profanata da questo sconosciuto. Il pigiama del babbo gettato per terra. Le ciabatte sempre allineate sul tappetino adesso sono sparpagliate per la stanza. Il tubetto di crema per le mani della mamma è aperto sul comodino e il tappo chissà dov'è. Così la crema si seccherà, mi dico, ripensando al gesto delicato con cui ogni sera lei si cosparge la pelle di palmi e dorsi e li massaggia con cura, e ricordando anche il profumo della sua carezza quando mi dà la buonanotte. So che non accadrà più, che tutto questo è passato. Come se un cataclisma avesse improvvisamente spazzato via il mondo di prima.

Dov'è finito quel mondo non lo so ancora, ma so che non tornerà. Però adesso non c'è tempo per il rimpianto. L'orco potrebbe risvegliarsi.

La sacca da marinaio è in un angolo del pavimento.

Mi avvicino, m'inginocchio. Un ultimo sguardo alla porta dietro di me, per controllare. Poi l'afferro, allento la cordicella con cui è richiusa e spalanco i lembi di stoffa. Poche cose, soprattutto vestiti. Li tiro fuori perché voglio controllare se c'è un portafoglio, documenti, qualcosa che possa dirmi con chi ho a che fare. Calzini, mutande, una T-shirt bianca, una canottiera blu, un paio di jeans sformati, un'altra maglia sporca, bermuda, un vecchio cappello con visiera. Il grosso coltello con cui ha sbucciato la mela. Lo prendo e lo osservo, potrei portarglielo via oppure usarlo contro di lui. La questione è un'altra, mi domando se ne avrei la forza. No, è la risposta. Ma sono scoraggiato perché non c'è nessun portafoglio, nessun documento, nemmeno un appunto che possa rivelarmi la sua identità. Su una cosa non ha mentito: fra la sua roba, non c'è un cellulare. Però qualcosa c'è.

È una foto. Una polaroid, per l'esattezza.

La prendo e osservo la giovane donna, inquadrata dalla vita in su e in posa davanti al bancone di un bar. Rossa, ma i capelli lunghi fino alle spalle sembrano trascurati, come se se li acconciasse da sola. Indossa una canotta bianca. Unghie lunghe con lo smalto verde brillante, sbeccato: solleva un boccale di birra come volesse brindare con me e sorride all'indirizzo dell'obiettivo. Non è un bel sorriso, sembra sguaiato e i denti sono in parte rovinati.

Chi è questa donna? Cos'ha a che fare con l'orco?

Mentre me lo sto chiedendo, il mio udito percepisce un suono e mi mette in allarme. Non è in casa, viene da fuori. Ma è lontano. Molto lontano. Però si avvicina. Infilo di nuovo tutto nella sacca, alla rinfusa per fare in fretta. Non so se l'uomo si accorgerà che ho frugato fra la sua roba, ma adesso non ho tempo di preoccuparmene. Quando ho finito di mettere a posto, mi alzo e lascio la stanza. Scendo di sotto e corro verso la porta d'ingresso. La spalanco. Il tramonto arretra e l'oscurità si è già presa quasi tutta la campagna. Avanzo sul prato cercando di carpire di nuovo il suono di poco prima. Prego di non essermi sbagliato, che non sia stata soltanto un'allucinazione. Poi, nel silenzio dei grilli della sera, lo sento di nuovo. Viene dal bosco e riecheggia nella nostra piccola valle.

L'abbaiare di un cane.

Poco dopo, riconosco la corsa di Bella che scavalca il pendio davanti a me e mi viene incontro, festante. Sì, è davvero il mio cane. Corro verso di lei e mi salta addosso, rotoliamo insieme nell'erba profumata e fresca, e non sono mai stato così felice in vita mia. Bella mi lecca la faccia, è contenta anche lei. È sporca di terra e di fango, ma non fa niente, la ripulirò per bene.

« Dove sei stata? » le domando, con le lacrime agli occhi. Lei abbaia di nuovo.

Poi vedo un'ombra che avanza alle nostre spalle. Il

mio sorriso si spegne. Bella mi lascia e va ad annusare la mano dell'orco che intanto è uscito di casa.

« Che ti avevo detto? » dice lui, con un'espressione assente sul volto.

Sono gli occhi di un pazzo, mi dico. Non ne ho mai visto uno, ma so che è così. Vorrei che mi odiasse, invece mi ritrovo a essere fissato dal suo sguardo ebete. Lui non è capace di provare nulla. E ciò che provo io standogli accanto non è paura, ma freddo. È così che mi fa sentire, infreddolito. Solo adesso però me ne accorgo.

L'uomo fa una carezza sul muso a Bella e poi si volta per tornare in casa. « Sono contento che hai ritrovato il tuo cane » dice, mentre cammina di spalle. « Proprio contento. »

Il passo lento, l'andatura ondeggiante. I suoi modi pacati non m'incantano. Prima o poi ti rivelerai per ciò che sei realmente, mi dico.

Prima o poi.

Entrambe le opzioni mi fanno stare male. Perché so che alla fine avrò avuto ragione.

26

Nikolin smise di raccontare e si ritirò nella stanza perduta, ma stavolta l'ipnotista era preparato all'interruzione. Il bambino si voltò verso di lui, fissandolo con occhi languidi e la solita espressione placida.

« Ben fatto » lo gratificò lo psicologo, allungandosi dalla poltrona verso la sedia a dondolo per posargli una mano sul ginocchio. Ma, dentro di sé, Pietro Gerber sperimentava un senso di amarezza quasi impossibile da contenere. Le parole del piccolo protagonista della storia di ventidue anni prima riecheggiavano ancora nella stanza.

Uno psicopatico gentile.

L'ipnotista non avrebbe saputo immaginare un mostro più spaventoso. A differenza degli animali, la specie umana non aveva bisogno dell'esperienza o dell'istinto: ogni individuo era capace di calcolare il rischio nelle situazioni sconosciute e, di conseguenza, adottare le opportune contromisure. Ma è impossibile discernere un pericolo quando si nasconde dietro la maschera dell'ambiguità, si disse Gerber. Poi aggiunse una nuova nota ai propri appunti.

Rossa misteriosa.

Chi era la donna nella polaroid? In quel momento, l'idea che per scoprirlo avrebbe dovuto cercare un nuovo innesco non lo preoccupava più di tanto poiché, in realtà, non aveva più voglia di ascoltare il resto. Anche se sapeva che venir meno alle consegne dell'affabulatore avrebbe significato abbandonare Nico al proprio destino, lasciandolo prigioniero per sempre della propria mente.

Ascolterai ciò che ho da dire... fino in fondo.

Gli versò un bicchiere d'acqua da una brocca, lo osservò mentre beveva avidamente, domandandosi dove fosse in realtà in quel momento, in quale parte di sé si fosse rintanato in preda alla paura. Riaprì le tende, ripristinando la luce del giorno. Poi avvertì con un sms l'operatrice antipatica e le guardie dell'istituto, quindi accompagnò Nikolin nella sala d'attesa. Assieme alla scorta del bambino, trovò una visita inaspettata.

« Possiamo parlare? » disse Anita Baldi, compunta come una regina nel suo cappottino viola, con una borsetta nera al polso della mano destra e un sacchetto di cartone nell'altra.

« Certo, si accomodi » la invitò Gerber, facendole strada nello studio. Non gli sfuggì il sorrisetto compiaciuto dell'operatrice a cui prima aveva starnutito in faccia e che adesso presagiva una qualche ramanzina.

« A cosa devo l'onore? » provò a sdrammatizzare, entrando nella stanza.

« Credevi per caso di avermi estromessa totalmente? » lo rimbrottò la vecchia amica, posando per terra il sacchetto che si portava appresso. « È evidente che sono qui per sapere come procede la terapia. »

« Non doveva disturbarsi: poteva telefonarmi oppure convocarmi nel suo ufficio e sarei venuto subito a riferirle che ancora non ci sono sviluppi rilevanti » mentì, cercando di evitare il suo sguardo.

La Baldi fece un passo avanti. « Che ti succede, Pietro? Sei davvero disposto a rischiare la carriera? »

Avrebbe voluto dirle che non aveva scelta. Che, se avesse potuto, si sarebbe tirato indietro volentieri. Invece non disse nulla, estrasse dalla tasca dei pantaloni un fazzolettino di carta stropicciato e se ne servì per soffiarsi il naso.

« Guardati: sei in uno stato pietoso » commentò il giudice, squadrandolo dalla testa ai piedi e soffermandosi soprattutto sulle Clarks sporche di fango dopo la gita notturna nel bosco. « Da quanto tempo non dormi o non fai un pasto decente? »

Il suo aspetto doveva essere peggiore di quanto immaginasse, considerò Gerber. Poteva avvertire gli incavi delle occhiaie sul volto, il peso dei vestiti sporchi, e sapeva di non avere un buon odore. Ma ciò che vedeva la Baldi doveva essere molto peggio, almeno a fidarsi della sua espressione. Appallottolò il fazzolettino e lo gettò nel caminetto acceso. « Ho solo un po' di raffreddore » ammise, anche se aveva i brividi e scottava.

L'altra prese per buona la sua scusa e tornò alla carica: « Allora, non vuoi proprio dirmi niente? »

« Si accontenterebbe se le dicessi che non credo che Nikolin possa aver fatto del male a sua madre? »

La Baldi scosse il capo. « Non mi basterebbe, a meno che tu non voglia spiegarmi da dove derivi questa conclusione. »

Non posso, avrebbe voluto dirle. Era consapevole che, ricattandola per proseguire le sedute col bambino, l'aveva profondamente delusa. Ma era anche convinto che, alla fine di tutto, sarebbe stato in grado di fornirle una giustificazione. Era da idioti essere ottimisti, anche perché non sapeva ancora quale fosse lo scopo ultimo dell'affabulatore. Se era quello di farlo impazzire, ci stava riuscendo benissimo.

« Voglio mostrarti delle cose che abbiamo rinvenuto nell'auto in cui Nikolin viveva insieme alla madre » disse il giudice, quindi si piegò per prendere dei fogli dal sacchetto che aveva portato con sé e li porse a Gerber.

Si trattava di alcuni disegni.

« Non sembrano opera di un ragazzino di dodici anni ma di un bambino molto più piccolo, vero? » lo anticipò la Baldi, poi estrasse dalla busta anche un telefonino giocattolo che si accese e si mise a suonare una musichetta allegra. « E questo è il gioco preferito di Nico. »

Lo psicologo capì dove voleva arrivare con quella dimostrazione. « La sua età cerebrale non corrisponde a quella anagrafica, e allora? »

« Mi hai appena detto che hai dei dubbi riguardo alla sua colpevolezza, anche se non vuoi spiegarmi da dove scaturiscano. Ma, anche se confermi la tua perizia iniziale, il bambino godrà comunque di un trattamento di favore per via del suo deficit psichico. »

Era venuta per persuaderlo a lasciar perdere. In effetti, i suoi argomenti erano convincenti e Gerber le avrebbe dato retta se non fosse stato costretto a continuare. « Quel bambino è innocente e io lo dimostrerò, accettare un compromesso non sarebbe giusto. » Le restituì il telefonino giocattolo. « Mio figlio Marco ne ha uno uguale » disse per farle capire che, per quanto lo riguardava, quella discussione era finita.

La Baldi rimase spiazzata. « Tutto questo ha a che fare con i motivi che hanno portato alla fine del tuo matrimonio? » domandò, spogliandosi per un attimo del ruolo ufficiale. Si riferiva al caso di Hanna Hall, la storia di bambini e di fantasmi.

Gerber sgranò gli occhi. « Certo che no » replicò, indignato. « Cos'è questa fissazione? È stata lei a metterla in testa a Silvia oppure il contrario? »

« Non ho bisogno di consultarmi con lei » affermò l'altra.

Avrebbe voluto rinfacciarle che non era vero: Silvia gli aveva detto chiaramente che la Baldi l'aveva chiamata perché intercedesse e gli facesse cambiare idea riguardo alla perizia. Ma poi si trattenne, non voleva alimentare la polemica.

« Ho fatto male a convocarti l'altra notte » disse la donna, aggrappandosi alla borsetta. « Credevo fossi ancora in grado di svolgere il tuo lavoro, ma mi sbagliavo.» Poi si voltò verso il corridoio ma, soprattutto, verso la porta chiusa dello studio del *signor B.*

Gerber pensò che, con quel gesto silenzioso ma plateale, lei volesse riproporgli, a sfregio, il confronto con suo padre. Probabilmente il giudice rimpiangeva il primo, autentico addormentatore di bambini. Come darle torto. Il tentativo di metterlo a disagio, però, fu interrotto proprio sul nascere dallo squillo del cellulare. Senza nemmeno scusarsi, lo psicologo si frugò in tasca e, poco dopo, rispose allo smartphone.

«Dottor Gerber, mi dispiace disturbarla.»

Era la madre di Lavinia, l'aveva riconosciuta dal numero in rubrica. Dal tono, sembrava preoccupata. «Che succede? Va tutto bene?»

«Mi hanno telefonato dalla scuola, stamattina non ci è andata.»

Non era la prima volta, Lavinia ogni tanto si riservava simili colpi di testa. Da quando si erano verificati i fatti per cui era in cura da Gerber, spesso la ragazzina aveva sbalzi comportamentali. Più di una volta la madre, che era separata da anni, gli aveva chiesto aiuto per cercarla dopo che era sparita nel nulla. Le sue fughe di solito duravano appena qualche ora, al massimo mezza giornata. Non oggi, la supplicò col pensiero lo psicologo. Era a pezzi e, in più, avrebbe dovuto cercare il nuovo innesco. «Vedrà che sarà come le altre volte» provò a tranquillizzare la donna al telefono. Intanto la Baldi lo fissava, impaziente. Le fece cenno di aspettare un minuto, ma quella non attese neanche un secondo.

« Sei ancora intenzionato a ritirare la perizia su Nikolin nell'ipotesi in cui ti proibissi di rivedere il bambino? »

« Mi scusi un attimo » disse alla mamma di Lavinia, poi coprì il microfono del cellulare con la mano e si rivolse alla Baldi con durezza. « L'ha detto lei, no? Se spunta fuori il cadavere della madre, potrà accusare il bambino di omicidio anche senza il mio parere professionale. Fino ad allora, anche a scanso di brutte figure con procura, stampa e opinione pubblica, la sorte del caso dipende solo da me. »

Il giudice comprese da sé di non avere più motivo per trattenersi. Però, prima di andare, volle aggiungere un'ultima cosa. « Un'ora fa, i cani molecolari della Scientifica hanno fiutato una pista partendo da un vecchio indumento di Mira. »

Pietro Gerber si sentì improvvisamente messo all'angolo. Da una parte la madre di un'adolescente sparita che attendeva in linea confidando nel suo aiuto e, nello stesso tempo, gli rammentava che aveva abbandonato i suoi pazienti per occuparsi del caso di Nikolin. Dall'altra c'era il monito severo del magistrato. *Ecco perché è venuta*, si disse, capendo finalmente.

Il tempo a sua disposizione stava scadendo.

27

All'età di ventitré anni, Pietro si stava apprestando a chiedere la tesi all'università. Dopo la visita notturna alla villa neoclassica in Garfagnana, quando il *signor B.* gli aveva mostrato le potenzialità della terapia con l'ipnosi, si era dato una mossa e aveva recuperato il ritardo sul piano di studi.

Non disdegnava più l'idea di seguire le orme paterne e diventare uno psicologo infantile.

Solo che, da quando l'aveva visto all'opera, non avevano più parlato di ciò che era accaduto quella notte. Pietro sapeva di dover attendere il momento giusto. E, probabilmente, ne era consapevole anche il padre. Poi un giorno si sentì pronto e si presentò allo studio nella soffitta a due passi da piazza della Signoria. Non andava lì da quando era bambino. Aveva tenuto quell'atteggiamento per puro spirito di ribellione o per rimarcare il fatto che lui e il *signor B.* fossero diversi e la cosa col tempo non sarebbe mai cambiata. Invece, quel giorno Pietro aveva messo da parte il proprio orgoglio e confidava che il padre non gli facesse notare il suo comportamento contraddittorio. Ma, accogliendolo nella foresta di cartapesta, il *signor B.* si era limitato ad ascoltare la sua richiesta.

« Mi insegneresti? » aveva detto semplicemente Pietro, alludendo alla tecnica dell'ipnosi.

Il padre, che all'epoca aveva poco più di cinquant'anni, gli si era avvicinato cercando di cogliere qualcosa nella sua espressione o nel suo sguardo. Forse il barlume di una vergine curiosità, che è indispensabile per accostarsi a certe faccende misteriose.

« Dovrò prima presentarti alla Confraternita degli ipnotisti fiorentini: saranno loro a decidere se ammetterti o meno. »

Sentendo quel nome altisonante, dai risvolti iniziatici, Pietro pensò subito a una sorta di setta di derivazione magica o massonica. Si riunivano ogni giovedì sera. Gli incontri avvenivano in un luogo segreto. Il padre lo invitò a non fare domande finché non fossero giunti a destinazione.

Lo condusse in piazza Goldoni, dove c'era la farmacia Münstermann, risalente al 1897 e rinomata per alcuni preparati medicali ma, soprattutto, per le pozioni di bellezza realizzate con formule rimaste invariate per decenni. Il *signor B.* ci andava sempre per acquistare una speciale crema di sapone alla violetta per la moglie e aveva continuato anche dopo essere rimasto vedovo, forse per preservare il ricordo di quella tradizione.

Pietro non immaginava che quel luogo avesse anche un altro scopo.

Entrarono poco dopo l'orario di chiusura, infilandosi sotto la saracinesca semiabbassata che fu subito richiusa da un omino in camice bianco che li accolse dicendo sottovoce: « Gli altri sono già arrivati ».

Gli arredi antichi odoravano delle essenze che avevano impregnato il legno per oltre un secolo. Nel retrobottega, passando in mezzo ad ampolle dai colori brillanti e profumi di ogni genere, Pietro e suo padre giunsero a una porticina dietro la quale si celava una scaletta ricavata nel muro che conduceva al piano superiore del palazzo. S'infilarono in quella specie di cunicolo verticale e, risalendolo, lui iniziò a sentire delle voci maschili accompagnate da risate. Non riuscì a capire cosa si dicessero quegli uomini e nemmeno quanti fossero. Poco dopo, spuntarono in un ammezzato.

Pietro si aspettava un piccolo tempio esoterico, perciò rimase alquanto deluso nel ritrovarsi di fronte un tavolino con due individui di mezza età che giocavano a carte.

« Allora, c'è cascato? » chiese al *signor B.* uno di loro. Era evidente a chi si riferisse.

« Ti presento la Confraternita degli ipnotisti fiorentini » gli annunciò il padre, con un gesto plateale del braccio.

Scoppiarono tutti e tre a ridere. Tranne Pietro, che si rintanò nelle spalle, imbarazzato e furioso per quello scherzo.

« Vieni a prendere un bicchiere di vino » disse un altro dei presenti. E gli mescette un calice di ottimo Sassicaia.

Nei minuti successivi, Pietro Gerber si rilassò e apprese che quel ritrovo era una gentile concessione del vecchio proprietario della farmacia e che i tre si conoscevano dai tempi dell'università. Si rivedevano una volta a settimana per una partitina, per condividere una bottiglia di buon rosso e per rinnovare un antico voto di amicizia.

« In realtà, stavolta manca un membro » lo informò il padre. « Ti abbiamo invitato per prendere il suo posto. »

Due cose caratterizzavano quegli incontri.

La prima era che i giocatori fossero tutti ipnotisti. Il *signor F.* era ordinario di psicologia clinica e ipnosi curativa e il *signor R.* era uno specialista di ipnosi regressiva. L'assente di quella sera era il *signor Z.*, un esperto di « parasonnie » che praticava l'ipnosi del sonno, ma Pietro avrebbe avuto modo di conoscerlo presto e molto bene. La seconda peculiarità del consesso era che, invece che a poker oppure a tressette, si esercitavano in un gioco di carte risalente al XVI secolo.

Per l'*Oblivio* era necessario un mazzo di tarocchi fiorentini.

Pietro non lo conosceva, ma gli fu offerta lo stesso la sedia del *signor Z.* per unirsi al tavolo e imparare osservando gli altri. Man mano che procedeva la partita, riusciva a intuire alcune regole ma, soprattutto, vedeva il padre come non l'aveva mai visto: non solo gioviale ed espansivo come era di solito con gli estranei e mai con lui, ma incredibilmente sboccato e irriverente. D'altronde, in quel piccolo circolo si riproponevano riti e abitudini maschili consolidati in anni di scorribande, zingarate e sbronze colossali.

« Allora, Pietro, stai cominciando a capire qualcosa di questo gioco? » gli domandò a un certo punto della serata il *signor F.*

Pietro azzardò una risposta. « Che bisogna essere necessariamente in quattro: mazziere, avversario di mano, compagno e avversario tagliatore. Che ognuno ha un posto preciso al tavolo. Che, a parte le carte di bastoni, denari, coppe e spade, ci sono i *trionfi* o *arcani maggiori* che contengono simboli, per esempio i segni zodiacali, oppure allegorie come 'la ruota della fortuna' o 'la casa del diavolo'. Che bisogna combinare le carte o fare delle *versicole.* E che Il Matto scombina il gioco. »

« Nient'altro? » lo incalzò il *signor F.*

Pietro andò in cerca di una carta nel mazzo, gliela mostrò: « Però non ho ancora capito a che serve questa... »

Raffigurava uno strano omino senz'occhi. Al loro posto, la prosecuzione di una fronte liscia e spaziosa. Teneva il capo sollevato verso un firmamento di stelle e pianeti.

« È un bene che tu abbia notato proprio quella figura » si complimentò il *signor R.* « Probabilmente, fra qualche anno ti sveleremo a che serve. »

« Qualche anno? » replicò subito Pietro con tono spavaldo, gettando anche la carta sul tavolo. « Sono sicuro che in qualche muffosa biblioteca di Firenze esiste un manuale di questo gioco con dentro la risposta.» Pensava di aver fatto una battuta di spirito, in linea con il tono della serata. Ma i presenti si scambiarono sguardi silenziosi.

Fu il *signor F.* a parlare di nuovo. «Sono convinto che sia come dici, ma c'è un motivo per cui questo gioco molto popolare a un certo punto fu quasi proibito a Firenze e in tutta la Toscana...»

Pietro rimase colpito.

Intervenne il *signor R.*: «Si narra che l'Oblivio coinvolgesse talmente tanto i giocatori da fargli perdere il senso della realtà. Molti erano così presi che dimenticavano di bere o di mangiare, andavano avanti per giorni e notti finché non crollavano stremati».

«Come è possibile?» domandò Pietro. Aveva studiato le ossessioni ludopatiche, ma non si capacitava di come un semplice gioco di carte potesse rivelarsi addirittura letale.

«Non so se hai capito bene» spiegò il *signor B.* «Ma in questo gioco ci sono i rudimenti dell'arte dell'ipnosi.»

Pietro, però, era ancora scettico.

Il *signor F.* prese di nuovo la carta con l'omino cieco sotto la volta stellata. «Guarda ancora questa figura.»

Pietro si sporse e lesse anche la didascalia in latino: «*'Malleus Animi'*». Poi tradusse: «Il martello della mente».

«Osserva bene il suo volto...» lo incoraggiò il *signor R.*

L'omino aveva la bocca spalancata. «Sembra stupito davanti alla bellezza di quel cielo » rispose lui. « Ma come può, se è cieco? »

« Questa è la carta più potente dell'Oblivio » gli rivelò il *signor F.* « Rappresenta colui che vede con la mente: quando dal mazzo esce questa figura, qualcuno dichiara *'Habemus Malleum Animi'* e il gioco viene azzerato. »

Habemus Malleum Animi, si ripeté Pietro.

« Ed è come se il gioco non fosse mai esistito » aggiunse il *signor B.*, che si era accorto che il figlio non ci stava arrivando. « Il *Malleus Animi* è l'unico che conosce la verità ed è anche il solo che può spezzare l'illusione, facendo terminare il gioco. Finché non esce, il gioco continua. E se la carta non esce mai, i giocatori sono spacciati. »

« Come rimanere imprigionati in un mondo finto » affermò Pietro.

« E se fosse già così? » si chiese il *signor F.*

« I nostri cinque sensi ci servono per leggere ciò che ci circonda. Tuttavia, possono anche essere ingannati » asserì il *signor R.*, dandogli manforte. « 'L'unico Dio che conosco sono io' » citò. « Gli altri e tutto ciò che mi sta intorno possono essere semplici proiezioni del mio inconscio. E lo stesso ragionamento potete farlo tu e chiunque altro. »

« E quella che io chiamo 'realtà', invece, potrebbe essere soltanto un gioco... Come l'Oblivio » argomentò Pietro, abilmente.

Gli altri tacquero.

« L'unico modo per saperlo è... morire » concluse,

stupito dal proprio ragionamento. « Con la morte dovrebbe tornarmi la memoria, perché Dio non può morire, giusto? »

I tre si guardarono, stavolta sembravano compiaciuti.

« Infatti tuo padre ti ha portato qui perché potessimo ipnotizzarti col nostro gioco di carte » disse il *signor F.* « Tu pensi di essere nell'ammezzato sopra la farmacia, in verità sei nell'esatta riproduzione dello stesso ambiente che hai ricreato da solo nella tua mente. »

La frase rimase in sospeso.

« Ma per sapere se è così, dovrei azzerare il gioco » affermò lui, prendendo fra le dita la carta con l'omino cieco: la osservò. « *Habemus Malleum Animi* » dichiarò e stava per lanciarla.

« Non sempre è necessario morire » intervenne il *signor B.*, bloccandogli il braccio. « A volte, basta violare una delle regole che governano il mondo in cui ti trovi. »

« Ad esempio, puoi provare a volare » affermò il *signor F.*, mostrandosi serio.

« La vedi quella finestra? » gli indicò il *signor R.* « Aprila e salta giù. Se ciò che ti circonda non è reale, ti sveglierai. Se lo è, al massimo ti romperai una gamba. »

Pietro li squadrò uno per uno, cercando di carpire una loro reazione o aspettandosi che uno di loro si tradisse. Poi ruppe gli indugi, mollò la carta col cieco e sollevò il bicchiere col vino. « 'Fanculo il *Malleus*

Animi, non mi serve buttarmi di sotto! Domani sera ho un appuntamento con una turista olandese che ho rimorchiato stamattina alla Galleria dell'Accademia: a seconda che si presenti o meno, avrò la mia risposta.»

Esplosero di nuovo tutti in una gran risata.

A molti anni da quell'episodio e da quella lezione, Pietro Gerber non riusciva ancora a comprendere appieno i meccanismi che regolavano il mistero del *Malleus Animi*.

Il potere della mente che inganna sé stessa.

Durante l'ultima seduta con Lavinia aveva usato una tecnica non convenzionale. L'aveva convinta che si trovavano al mare, nella villa della nonna a Forte dei Marmi, quando invece non si erano mai mossi dallo studio nella soffitta. Il tutto per invogliarla ad aprire una porta chiusa da troppo tempo in quella casa e, soprattutto, nella sua mente. Di solito il paziente era consapevole di trovarsi in uno stato di *trance*: togliergli la cognizione della realtà era scorretto oltre che pericoloso, poiché qualcuno poteva perdere del tutto l'orientamento, maturare il dubbio di essere ancora sotto ipnosi e, magari, proprio buttarsi da una finestra solo per provare a risvegliarsi.

Perciò Gerber aveva barato con la ragazzina e si sentiva in colpa con lei.

Chissà dov'era andata dopo aver marinato la scuola. Sperava che non si fosse messa nei guai o che non avesse incrociato qualche malintenzionato pronto ad approfittarsi della sua fragilità. L'ultima volta che Lavinia aveva fatto perdere le proprie tracce, l'avevano ritrovata completamente ubriaca in un boschetto di periferia insieme ad alcuni coetanei che aveva conosciuto per caso.

Per questo, lo psicologo era molto preoccupato.

Alla fine di una lunga giornata di ricerche, si aggirava ancora in auto sperando d'incontrare Lavinia nelle stradine intorno alla stazione ferroviaria, dove si riunivano di solito ragazzi sbandati che volevano sottrarsi allo sguardo dell'autorità.

Il suo cellulare squillò. Era Silvia.

Le avrebbe detto che era pentito per come era degenerata la discussione al telefono del giorno prima.

« Senti, mi spiace per l'altra volta » esordì inaspettatamente l'ex moglie, precedendolo. « Non si dovrebbe mai permettere all'ira di assumere il controllo, lo dico anche alle coppie che vengono da me per un consulto: non sempre la rabbia è negativa, ma deve avere uno scopo e siamo noi a fornirglielo. »

A parte le frasi fatte, Silvia aveva ragione. E si stupì nel sentirla così serena nei suoi confronti. « Dispiace anche a me » le disse. « Però almeno io non sarò costretto a restituire parte delle mie parcelle » aggiunse, per sdrammatizzare. Le strappò una risata. Quand'era stata l'ultima volta che l'aveva sentita ridere? Non se lo ricordava.

« Forse dovremmo cominciare a usare parole diverse fra noi. »

« E bandire alcuni argomenti » aggiunse lui, rendendosi conto che ormai comunicavano solo rinfacciandosi le cose. « Per il bene di Marco. »

« Per il suo bene » concordò lei. « Come stai? » gli domandò, di punto in bianco. Anche quella era una cosa che non avveniva da tanto tempo, Silvia non s'interessava più al suo stato di salute.

« Sto bene » le mentì.

« Mi hanno detto che non hai un bell'aspetto. »

« Ancora la Baldi? » Levò gli occhi al cielo.

« Alcuni conoscenti che ti hanno visto girare per Firenze » lo corresse Silvia. « Dicono che sembri invecchiato. »

« Grazie tante » replicò, fingendosi offeso. In un altro momento avrebbe replicato che non era affar suo, non più. Ma in quel frangente apprezzò che l'ex moglie si dimostrasse apprensiva. « Mi sono buttato totalmente nel lavoro. »

« Ancora il caso di quel ragazzino? »

« Al momento sto cercando una quattordicenne che, di nascosto dalla madre, stamattina non è andata a scuola. »

« Capisco » fu l'unico commento di Silvia.

Seguì un lungo silenzio imbarazzato.

Gerber si rammaricò del fatto che non avessero altri argomenti di cui parlare, probabilmente era la stessa sensazione che provava lei.

Infatti Silvia disse: « Forse la prossima chiamata andrà meglio ».

« L'importante era chiarire » le disse lui dandole manforte.

Ma, prima di riattaccare, lei ci tenne a raccomandarsi. « Fa' attenzione e non ti trascurare. »

Gli aveva fatto piacere, non poteva negarlo. Forse era davvero un nuovo inizio, chi poteva dirlo. Appoggiò il cellulare sul sedile accanto e si accorse di un'esile figura che procedeva di spalle un centinaio di metri davanti a lui.

La riconobbe dallo zainetto di scuola, troppo grande per un fuscello come lei.

« Vuoi un passaggio? » le domandò con un sorriso dal finestrino abbassato, dopo aver accostato al marciapiede con la macchina. « Ti propongo una cioccolata calda da Rivoire. » Nessuno dei suoi pazienti resisteva al richiamo della storica *Fabbrica di cioccolata a vapore* di piazza della Signoria. « Allora, che ne dici? E all'offerta aggiungo panna montata e pasticcini al cocco. »

Lavinia continuava a camminare senza voltarsi, imbronciata. « Ha cancellato la seduta di oggi pomeriggio. »

« Ho dovuto farlo » provò a scusarsi. « Mi dispiace. » Per alcuni pazienti, anche la più piccola variazione della routine poteva essere destabilizzante.

La ragazzina non si arrestò. « Perché mia madre mi manda da lei, dottor Gerber? »

« Perché non mangi abbastanza cioccolata » ironizzò. Era una mezza verità, ma l'anoressia di Lavinia era solo la conseguenza. La causa era tutt'altro.

« Non è solo per il cibo, vero? » lo sbugiardò subito.

Lo psicologo non sapeva cosa rispondere. « Sali in auto e ne parliamo » la esortò.

« No » replicò. « Me lo dica adesso. »

« Conosci il patto... » le rammentò.

« Ricominciare dall'inizio » ripeté lei, diligentemente.

« Perciò, se vuoi sapere perché tua madre ti manda da me, dovrai scoprirlo da sola. »

Finalmente, Lavinia si fermò e si girò verso di lui. « Dietro quella porta c'è qualcosa che mi farà paura, vero, dottor Gerber? » chiese, timorosa.

L'ipnotista provò compassione per quella bambina indifesa, perché era vero: per guarire, sarebbe stata costretta a misurarsi con qualcosa di spaventoso. « Qualunque cosa ci sia dall'altra parte, io sarò con te » le promise.

Lavinia ci pensò un momento, poi annuì. « Va bene » disse, sentendosi pronta. « Allora me lo mostri... »

28

L'ultimo appunto preso sul taccuino di Nikolin era riferito alla rossa misteriosa della polaroid. Gerber richiuse il libriccino nero e lo mise da parte per dedicarsi a Lavinia.

Attivò il metronomo elettronico sul tavolino accanto alla sua poltrona e subito una percussione, bassa e metallica, si diffuse nella stanza. La ragazzina si stava già dondolando sulla sedia su cui, poche ore prima, c'era proprio Nico. A differenza del bambino albanese, lei teneva gli occhi chiusi.

Gerber attese di cogliere sul suo corpo i segnali del rilassamento, intanto riaprì il taccuino nero dedicato a lei per prendere nota di quanto sarebbe accaduto di lì a poco. Quel giorno aveva trascurato totalmente il caso dell'affabulatore, venendo meno ai loro accordi. Non sapeva se ci sarebbero state conseguenze per il suo disinteressamento, ma al momento Lavinia aveva la precedenza. Quando ebbe la sicurezza che la ragazzina fosse completamente immersa nello stato di quiete, la raggiunse. « Dove siamo? » le chiese.

« Nella villa di nonna, al Forte » disse.

C'era tornata da sola. Era un ottimo inizio. « Ti piace stare qui? »

« Sì » fu la risposta. « Oggi c'è il sole, fa molto caldo ma si sta bene.... Vorrei fare il bagno. »

« Fra un po' » le promise. « Adesso è ancora presto, devi mostrarmi il resto della casa, ricordi? »

« Questa era la camera di mamma quando aveva la mia età » rammentò dalla volta precedente. « Ora però ci sto io » precisò di nuovo. « Di là c'è quella di nonna. »

« E poi c'è la stanza chiusa » le ricordò Gerber. Ma si accorse che Lavinia non era ancora pronta: si agitava, era inquieta. Cambiò approccio: « Raccontami ancora qualcosa di questa casa, ti va? »

« Allora... Quando babbo e mamma stavano ancora insieme, ci venivamo i fine settimana e poi tutta l'estate... In realtà, d'estate soprattutto io, mamma e nonna: babbo ci raggiungeva il venerdì e andava via la domenica pomeriggio per tornare a Firenze a lavorare... Il mio babbo fa l'avvocato ed è un uomo importante, lo sa? » affermò, fiera.

« Sì, lo so. » Il padre di Lavinia era un civilista molto noto in città. « E non c'era nessun altro qui con voi? » azzardò.

Lavinia tacque. « Fa veramente caldo: avrei voglia di un gelato, posso? » Divagava.

Gerber l'assecondò. « Certo, che gusto ti piace? »

« Vaniglia e cioccolato. »

« Ecco a te: vaniglia e cioccolato » disse l'ipnotista, poi vide la ragazzina sollevare il braccio, portarsi un cono invisibile alle labbra e iniziare a leccarlo soddisfatta. « È buono? »

« Molto, grazie » confermò, contenta.

« Dove eravamo rimasti? »

« Stavo dicendo che il babbo ci raggiungeva nel weekend. Il sabato sera prendevamo sempre l'aperitivo all'Almarosa e la domenica andavamo a mangiare il pesce al ristorante. Poi facevamo ancora un bagno al mare e, verso le quattro, lui si rimetteva in macchina e ripartiva. »

« Ti manca quel periodo? »

Lavinia ci pensò su. « Credo di sì. »

« Non ne sei sicura? »

« Sono cambiate tante cose... »

Gerber azzardò: « Perché i tuoi genitori si sono lasciati, te l'hanno mai spiegato? »

« No, però... penso che la colpa sia stata anche un po' mia. »

Lo disse serenamente e ciò non sorprese lo psicologo. « In che senso? Puoi chiarirmi meglio, per favore? »

« Non me l'ha mai detto, ma il babbo non riusciva più a stare in una stanza se c'ero anche io. »

Era significativo che avesse fatto quella considerazione. « E sai anche il motivo? »

« Per il mio aspetto, credo. »

« Perché ti rifiutavi di mangiare ed eri diventata troppo magra? »

Lavinia rifletté un momento. « No, non è per questo. »

« Allora per cosa? » la incalzò.

Un altro breve silenzio. « Forse dovrei davvero aprire quella porta, dottor Gerber... »

L'ipnotista ripose il taccuino per gli appunti, appoggiandoselo in grembo. Poi intrecciò le dita, in attesa. Forse era davvero arrivato il momento che avevano preparato insieme con perseveranza e tanta pazienza. « Va bene, ti tengo per mano e ricorda che ti starò sempre accanto. »

Lavinia annuì e prese fiato. Il suo torace si alzava e si abbassava più velocemente, il battito cardiaco e la respirazione stavano accelerando. « Sto entrando » lo informò. « È come aveva detto lei: la porta non è chiusa a chiave. »

Aspettò qualche secondo, poi domandò: « Cosa vedi? »

Sul volto della ragazzina prese forma una smorfia di fastidio. « È buio » disse. « Ed è molto strano, perché fuori è ancora giorno. »

« Qualcuno avrà chiuso le imposte. »

« Non è per questo... » Poi aggiunse: « E c'è un cattivo odore ».

Gerber non voleva che la cosa prendesse una piega sgradevole, non era così che doveva avvenire. « Dimentica l'odore e lascia che i tuoi occhi si abituino all'oscurità, poi dimmi cosa c'è... »

« C'è qualcuno nella stanza » annunciò, sicura.

« Dove si trova? »

« Nel letto. » Poi specificò: « Sta dormendo ».

« Ti va di avvicinarti a quel letto? »

Attimi di pausa. « Non è possibile... » disse, con un filo di voce.

« Cosa non è possibile? »

« C'è un'altra ragazza in quel letto ma... »

« Ma? »

« Sono io quella ragazza » affermò, sconvolta. « Sono proprio io! »

« Va tutto bene » la rassicurò l'ipnotista. « C'è una spiegazione, credimi. »

« Che succede, dottor Gerber? Non capisco... » Si stava agitando. « E perché la ragazza non si sveglia? »

Lo psicologo non disse nulla, doveva arrivarci da sola. Perché Lavinia conosceva la verità, anche se l'aveva rimossa.

« Non sta dormendo, non respira » affermò. « Sono io e non respiro » disse, allarmata. « Mi aiuti, la prego... »

Ecco, ci siamo, si disse Gerber. « Cosa le è successo, secondo te? »

« Credo che sia morta... Sono io e sono morta... » La sua voce adesso era stridula per via del panico. « Vuol dire che sono morta? »

L'ipnotista capì che era il momento di intervenire. « Lavinia, chi è quella ragazza? Guardala bene... »

Lavinia parve bloccarsi. « Emma... » disse a un certo punto.

« E chi è Emma? » domandò Gerber, provando ad aiutarla.

« La mia gemella » ammise finalmente la ragazzina. E poi proseguì da sola: « Emma è morta due anni fa. Ha preso delle pillole dal cassetto della nonna, è andata a coricarsi e non si è più svegliata ».

Lo psicologo provò una gran pena per la sua giovane paziente, perché era stata proprio lei a scoprire la verità il mattino dopo, in quella stessa stanza.

« Io e lei siamo sempre state unite. C'era qualcosa dentro di noi che ci legava, lo chiamavamo il filo invisibile... Un inverno, eravamo partite per la montagna con i nostri genitori. Quando eravamo lì, a Emma è salita la febbre, allora mamma è rimasta nella baita con lei e io sono andata a sciare con il babbo. Mentre scendevo lungo la pista, sono caduta e mi sono rotta una caviglia. Babbo non aveva detto niente a mamma e a Emma, per non farle preoccupare. Ma, durante il tragitto fino all'ospedale, mamma ha chiamato il babbo dicendo che Emma all'improvviso aveva avvertito un forte dolore alla caviglia... Mia sorella lo sapeva che mi ero fatta male. E quella è stata solo una delle tante volte in cui una di noi ha sentito quello che sentiva l'altra... » Fece una pausa. « Perché l'ha fatto, dottor Gerber? Sembrava felice. Perché Emma si è uccisa? »

Era proprio quello il dramma di Lavinia e anche la causa della sua anoressia. Non essere riuscita ad avvertire dentro di sé un segno di ciò che stava per accadere alla gemella. Il filo invisibile quella volta non aveva funzionato. « Purtroppo, soltanto Emma potrebbe dircelo » ammise, sperando che fosse di conforto.

Poi Lavinia comprese anche un'altra cosa: « Babbo non riesce a stare nella stessa stanza con me perché continua a vedere Emma, vero? Per questo ha lasciato mamma ».

« Vorresti che tornasse a stare con voi? »

« No » rispose prontamente. « Lui sta troppo male,

lo vedo... E io non voglio che il mio babbino stia così male. »

Lavinia aveva le lacrime agli occhi, ma Gerber sapeva che era un pianto di liberazione. Non era guarita, quella seduta doveva considerarsi un nuovo inizio per la terapia. La strada da fare era ancora lunga. Ma per quel giorno poteva anche bastare. « Va bene, adesso puoi lasciare la stanza e richiudere la porta. »

« Dovrò tornarci, vero? »

« Temo di sì » ammise Gerber. « Ma ci penseremo la prossima volta... Adesso invece faremo insieme il solito conto alla rovescia e poi magari ti porterò a prendere un gelato vero, sei pronta? »

« Aspetti » lo frenò la ragazzina. « Emma sta parlando... »

Strano, pensò Gerber. Probabilmente, Lavinia non aveva voglia di separarsi di nuovo dalla sorella, era comprensibile. Ma doveva lo stesso staccarla da lei. « Mi dispiace, Lavinia: Emma non può parlarti, è morta e i morti non parlano. »

« Non sta parlando a me, ma a lei. »

L'ipnotista si impietrì. « Non è possibile » ribatté, calmo. « Emma non mi conosce nemmeno. »

« Sì, invece: Emma sa chi è lei. E ha un messaggio. »

A quelle parole, Gerber si sentì improvvisamente svuotato di ogni forza.

« Dice di andare nella nostra casa al mare » proseguì Lavinia. « Lì c'è una donna dai capelli rossi che la sta aspettando. »

29

Aveva provato a chiedere a Lavinia se per caso avesse incontrato qualcuno ultimamente, uno sconosciuto che magari l'aveva avvicinata con un pretesto. Ovviamente, la ragazzina non ricordava nulla di simile. Pietro Gerber non riusciva a capire come avesse fatto l'affabulatore a infilarsi anche nella sua mente, ma ormai il sentimento prevalente era quello di essere assediato, costretto a muoversi lungo un percorso già tracciato, inseguendo ingannevoli ricompense e in cerca di una via d'uscita inesistente.

Come un topo in un labirinto, pensò. Che adesso era diretto verso una vecchia villa di Forte dei Marmi.

Arrivò in auto nel tardo pomeriggio, quando ormai il buio dell'inverno aveva preso possesso della località marina. Lampioni solitari vegliavano sulle strade vuote. Raggiunto l'indirizzo, l'ipnotista scese dalla macchina. L'unico suono era la risacca che arrivava da lontano. L'aria salmastra si mescolava col sapore della pioggia che cadeva fine e obliqua, faceva freddo.

La villa a due piani in stile Liberty era circondata da un giardino con palme e cespugli di oleandro ridotti a scheletri verdastri in attesa della primavera. Vi si accedeva da un cancello nero in ferro battuto che riproduceva un intreccio di ninfee. Gerber si issò sul profilo più basso e lo scavalcò. Atterrando dall'altra parte, si accorse di essersi strappato un po' l'impermeabile, probabilmente il Burberry si era impigliato in qualche spuntone. Non se ne curò.

Si mosse verso la casa spenta.

Girò intorno alla costruzione finché non trovò una porta a vetri che si apriva e poi si richiudeva da sola, a causa del vento. Se qualcun altro era stato lì, non poteva che essere entrato in quel modo. Infatti, era stata forzata.

Una volta all'interno, si guardò intorno. I mobili eleganti non sembravano quelli di una casa al mare. In generale, l'arredamento era piuttosto pesante. Tappeti, applique dorate, un caminetto di marmo. Il pavimento lucido rifletteva la luce proveniente dalla strada. Gerber s'incamminò lungo un corridoio immerso nell'ombra. C'erano diverse stanze al piano terra. Le passò in rassegna, rammentando la ricostruzione degli ambienti fatta da Lavinia durante le sedute d'ipnosi.

La cameretta di Emma era sulla destra.

Aprì l'uscio lentamente, senza sapere cosa o chi aspettarsi dall'altra parte. Al centro, un letto singolo con la spalliera appoggiata alla parete. E, proprio come aveva detto la gemella, su quel letto c'era una giovane donna dai capelli rossi.

Era imprigionata in una vecchia polaroid.

Pietro Gerber si avvicinò. La prese dal cuscino su cui era stata appoggiata e la osservò al chiarore che filtrava fra gli scuri di una persiana. In posa davanti al bancone di un bar, inquadrata dalla vita in su. Così come l'aveva descritta Nikolin, riportando i ricordi d'infanzia dell'affabulatore quando aveva trovato la foto nella sacca dell'orco. I capelli lunghi fino alle spalle, trascurati. La canotta bianca. Unghie lunghe con lo smalto verde brillante, sbeccato. Sollevava un boccale di birra per brindare a chissà cosa e con chi, e sorrideva all'indirizzo dell'obiettivo. Non un bel sorriso, sguaiato e con i denti rovinati. Il resto della faccia, però, era irriconoscibile poiché la parte superiore della foto era stata consumata da un forte calore.

Come fosse stata sottratta appena in tempo a una fiamma.

L'ipnotista capì di avere fra le mani un nuovo innesco per la storia immagazzinata nella mente di Nico. Ma perché il suo avversario aveva voluto mostrargli quell'immagine? Che attinenza aveva quella donna con i fatti che gli stava narrando? Gerber avrebbe dovuto sapere chi era? O magari scoprirlo? E allora perché cancellarle parte del volto nella fotografia? Si trattava di un'altra beffa? Ripensò al rudere del casale, scorto la notte prima dalla torretta nel bosco. Qualunque cosa fosse avvenuta in quel posto all'inizio dell'estate di ventidue anni prima, ormai ogni traccia era stata cancellata.

Da chi? E perché?

Gli interrogativi si affastellavano nella sua testa e la stanchezza accumulata gli impediva di ragionare. L'unica cosa che voleva, al momento, era andarsene da quel luogo di ombre.

Si mise in tasca la polaroid e lasciò la villa.

30

Rientrò nel suo appartamento verso le nove. Depose subito la polaroid su una mensola dell'ingresso con l'intenzione di dimenticarsene, almeno per quella sera.

Si spogliò degli abiti nella casa silenziosa e s'infilò per quasi mezz'ora sotto una doccia calda. In accappatoio, andò in cucina dove, ingollate un paio di aspirine, recuperò da un pensile un pacco di biscotti già aperto e dal frigo una bottiglia di latte che, per quanto fosse già scaduto, aveva ancora un odore decente.

Con quel pasto improvvisato, si rifugiò nel solito posto sul divano del soggiorno. Era distrutto.

Sforzandosi, allungò davanti a sé la mano col telecomando e attivò il videoregistratore, dando inizio allo spettacolo di spettri con cui si torturava ogni sera.

Sul televisore iniziarono ad alternarsi le immagini della sua vita precedente. Lui insieme alla moglie e al figlio, quando erano ancora una famiglia. Ancora una volta, nutriva l'insensata speranza che il suo clone felice del passato si voltasse a guardarlo, accorgendosi di lui. Così almeno avrebbe potuto vedere in che modo era in grado di ridursi un uomo privato degli affetti e rimasto solo in una casa infestata dai ricordi.

Nel filmato girato con la vecchia videocamera erano presenti decine di dettagli di cui solo lui, Silvia e Marco conoscevano il significato: da ognuno cominciavano altre storie, come rigagnoli che si diramavano da un unico fiume di memoria. Il cerotto sulla mano di Gerber che si scorgeva nella ripresa del primo compleanno di Marco, collegato a un esperimento di bricolage risalente a un paio di giorni prima, quando aveva provato maldestramente a costruire una casetta per gli uccelli. Il glitter dorato nei capelli del figlio una mattina di Natale: non avevano mai capito come fosse successo ed era andato via dopo settimane e molti shampoo. Gli stivali di Prada di Silvia, che lui le aveva regalato in un giorno qualsiasi dopo che si era accorto che lei li aveva adocchiati in una vetrina in centro: quella stessa sera, per ringraziarlo, si era presentata a letto solo con quelli indosso e avevano fatto l'amore dimenticando di essere marito e moglie e genitori di un bambino.

Gli stivali di Prada producevano ancora un certo effetto su di lui, Gerber si accorse di avere un'erezione sotto l'accappatoio. Lo colse il desiderio struggente di sentire di nuovo la voce di Silvia. Ma dal vivo, non quella incisa sulla videocassetta. Afferrò lo smartphone che teneva accanto e col pollice andò in cerca del numero in rubrica. Rimase a guardare la schermata, attendendo il coraggio di schiacciare l'icona verde per far partire la chiamata. Tante altre volte si era trovato in quella stessa situazione e alla fine aveva desistito.

Quella sera, però, non lo fece.

Poco dopo, cominciarono gli squilli. Sperò che Silvia non fosse infastidita e non la considerasse un'invasione. Si rese conto che non sapeva cosa dirle. Poco male, avrebbe inventato qualcosa. Ormai non poteva più riattaccare.

« Pietro, tutto bene? »

« Certo » si affrettò a dire, ma era contento che fosse in apprensione per lui. In quel momento, tolse il volume alla tv perché Silvia non si accorgesse che stava guardando quel vecchio VHS. « Scusa l'ora, volevo solo sapere come stavate. » Aveva usato il plurale e se ne pentì subito.

« Marco sta già dormendo » disse lei, correggendo la sua gaffe. Però non sembrava arrabbiata. « Se vuoi, appena si sveglia domattina, ti chiamiamo insieme. »

« Sarebbe bello, grazie. »

Un'altra pausa silenziosa. L'imbarazzo risalì fra loro come una marea invisibile.

Poi Silvia chiese: « Sei preoccupato? »

« Un po' » ammise, non riuscendo a trattenere un sospiro.

« Allora, chi è questo bambino per cui stai rischiando la carriera? E perché ci tieni tanto? » gli domandò l'ex moglie.

Gerber si accorse che Anita Baldi aveva omesso quel particolare quando aveva chiamato Silvia perché intercedesse con lui. « Nikolin è accusato di aver ucciso la madre e averne occultato il corpo. »

Silvia rimase interdetta. « Madre e figlio scomparsi a giugno nel Mugello? »

« Proprio loro » confermò.

« E tu ti stai battendo per farlo scagionare? »

« No, io mi sto battendo per arrivare alla verità » puntualizzò.

« Quel ragazzino ha confessato » gli contestò Silvia.

« Quel ragazzino non sa nemmeno allacciarsi le scarpe da solo » replicò prontamente. « Dovresti vederlo: è in balia degli eventi, incapace di comprendere fino in fondo ciò che gli sta accadendo e, in più, nessuno sembra provare la minima compassione per lui o concedergli almeno il beneficio del dubbio. » Fece una pausa per prendere fiato: come sempre, si stava accalorando troppo. « È ancora un bambino, il suo gioco preferito è un telefono che si illumina e suona. Marco ne ha uno identico. »

« Sei stato tu a regalarglielo, gli piaceva tantissimo. Ma non lo troviamo più, chissà dov'è finito » affermò Silvia, poi si bloccò. « C'è qualcos'altro, vero? »

Gerber spinse il capo all'indietro e fissò il soffitto: perché diavolo lei riusciva sempre a leggergli dentro? Cos'era, una specie di superpotere? Il divorzio aveva messo fine a tante cose, ma non a quella.

« È l'ennesima, assurda sfida con la memoria di tuo padre? » lo accusò con durezza. « Devi misurarti per forza con lui? Non capisco se lo fai perché ci credi veramente oppure perché non riesci ancora a superare il tuo ridicolo senso d'inferiorità. » Rincarò la dose: « Non tornerà dall'aldilà per dirti che sei bravo o per farti sapere che è fiero di te ».

I toni si stavano alzando come prima di quella tregua. « Lui non c'entra niente » provò a risponderle, senza agitarsi.

« Allora cosa c'è? »

Gerber tentò di essere conciliante, non aveva voglia di litigare. « Se il rischio riguarda soltanto me, tutto questo è ancora accettabile... Però è meglio che tu ne rimanga fuori, fidati. »

« Fidarmi? Di che rischio parli? Da cosa stai cercando di mettermi in guardia? » Silvia era arrabbiata.

« Sto provando a proteggerti » specificò lui.

« Io non ho più bisogno di essere protetta da te. »

Lo disse con una calma che lo ferì. Avrebbe preferito che glielo avesse urlato in faccia, ma così era peggio. Molto peggio. Perché si trattava solo della semplice e incontrovertibile verità. Gerber non riuscì a replicare. La discussione era sfuggita di mano a entrambi.

Forse sperando che gli animi si rasserenassero, Silvia provò a cambiare argomento. « Oggi le maestre hanno portato i bambini all'acquario di Livorno. »

« E a Marco è piaciuto? » domandò Gerber, cercando di dissimulare il suo vero stato d'animo.

« Da quando sono andata a riprenderlo all'asilo, non ha smesso un attimo di parlarne. Luca gli ha promesso una boccia con un pesce rosso. »

Allora era così che si chiamava il nuovo compagno dell'ex moglie. Gerber provò una rabbia improvvisa. Pur sapendo di essere il principale responsabile della fine del loro matrimonio, non riusciva a tollerare che quell'avvoltoio si fosse preso la sua vita. Sembrava che uomini del genere si celassero dietro ogni angolo, pronti ad approfittare del momento giusto per infilarsi nel nido che non avevano contribuito a costruire. Quel bastardo interagiva con Marco come se fosse lui il padre.

« I pesci rossi muoiono presto nelle bocce di vetro » asserì, algido.

« E cosa vorresti dire con questo? » Anche il tono di Silvia era mutato.

« Che Marco potrebbe soffrirne inutilmente » replicò.

Lei si lasciò scappare uno sbuffo nasale che in realtà era una risatina sardonica. « Sei il solito » commentò.

« Il solito cosa? » la provocò.

« Il solito *fabbricante di merda* » non ebbe problemi a confermargli. Era l'insulto preferito di Silvia da quando si erano separati. « Hai un talento speciale nel trasformare le cose belle in una roba schifosa e ripugnante. »

La sua voce e l'atteggiamento contrastavano con le scene che continuavano a susseguirsi davanti agli occhi di Gerber sullo schermo del televisore. « Veramente, non mi ricordo niente di bello » le mentì per ferirla.

Silvia tacque. « Buonanotte » gli disse poi.

Riattaccarono entrambi senza aggiungere altro.

Gerber scagliò lo smartphone sui cuscini del divano. Avrebbe dovuto ricaricarlo, perché la batteria era quasi a terra. Avrebbe dovuto togliersi di dosso l'accappatoio umido per evitare di prendere freddo e che gli salisse ancora la febbre. Avrebbe dovuto rimettere il latte in frigo, cercare delle risposte, rassegnarsi, provare ad andare avanti, cambiare vita. Ma in quel momento scoprì che non aveva voglia di fare assolutamente nulla di tutte queste cose.

Fabbricante di merda, forse Silvia aveva ragione.

Abbandonò le braccia lungo i fianchi e si immerse nella visione di ciò che rimaneva della videocassetta. Scivolando verso il sonno, il volto di Silvia si tramutò in quello della rossa della polaroid consumata dal fuoco, che brindava senza faccia alla sua salute e rideva di lui. Mentre iniziava quella specie di incubo a occhi aperti e le immagini sul televisore si sgranavano in un disturbante effetto statico, l'addormentatore di bambini si addormentò.

31

Durante il matrimonio, uno dei più frequenti motivi di attrito con Silvia era stato la sua decisione di dedicarsi soltanto ai minori tormentati e con problemi che per un adulto avrebbero richiesto una lunga terapia e un uso massiccio di psicofarmaci. Per la moglie non aveva alcun significato il fatto che Gerber avesse raccolto il testimone del padre, poiché negli anni il grado di coinvolgimento del marito nelle storie dei suoi piccoli pazienti stava aumentando in modo preoccupante. Anche se l'ipnotista asseriva di tenere ben separata la vita professionale da quella privata, col tempo aveva assunto l'atteggiamento che aveva sempre criticato nel *signor B.*

Senza accorgersene, si stava richiudendo in un mondo silenzioso e impenetrabile.

Fin quando lui e Silvia erano stati sposati, era in vigore una sorta di tacito compromesso: l'argomento aleggiava nelle liti ma non era mai stato toccato apertamente. Era un petardo sotto la brace. Come c'era da aspettarsi, dopo la separazione le cose erano cambiate e l'ex moglie non perdeva occasione per fargli pesare la sua scelta di vita oltre che professionale, addebitandogli così la colpa della deflagrazione del loro matrimonio.

In effetti, Pietro Gerber avrebbe potuto seguire l'esempio di tanti colleghi che avevano abbandonato l'ipnosi cosiddetta « clinica » e si erano convertiti alla più redditizia ipnosi « palliativa » per aiutare un popolo di paganti a smettere di fumare, prendere un aereo o superare particolari inibizioni sessuali. Nonostante le insistenze di Silvia, lui aveva resistito alla tentazione di cambiare, memore soprattutto di una frase del solito *signor B.* Nel periodo in cui lui e il padre erano stati molto vicini, dopo che Pietro aveva deciso di intraprendere la stessa professione, un giorno gli aveva domandato perché avesse deciso di dedicarsi soltanto ai minori. La risposta del genitore era stata semplice eppure spiazzante, come certe verità elementari che aspettano solo che tu ti accorga di loro.

« Nessuno è disposto a credere alle storie dei bambini. »

Il *signor B.*, in fondo, sosteneva soltanto che tutti da piccoli abbiamo vissuto l'esperienza di essere trattati con sufficienza dagli adulti, tutti abbiamo provato l'umiliazione di essere reputati inaffidabili solo per via dell'età.

« Eppure i bambini sono depositari delle verità assolute dell'esistenza » diceva. « È solo che gli adulti non vogliono sentirsele rivelare. Perché, a differenza dei bambini, gli adulti hanno perso l'innocenza per accettare cose banalissime come la morte, oppure che non sempre è facile distinguere il bene dal male. »

Spesso bene e male si confondevano nella mente di un bambino. Per esempio, ciò che è un male per gli altri può essere un bene per lui. Ecco perché il *signor B.* era stato indulgente nei confronti della sorellina che aveva gettato in una cisterna il fratellino nato da poco. In fondo, lei aveva solo rimosso la causa della gelosia che le procurava ansia e dolore.

Per questo Pietro Gerber, anche prima di rendersi conto che Nikolin non era l'assassino di sua madre Mira, si era posto dei dubbi riguardo all'opportunità di marchiarlo subito come tale. Per gli altri era sicuramente la soluzione più conveniente, ma lui non si era rassegnato e aveva scoperto che esisteva un'ulteriore spiegazione: qualcosa di sconosciuto e di terribile, un individuo in grado di manipolare le coscienze, nascosto nell'ombra e pronto a invadere la mente di chiunque.

Se Gerber si fosse accontentato della superficie della verità, adesso Nico sarebbe già stato spacciato, condannato a pagare per un crimine che non aveva commesso.

Era proprio questo che Silvia non voleva, o non poteva, capire. Lui non avrebbe potuto smettere da un giorno all'altro di porsi le domande che gli altri non volevano farsi, altrimenti il confronto con la propria coscienza sarebbe stato troppo arduo.

A causa della notte agitata trascorsa sul divano, arrivò allo studio nella soffitta poco prima che giungesse Nikolin con la scorta. Gerber si accorse subito che la solita operatrice era stata sostituita da un'altra più giovane e, all'apparenza, più disponibile.

« Che è successo alla sua collega? » chiese.

« È a casa col raffreddore » rispose l'altra.

Lo psicologo si finse dispiaciuto ma sospettò di essere la causa dell'indisposizione, visto che il giorno prima le aveva starnutito addosso. Quindi passò a spiegare alla nuova arrivata che, nel corso della seduta, sarebbe rimasto da solo col bambino e che li avrebbe avvertiti una volta terminato.

« Mi hanno informata della procedura, comunque grazie » rispose l'altra, con un sorriso.

Era contento di avere a che fare con qualcuno dotato di un po' di cortesia. Anche con Nikolin la nuova operatrice si comportava con maggiore umanità. Gerber sperava che l'altra non tornasse più.

Quando finalmente se ne furono andati, lo psicologo prese per mano il ragazzino e lo condusse alla postazione in cui si alternavano i piccoli pazienti e dove il giorno prima era stata Lavinia. Chissà se quella sedia a dondolo serbava traccia dei viaggi che avvenivano su di essa. Viaggi nel tempo, nel passato o nel presente. Ma, soprattutto, viaggi negli abissi della propria mente. Esplorando luoghi inaccessibili, spesso sconosciuti. A volte, magici e fantastici. Altre volte, semplicemente maledetti. Pietro Gerber era la guida, il suo unico compito era non lasciare da soli i viaggiatori.

Ma mai prima di allora gli era capitato di incontrare un intruso nella mente di un bambino.

« Va tutto bene? » chiese. Era consapevole del fatto che Nico non avrebbe risposto, ma voleva lo stesso che sapesse che qualcuno si preoccupava per lui. Apparentemente, la sua psiche era stata messa a riposo.

E con essa la personalità, la coscienza e l'identità. Ciò che rimaneva erano solo comportamenti automatici, reminiscenze ricavate dall'abitudine.

E forse, da qualche parte, la sua anima.

Formulando quel pensiero, Pietro Gerber non immaginava ancora che il resto del racconto che stava per ascoltare riguardava proprio il destino di molte anime. Compresa la sua. E che il viaggio che stava per intraprendere l'avrebbe condotto alle soglie dell'inferno.

Ignaro, chiuse le tende, impartì come sempre una piccola spinta alla sedia di Nikolin e quello prese a dondolarsi. Quindi Gerber gli mostrò la polaroid con la rossa di cui non si distingueva il volto consumato dal fuoco.

« Volevi che la trovassi e l'ho trovata » affermò l'ipnotista. « Adesso devi dirmi chi è questa donna e perché è così importante per te... »

Lo stimolo visivo fu sufficiente ad accendere la memoria aggiunta. « Lei crede al diavolo, dottore? » rispose l'affabulatore con la voce di Nico. « Che lei ci creda o no, esistono solo due foto del demonio. Questa è una delle due... Il suo vero nome non ha alcuna rilevanza. Ma, quando il diavolo assume le sembianze di questa donna, devi chiamarlo 'mamma'. »

32

Mamma dice sempre che paradiso e inferno sono luoghi bellissimi. L'unica differenza è che all'inferno sei completamente solo. Non c'è nessuno, nemmeno il diavolo, perché il diavolo rimane sulla terra a caccia di anime. E allora che senso ha stare in un posto magnifico senza poterlo condividere con qualcun altro? È proprio questa la punizione.

Il posto più bello del creato per me è sempre stato il casale fra i boschi nella piccola valle. Ma adesso vorrei essere ovunque, tranne che qui. Allora mi dico che forse non è accaduto nulla a mamma e babbo, sono io che sono morto e ora mi trovo all'inferno. Solo che non lo so, nessuno me l'ha detto.

A parte che non penso di meritarmi un simile castigo, l'aver ritrovato Bella mette in crisi questa ricostruzione dei fatti. Perché, se mamma ha ragione, il mio cane non dovrebbe essere qui con me. E nemmeno l'orco.

Sono cinque giorni che stiamo insieme, la convivenza sta diventando difficile. In realtà, non è che ci vediamo molto. Io sto quasi sempre sul prato con Bella, lo incrocio soltanto quando devo preparargli da mangiare. Cose semplici che non sempre mi vengono bene: un piatto di pasta condita versandoci sopra direttamente un barattolo di salsa di pomodoro, carne e fagioli in gelatina, e tonno, tantissimo tonno in scatola. Ma l'orco non sembra nemmeno badarci, si accontenta di ciò che gli metto davanti, lo ingurgita e non protesta mai.

Le sue giornate sono sempre uguali: si alza tardi e passa dal divano al letto, dal letto al divano. Con qualche sosta al bagno o in cucina per arraffare roba dal frigo o in dispensa. Ho calcolato che le provviste dureranno ancora per una settimana. Dopodiché, se nessuno andrà a fare la spesa, avremo seri problemi per mettere insieme colazione, pranzo e cena. Per quanto mi riguarda, ho già cominciato a razionare le porzioni che mi spetterebbero, perché temo cosa accadrà quando il mio ospite scoprirà che abbiamo terminato le scorte. Mi sembra che stia qui solo per sbafare e dormire.

E sporcare.

Lascia rifiuti ovunque. Cartacce, avanzi di cibo. Ci sono macchie di unto sui cuscini del divano, il letto è sempre sfatto e pieno di briciole. Oppure orina senza alzare la tavoletta e, sicuramente, senza neanche guardare dove la fa. Ieri si è tagliato le unghie dei piedi in soggiorno. Non faccio altro che ripulire dove passa lui, perché penso sempre a mamma e a come ci teneva che a casa nostra fosse tutto in ordine. E poi l'uomo emana un cattivo odore perché non si lava mai. Si gratta la testa o la barba e una polverina bianca cade tutt'intorno. Ovviamente, rutta e scorreggia.

È proprio la perfetta versione umana di un orco.

Ogni tanto Bella va da lui, si fa accarezzare e fa la ruffiana per rimediare un po' di cibo. Io cerco sempre di tenerla alla larga. Ma mi domando come mai il mio cane non avverta la stessa sensazione che provo io quando gli sto vicino. Quella di avere davanti un usurpatore. A volte, sembra che lei abbia accettato la situazione meglio di me. E che quel bastardo sia diventato suo amico.

Di notte, Bella dorme nella mia stanza. Da stamattina, però, il mio cane ha iniziato a fare una cosa che mi preoccupa. Ogni tanto si avvicina alla porta chiusa della cantina e comincia a grattare il legno con la zampa. Come se avesse fiutato qualcosa. La tiro via ma, appena può, lei torna lì e lo rifà.

Spero che l'orco non se ne accorga, ma lui se ne accorge.

« Dovresti fare qualcosa per quella povera bestia » mi dice, apparendomi alle spalle.

Stavo trascinando via Bella e non l'ho sentito arrivare. « Perché 'povera bestia'? » gli domando.

« Non lo vedi anche tu che è impazzita? »

La guardo. « Non mi sembra » rispondo.

Lui annuisce, serio. « Fidati, io lo so: è così. »

« E cosa dovrei fare? » chiedo. « Forse potrei portarla dal veterinario » azzardo.

« Ormai sarebbe inutile » replica, tranquillo. « La malattia è già andata avanti. La cosa migliore da fare in questi casi è assicurarsi che non soffrano. » A questo punto, allunga la mano e mi mostra cos'ha nel palmo.

Un blister di pilloline azzurre. Le riconosco, sono gli ansiolitici di mamma.

Poi mi spiega: « Gliele sciogli in un po' d'acqua e gliele fai bere. Si addormenterà e non si accorgerà di nulla ».

Sgrano gli occhi e non riesco a proferire parola.

Lui mi appoggia una mano sulla spalla. « Devi farlo per lei, ragazzo. Fossi in te, stasera la porterei nel bosco e metterei fine alle sue pene. »

Blatero qualcosa, mi sembra tutto assurdo. Il primo pensiero è che non credo che sarei mai capace di fare una cosa del genere. La scena che si forma nella mia testa è già abbastanza difficile da guardare.

« Me ne occuperei io, ma non mi sembra giusto: è il tuo cane » prosegue quello. « E, se davvero le vuoi bene, farai ciò che devi. »

Mi consegna le pillole e, dopo avermi dato anche una pacca d'incoraggiamento, se ne torna sul divano. Io rimango a osservare Bella che mi fissa con i suoi occhioni allegri e inconsapevoli, mi lecca la mano e inclina il muso da un lato.

Devo prendere una decisione. Devo prenderla subito, domani sarebbe già tardi. Devo trovare il coraggio di farlo. Andare via, scappare. Attenderò stasera. Dopo che se ne sarà andato a letto, uscirò di casa con Bella. In principio, mi dico che mi dirigerò verso la strada e cercherò di fermare un'auto a caso. Poi ci ripenso, perché di notte non passa quasi nessuno e l'orco mi riacciufferebbe subito. Non riesco nemmeno a immaginare la sua reazione e cosa mi riserverebbe per avergli disobbedito. No, andrò per i boschi. Ci sono un paio di sentieri che potrei prendere per raggiungere uno dei paesi qua vicino. E il buio proteggerà la mia fuga.

È deciso.

Mentre l'orco è distratto dalla televisione, riempio un paio di bottiglie d'acqua e le infilo nello zaino di scuola. Ho tolto libri e quaderni per metterci anche qualche merendina, una torcia, un giubbotto imbottito e una felpa per ripararmi dal freddo, e il Pinocchio di gomma di Bella. Non voglio appesantirmi troppo. Vorrei avere un'arma con me. Opto per un vecchio martello del babbo, ma poi mi dico che, tanto, non saprei usarlo contro qualcuno e lo lascio dov'è. Quando ho preparato tutto, nascondo lo zaino sotto il portico.

E aspetto.

Aspetto tutto il giorno, facendo finta di nulla. L'orco non sembra accorgersi della mia ansia, ma qualcosa mi dice che riesce a percepirla lo stesso. A volte ho paura che mi legga nel pensiero e mi veda dentro. Altre volte, mi sembra solo un povero stupido. A ogni modo, cerco di tenere la mente sgombra e di non pensare a niente. Se ci entra, troverà soltanto un vuoto bianco.

La giornata scorre e, finalmente, il sole tramonta. A cena, l'orco ha ingoiato una quantità spropositata di pastasciutta: gli ho servito razione tripla e ci ho sbriciolato dentro un paio di pillole che mi ha dato lui. Spero che il pasto sostanzioso aumenti l'efficacia del farmaco. Come sempre, dopo essersi rimpinzato, va a buttarsi sul divano. Calcolo che verso le dieci dovrebbe trascinarsi di sopra in camera dei miei.

E allora sarà il momento di uscire.

Ma non succede. Stasera continua a starsene lì, sonnecchiando davanti allo schermo, con il capo che ogni tanto gli casca in avanti. Maledetto, gli dico col pensiero. Che gli prende? Perché fa così? E perché gli ansiolitici non fanno effetto? Sono esasperato. Perché mi sembra che abbia davvero intuito qualcosa. Quando crolla dal sonno, non so cosa fare. Se fosse andato di sopra, sarebbe tutto più facile. E se le pillole non bastassero? Invece con la tele accesa può svegliarsi in qualsiasi momento e accorgersi che me ne sono andato.

Ma non ho scelta.

Se non vado via ora, non lo farò più. Ed è probabile che il bastardo domani tiri fuori di nuovo la storia che bisogna sopprimere Bella.

Allora, vado in camera e indosso vestiti pesanti e le scarpe più robuste che ho: anche se è quasi estate, di notte nel bosco fa molto freddo. Metto al polso l'orologio con la bussola che mi ha regalato il babbo per orientarmi quando andiamo a raccogliere funghi. Poi infilo un paio di cuscini sotto le lenzuola, sperando che diano l'idea di un corpo addormentato. Il trucco non mi sembra molto convincente, ma non ho altro.

Ridiscendo al piano terra dosando bene i passi sulle scale. Poi, in punta di piedi, raggiungo la cucina. Ho legato Bella sotto al portico. Apro la porta sul retro cercando di non fare rumore. Il leggero cigolio di cui non mi ero mai accorto adesso mi sembra fortissimo. Mi rivolgo a Bella e le faccio cenno di stare a cuccia. Lei saltella sulle zampe, eccitata.

« Stupido cane, così ci farai scoprire » le sussurro, cercando di tenerla buona, mentre richiudo l'uscio con attenzione.

Ma, in tutta risposta, lei abbaia.

Mi blocco con la mano ancora sulla maniglia, scandaglio l'oscurità della casa e il mio sguardo si prolunga fino all'uomo sul divano: il capo è accasciato sulla spalla destra, sembra immobile. Dopo un sospiro di sollievo, mi tiro dietro la porta fino a far scattare lentamente la serratura.

Recupero rapidamente lo zaino che ho nascosto prima e me lo metto in spalla. Poi infilo il guinzaglio a Bella e mi avvio con lei verso gli alberi. Il mio cane mi trotterella al fianco e mi guarda cercando di capire cosa stiamo facendo. Ogni tanto mi volto verso il casale per controllare che l'orco non spunti all'improvviso, mettendosi a inseguirmi adirato. Una parte di me se l'aspetta.

Ma non succede.

Il tragitto fino al confine del bosco sembra durare un'eternità. Una volta arrivato, do un'occhiata alla bussola sull'orologio: memorizzata la direzione, m'immergo nella foresta. Adesso gli alberi e l'oscurità mi faranno da schermo. Il suolo è sconnesso e, anche se rischio d'inciampare in una radice o di finire in una buca, non accendo la torcia perché non sarebbe prudente: l'orco potrebbe individuarmi. Ogni tanto sono costretto a strattonare Bella perché va troppo veloce. Accorcio il guinzaglio avvolgendomelo al polso, in modo che mi cammini accanto. Tengo le orecchie tese per captare qualsiasi rumore intorno a noi, ma quelli che sento mi paiono solo i suoni della natura.

Le spettrali voci del bosco di notte.

Mi pare di essere come inseguito da un esercito di ombre invisibili. Devo resistere alla tentazione di accendere la torcia. Vorrei mettermi a piangere, ma non posso permettermi di avere paura. Allora ignoro le creature che mi pedinano tenendosi a distanza e mi dico che il vero mostro sta russando sul divano di casa mia.

Per fortuna, c'è Bella con me.

Dopo due ore, risaliamo un crinale. Ci fermiamo a riprendere fiato: mi accascio al suolo, esausto. Poi mi guardo indietro. Da quassù, le luci del casale sono ancora visibili. Abbiamo camminato tanto eppure è ancora così vicino che mi sembra di poterlo toccare allungando un braccio.

Bella è sporca di terra e zoppica leggermente: dev'essersi conficcata una spina nella zampa. Accendo la torcia, schermando con la mano il fascio di luce, e provo a togliergliela, ma si è infilata in profondità. Ci vorrebbe una pinzetta o qualcosa del genere, ma non ho niente con me. Anch'io non sono messo bene: i pantaloni si sono strappati in più punti e, attraverso quei piccoli buchi causati dagli arbusti, si scorgono graffi di un rosso brillante. Le ferite bruciano un po', però sono i muscoli a farmi male, specie i polpacci.

Ma non posso fermarmi.

Chissà se l'orco si è risvegliato. Magari le pillole non hanno funzionato e si è accorto della mia fuga. Avrà sbirciato nella mia camera e ha notato i cuscini sotto le lenzuola. E adesso è sulle mie tracce, e avanza guadagnando terreno.

Scaccio via i brutti pensieri e controllo di nuovo la bussola e l'orario: la direzione è ancora giusta ma è l'una e dieci. In verità, a quest'ora confidavo di aver già raggiunto un altro casale o una frazione. Ma ho calcolato male le distanze. L'unica cosa da fare è proseguire, sperando di essere in salvo allo spuntare dell'alba. Apro una bottiglia e do un po' d'acqua a Bella e ne bevo qualche sorso anch'io.

« Andiamo » le dico, rimettendomi in marcia.

La breve sosta non è stata una buona idea. Le gambe mi dolgono in maniera insopportabile, ho i crampi. Dopo appena venti minuti siamo costretti a fermarci di nuovo. Il maledetto acido lattico di cui parla sempre il prof di ginnastica è in circolo e avvelena i miei muscoli, rammollendoli. Anche Bella sembra provata: ha l'affanno, la lingua è piena di piccoli aculei di erba secca e sanguina da un orecchio. Le pulisco la bocca con uno straccio imbevuto, mangio una merendina sperando che gli zuccheri mi diano un po' di energia, ma ho la gola talmente secca che il boccone non va giù nemmeno se bevo.

È allora che sento qualcuno che pronuncia il mio nome.

Succede una volta sola ed è stato così rapido che, dopo un secondo, non so nemmeno più cosa ho sentito veramente.

Decido di accendere di nuovo la torcia.

Con timore, faccio spaziare il fascio di luce fra gli alberi. Scorrendo tutt'intorno, per un istante il raggio illumina qualcosa.

Nello spazio fra due tronchi c'è una figura umana, in piedi, immobile. È l'orco e sta guardando verso di me.

Torno indietro con la luce, sono già pronto a urlare. Ma nello stesso punto ora non c'è nessuno. È stata solo un'allucinazione, mi dico, come anche la voce di poco fa. Il cuore però mi sta per esplodere e quel po' di forze che avevo mi stanno abbandonando, come risucchiate dal terreno sotto di me. Ho freddo. Tiro fuori il piumino dallo zaino e me lo metto addosso, come una coperta. Bella viene ad accucciarsi al mio fianco, anche lei è stanca e mi riscalda col calore del suo corpo. Mi dico che non devo addormentarmi. Tengo accesa la torcia per evitarlo. Ma poi, senza accorgermene, le pile si esauriscono e scivolo in un sonno profondo.

Qualcuno mi scuote. Lo fa con la punta di una scarpa.

Mi sveglio di soprassalto. Mi tiro su di scatto. Il sole è già alto, filtra fra i rami e mi abbaglia impedendomi di scorgere il volto dell'uomo che mi sta di fronte.

« Che ci fai qui, ragazzo? » mi domanda, brusco. E, per chiamarmi, invece del mio nome usa quella parola. Ragazzo. La stessa dell'orco.

Ma Bella gli abbaia contro, così capisco che non è lui anche senza vedere la sua faccia.

« Allora, non rispondi? » Indossa una specie di divisa verde. È un guardiacaccia della forestale.

« Grazie » dico subito e scoppio anche in lacrime.

« Grazie? Per cosa? » mi chiede quello, interdetto.

Allora, fra i singhiozzi, gli racconto tutto. Gli dico del viaggio che avrei dovuto fare con mamma e babbo nel Nord dell'Europa. Dell'intruso che ho trovato al casale tornando da scuola. Dei miei genitori spariti nel nulla insieme al camper. Del fatto che lo sconosciuto che si è piazzato in casa nostra vuole che lo chiami zio. Della sua assurda idea di passare insieme l'estate. Che le uniche cose che so di lui sono che ha un coltello e che conserva la polaroid di una donna dai capelli rossi scattata in un bar. Della proposta di farmi ammazzare il mio cane perché lo ritiene pazzo. E di Bella che gratta con la zampa la porta chiusa della cantina e del fatto che l'uomo si sia raccomandato di non scendere là sotto.

Il guardiacaccia mi osserva senza commentare. Mi domando se ha sentito la mia storia, visto che gli manca un orecchio. « E così sei scappato » dice in conclusione, e sembra quasi che mi rimproveri.

« Che altro potevo fare? » ribatto.

Lui riflette. Devo essere ridotto proprio male perché, finalmente, pare mi creda. « Ce la fai a camminare? »

« Sì » confermo.

« Allora vieni con me, avvertiremo qualcuno. »

Sono così sollevato che mi dimentico dei dolori alle gambe e lo seguo obbediente. Arriviamo a una Citroën verde con le insegne del Corpo Forestale, parcheggiata sul margine di un sentiero. Saliamo a bordo e ci avviamo. La nostra destinazione è una casupola in mezzo a una pianura alberata.

« C'è un po' di colazione, se vuoi » mi informa l'uomo senza un orecchio quando siamo arrivati. « Latte e biscotti, ti va? »

« Da qui chiameremo la polizia? » domando, perché mi aspettavo che mi portasse nel paese più vicino.

« Non c'è telefono, abbiamo solo la radio » mi informa. « Lega fuori il tuo cane. »

Assicuro il guinzaglio di Bella al tronco di un albero e lui mi apre la porta. Quando varco la soglia, mi si mozza il respiro.

L'orco è lì che ci aspetta seduto su una sedia.

« L'ho trovato a un paio di chilometri da qui » gli dice il guardiacaccia.

« Grazie al cielo » esclama il bastardo, alzandosi per venire verso di me. Si piega sulle ginocchia e mi afferra per le spalle: mi esamina bene, fingendo di assicurarsi del mio stato di salute. « Come stai? » mi domanda, apprensivo. « Mi hai fatto preoccupare » mi ammonisce, bonariamente.

« Per fortuna, tuo zio mi ha avvertito » dice il forestale. « Altrimenti avresti continuato a vagare nei boschi e chissà cosa poteva succederti. »

« Lui non è mio zio » protesto. Cerco di rimettere insieme le idee. Perché il guardiacaccia crede a lui e non a me? Poi lo capisco.

« Aveva ragione » afferma l'uomo senza orecchio rivolgendosi all'orco. « Suo nipote ha ripetuto esattamente la storia che mi ha raccontato lei. » Poi si volta verso di me. « Un cumulo di assurde bugie per cui mi stupisce che non ti sia ancora cresciuto il naso. »

Che cavolo stai dicendo, idiota? Tu dovresti essere dalla mia parte! Che succede, il mondo è impazzito per caso? « Lei deve avvertire la polizia » gli intimo, con la voce che si spezza per la disperazione. « È suo dovere » rincaro.

Ma l'espressione gli suona male e il guardiacaccia la prende sul personale. « Il mio dovere sarebbe quello di tenerti qui e di darti una bella lezione, ragazzino. Ma per stavolta te la farò passare liscia. »

« Sì, mi sta bene: mi punisca » esulto. « Voglio stare qui con lei » lo scongiuro.

Ma lui si mette a ridere. « Se lo riporti a casa » dice all'orco.

Quello mi cinge un fianco col suo braccio possente e mi solleva da terra. Provo a opporre resistenza, scalcio, mi aggrappo ai muri e allo stipite della porta. « No! » continuo a urlare.

Ma non serve a niente: l'orco è molto più forte.

Afferra il guinzaglio di Bella e mi porta di peso fino

alla Volvo del babbo che ha avuto l'astuzia di parcheggiare sulla strada asfaltata, lontano dalla stazione della forestale, perché non la vedessi arrivando lì. Tutto pur di non farmi scappare di nuovo. Mi carica in macchina, fa salire il cane sui sedili di dietro e si piazza al posto di guida.

Io non dico più una parola. Avrei dovuto dargli tutte le maledette pillole, penso. Così forse ora sarebbe morto. Immagino che la sua collera stia per esplodere, invece inizia a parlarmi col solito tono pacato.

« Stamattina è arrivata una lettera del tuo babbo » mi comunica, passandomi una busta chiusa, tutta spiegazzata.

La prendo e noto che sopra non c'è l'indirizzo, né il mittente e nemmeno il francobollo. Mi sembra una follia che lui pensi veramente che mi beva una simile menzogna, fra l'altro male architettata. Ma decido lo stesso di assecondarlo. La apro e tiro fuori un foglietto strappato da uno dei miei quaderni di scuola. Sopra, con grafia incerta e infantile, c'è scritto un messaggio in stampatello di tre righe soltanto.

IO E LA MAMMA NON TORNEREMO MAI PIÙ. TU DEVI STARE PER SEMPRE CON QUESTO SIGNORE. FAI IL BRAVO.

IL BABBO

Ricomincio a piangere, sommessamente. Non vorrei dargli la soddisfazione di vedermi così ma non riesco a fermarmi.

« Allora, che c'è scritto? » mi domanda, facendo l'ingenuo.

Mi limito a porgergli la lettera e lui finge di leggerla per la prima volta mentre continua a guidare. « Sei proprio un ragazzino fortunato, lo sai? » dice, restituendomela.

Non riesco proprio a figurarmi quale possa essere la mia fortuna. Ma non replico.

« Tempo fa ho conosciuto una brava donna » mi informa. « Credo di essermi preso proprio una bella cotta, accidenti a me. » Ride coi suoi denti marci.

Immagino subito che stia parlando della rossa della polaroid.

« Non ci siamo ancora incontrati, ma abbiamo tanto in comune » mi spiega. « Entrambi vogliamo una famiglia. » Poi si incupisce: « Il fatto è che, purtroppo, lei non può avere marmocchi ». E aggiunge: « Ha un problema là sotto, con le sue uova e tutto il resto ».

Comincio a capire cosa ha in mente. « Non sono un po' troppo grande? Forse dovreste cercare un bambino più piccolo » propongo. Quello che ho detto è terribile, lo so, ma mi sembra l'unica soluzione al momento.

L'orco si volta a guardarmi. « Tu andrai benissimo » mi assicura, credendo forse di rincuorarmi.

Non so nemmeno perché, ma mi asciugo le lacrime e butto lì una domanda: « Come fate a conoscervi se non vi siete mai incontrati? » Forse voglio solo fargli un dispetto, mettendo in risalto la contraddizione nel suo racconto.

Lui sorride ancora. « Ci siamo scritti » ribatte. « A volte questo può bastare, no? »

« È così che è andata con la rossa della polaroid? »

Lui si gira a fissarmi, ha capito che ho frugato nella sua roba. Ma l'ho detto apposta, volevo che lo sapesse.

« Sì, è andata proprio così » mi conferma. « Con l'ultima lettera mi ha spedito quella foto e ci siamo dati appuntamento al casale » mi preannuncia.

Allora è tutto vero, mi dico, pensando al folle progetto dei due. « E dovrò chiamarla zia? » chiedo, nel tentativo di sapere almeno il nome della donna.

L'orco fa una pausa, forse sta cercando di capire se può fidarsi di me. « Tu potrai già chiamarla mamma. »

33

Sconcertato. La parola più adatta a riassumere lo stato d'animo di Gerber alla fine del lungo racconto di Nikolin era appunto « sconcerto ». La figura del guardiacaccia senza un orecchio tornava prepotentemente sulla scena. Dopo il loro incontro, lo psicologo si era chiesto di sfuggita perché l'affabulatore avesse scelto proprio quell'uomo triste e solitario per recapitargli un messaggio. Ora lo sapeva. Scrisse sul taccuino.

Vendetta.

La seduta con Nico si era protratta per quasi quattro ore. Solitamente, l'ipnotista le faceva durare molto meno e il bambino appariva provato. Si protese verso di lui e si accorse che, oltre a essere rigido come le altre volte, aveva il labbro inferiore che tremava sensibilmente e piccole goccioline di sudore gli scendevano lungo le guance. Cosa gli hai fatto?, domandò con rabbia all'affabulatore, chiedendosi quanto ancora dovesse durare il supplizio di quel ragazzino.

« Voglio che tu chiuda gli occhi per un momento » gli disse e Nikolin obbedì. « Adesso respira come faccio io, d'accordo? » Iniziò a inspirare ed espirare ritmicamente e il bambino lo seguì in quel semplice esercizio di rilassamento, proseguendo poi da solo. Lo psicologo decise di non fare altro e di attendere, intanto lo osservava.

Sicuramente c'era un modo per liberarlo: una parola segreta, un suono, un tocco, un oggetto, un odore. Ma Pietro Gerber sospettava che sarebbe stato il premio finale per aver ascoltato tutta la storia. O, perlomeno, lo sperava. Perché non era nemmeno sicuro che il suo antagonista avesse delle remore, visto che aveva scelto un innocente per raggiungere il proprio scopo. Qualunque esso fosse.

Nessuno è disposto a credere alle storie dei bambini.

Il *signor B.* aveva ragione: il guardiacaccia aveva dato per scontato che il racconto del rapitore adulto fosse più attendibile della versione della giovane vittima. Forse perché l'orco era stato così astuto da anticipare ciò che avrebbe detto il dodicenne, spacciando subito le sue parole come le bugie di un bambino disobbediente, scappato di casa per sottrarsi alla custodia dello «zio» a cui era stato affidato dai genitori. Gerber ponderò che sarebbe stato inutile tornare dall'uomo senza un orecchio per chiedere se rammentasse l'episodio di ventidue anni prima, in cui praticamente aveva riconsegnato senza alcun problema un ragazzino rapito al suo aguzzino. Perché le cose erano andate esattamente così, ne era sicuro. E forse quello nemmeno se lo ricordava più.

Si accorse che Nikolin era più calmo adesso ed era pronto per tornare all'istituto. Avvertì per telefono i suoi accompagnatori, gli servì il solito bicchiere d'acqua e spalancò le tende svelando il grigio pomeriggio che gravava su Firenze.

Al suo arrivo, l'operatrice gentile aiutò il bambino ad alzarsi dalla sedia a dondolo. Lo stomaco di Nico brontolò.

« Hai ragione » commentò la donna, con un sorriso. « È passata l'ora di pranzo, ma vedrai che ti rimediamo lo stesso qualcosa da mangiare. »

Gerber era contento che qualcun altro finalmente si preoccupasse delle necessità del ragazzino. « Con la videosorveglianza avete riscontrato qualche cambiamento del suo umore? » s'informò, come sempre, riferendosi al costante monitoraggio a cui era sottoposto Nikolin nella camera d'isolamento. E si aspettava la solita risposta negativa.

« Quale videosorveglianza? » domandò, invece, l'operatrice.

Lo psicologo capì subito che la collega della donna l'aveva ingannato. « Nico è sempre separato dagli altri ragazzi, giusto? »

« All'inizio, ora non più » rispose quella. « Mi spiace, dottore, ma non abbiamo mai ricevuto disposizioni in proposito » si difese.

Gerber sentì montare la furia dentro di sé. Come aveva potuto quell'arpia mentirgli così spudoratamente? Era evidente che avesse tramutato tutto in una questione personale: probabilmente era convinta di fargli un dispetto, invece aveva danneggiato soltanto Nico.

« Ma come? » esclamò, esasperato. « Avevo raccomandato che fosse tenuto sotto costante osservazione: in casi come questo, anche la più piccola variazione dello *status quo* può essere una spia importantissima. »

« Per cosa? » chiese l'operatrice.

Gerber afferrò Nikolin per un braccio e lo scosse lievemente. « Che lei ci creda o no, dentro questo scafandro imperturbabile di carne c'è l'anima pulsante di un bambino che implora di essere liberata. »

Ovviamente, Nico non reagì al gesto dell'ipnotista. Si comportò come una bambola molle e, appena lui lasciò la presa, recuperò l'equilibrio tornando quasi immobile.

L'operatrice, tuttavia, ebbe modo di concentrarsi sugli occhi del bambino, forse cercando una scintilla che le rivelasse che Gerber aveva ragione. « Una cosa però ci sarebbe... » disse, in maniera del tutto inaspettata.

L'ipnotista si fermò ad ascoltarla.

« Potrebbe non essere importante, però... » Si concesse una pausa, forse non voleva fare la figura di chi crede di sapere una cosa e invece sta per prendere un clamoroso abbaglio. « I ragazzi che dormono nella sua camerata dicono che ogni tanto parla nel sonno. »

Parla nel sonno. Le tre parole si fissarono nella testa di Pietro Gerber come un'insperata rivelazione. Non sapeva quanto la donna fosse consapevole dell'importanza di quell'affermazione, perché Nikolin fino ad allora non aveva mai « parlato » e aveva soltanto prestato la propria voce all'affabulatore. « E i suoi compagni hanno anche riferito cosa dice? » domandò, timidamente.

La donna scosse il capo. « Pronuncia frasi in una lingua incomprensibile. »

Gerber pensò subito all'albanese, la sua lingua madre. Se usava l'idioma originario, allora voleva dire che non era l'affabulatore a parlare nel sonno. Bensì il vero Nikolin.

Si voltò a guardare il bambino: per la prima volta, aveva la prova di non essersi sbagliato e che qualcosa resisteva ancora dentro di lui e, sicuramente, stava combattendo per riemergere dalla palude di silenzio in cui era impantanato. L'ipnotista si era domandato a lungo come fare a entrare in contatto con lo spirito di Nico nella stanza perduta.

Aveva la risposta che cercava. I sogni. Adesso Pietro Gerber sapeva anche cosa fare.

34

Zaccaria Acher era un uomo mite e, forse, perfino il più mite fra gli uomini. Non perdeva mai la calma, era esageratamente misurato nei modi e nel linguaggio e, infine, era sempre gentile con tutti.

Aveva compiuto da poco settant'anni e abitava al terzo piano di uno stabile di via Ricasoli, non molto distante dall'Accademia, in un appartamento che aveva arredato con molto gusto e con numerosi pezzi d'antiquariato scovati in botteghe e mercatini insieme al marito Philip, uno scozzese di vent'anni più giovane, conosciuto quando ormai Zaccaria aveva perso le speranze di trovare qualcuno con cui accompagnarsi per il resto della vita.

Osservandoli, erano una coppia abbastanza abitudinaria. Philip aveva scelto per sé un lavoro casalingo e si occupava delle faccende domestiche, di fare la spesa e cucinare. Zaccaria, invece, si dedicava soprattutto allo studio e nutriva un'insensata passione per la riparazione di vecchi orologi, un altro indicatore della sua indole pacifica. Conducevano una vita tranquilla, senza eccessi e, escludendo le vacanze all'isola d'Elba e i concerti di musica classica della domenica pomeriggio, scarsamente mondana. Non partecipavano a feste, non frequentavano nemmeno locali o ristoranti. Si vantavano di andare a dormire presto, al massimo alle ventuno.

Ma proprio in quel momento della giornata si verificava forse l'unica vera stravaganza della loro esistenza.

Prima d'infilarsi nel letto, sopra al pigiama Zaccaria indossava una camicia di forza che gli arrivava fino alle caviglie. Il marito, dopo avergli sistemato il cuscino sotto la testa in modo che stesse comodo, si occupava di richiudere bene, una a una, le cinghie di cuoio che l'avrebbero costretto a stare immobile e supino. Dopo essersi scambiati il bacio della buonanotte, Philip spegneva la luce sul comodino e Zaccaria rimaneva così fino al risveglio che, quasi sempre, coincideva con le sei del mattino successivo. Il motivo di quella precauzione era semplice e, nello stesso tempo, sorprendente.

Zaccaria Acher era un licantropo.

Il termine, abusato da una certa narrativa di genere e dai film dell'orrore, in realtà aveva un'accezione scientifica ben precisa.

Pietro Gerber era venuto a conoscenza della cosa non molto tempo dopo aver appreso che Acher era il famigerato *signor Z.* di cui lui, poco più che ventenne, aveva preso il posto in una partita di Oblivio, giocata nell'ammezzato di un'antica farmacia un giovedì sera d'inverno.

Il quarto componente della Confraternita degli ipnotisti fiorentini era considerato il più importante esperto di « parasonnie » d'Italia e forse anche d'Europa.

Si trattava di disturbi del sonno piuttosto frequenti fra le persone. Andavano dall'emissione di semplici vocalizzi all'articolare frasi o discorsi spesso insensati, fino al sonnambulismo vero e proprio. Molti sonnambuli si limitavano ad aggirarsi per casa senza scopo, ma alcuni si alzavano nel cuore della notte per compiere azioni quotidiane, come pulire il bagno o fare il bucato. Altri erano spinti da un appetito irrefrenabile e svuotavano il frigorifero senza nemmeno riuscire a distinguere cosa ingurgitavano. Vi erano compresi fenomeni come i terrori notturni: chi ne soffriva non riusciva a ridestarsi durante un incubo. Oppure c'era la paralisi notturna, quando ci si risvegliava all'improvviso e, pur essendo perfettamente vigili, ci si accorgeva di non poter muovere nemmeno un muscolo né di poter parlare.

A volte, l'esperienza sonnambolica si accompagnava ad allucinazioni. Fra le manifestazioni di parasonnia, erano le più drammatiche. Raggruppate sotto il nome RBD – l'acronimo stava per Rem sleep Behavior Disorder – consistevano nel sognare inesistenti situazioni di pericolo a cui il soggetto coinvolto, sentendosi gravemente minacciato, reagiva in modo violento. A pagarne le conseguenze erano i compagni di letto che subivano graffi, pugni o calci. La durata di queste reazioni era piuttosto breve, solitamente pochi secondi. Ma a volte potevano bastare per provocare seri danni.

Il *signor Z.* aveva scoperto di avere qualcosa che non andava all'età di nove anni, quando una notte aveva provato a strangolare senza rendersene conto la sorellina che gli dormiva accanto. I genitori, non spiegandosi quel comportamento attribuito dai dottori a una qualche forma di schizofrenia, non avevano trovato soluzione migliore che farlo rinchiudere al San Salvi, il manicomio di Firenze. Proprio lì, per sua fortuna, Zaccaria aveva incontrato una giovane psichiatra che, incurante di essere già osteggiata dalla maggioranza dei colleghi maschi per il solo fatto d'essere una donna, si era potuta permettere di ipotizzare una diagnosi piuttosto ardita per l'epoca.

Licantropia.

Che voleva dire sostanzialmente che il soggetto, a causa del proprio sonnambulismo, non era in grado di distinguere fra dimensione onirica e realtà. Non sempre era necessaria una notte di plenilunio per simili manifestazioni, che erano comunque più frequenti durante quei giorni del mese. Da qui, una serie di credenze popolari che spesso sfociavano in vera e propria superstizione. Tuttavia, l'essenza della cosa era piuttosto semplice.

Chi ne era affetto continuava a sognare anche da sveglio.

Il *signor Z.*, considerando che senza quell'intuizione avrebbe potuto consumare i propri anni da recluso, una volta uscito dal San Salvi si era dedicato completamente allo studio delle parasonnie, soprattutto per aiutare con l'ipnosi quanti come lui rischiavano d'essere additati come matti o, cosa più importante, di fare del male a una persona cara per il solo fatto di dormirci insieme.

Gerber suonò il campanello di casa di Zaccaria Acher verso le cinque del pomeriggio. Venne ad accoglierlo il buon vecchio Philip, che indossava un grembiule a scacchi rossi e bianchi, e teneva le braccia sollevate come se stesse per impartire una solenne benedizione, ma solo perché le sue mani erano sporche di farina e perciò aveva aperto la maniglia col gomito.

« Pietro, da quanto tempo! » lo accolse, col solito sorriso cordiale, sorvolando sul suo aspetto provato. « Scusa se non ti abbraccio, ma sto impastando una focaccia e ho paura di sporcarti il trench » lo informò subito, incidendo le parole della frase con un marcato accento scozzese.

« Sono venuto per vedere il *signor Z.* »

Philip sorrise. « Soltanto tu lo chiami così, lo sai? »

Era un modo per sfottere amabilmente gli amici del padre che, a sua volta, si faceva chiamare *signor Baloo* o *signor B.* dai giovani pazienti. Per il genitore, però, Gerber continuava a usare in modo sprezzante il soprannome dopo la sua morte.

« Ovviamente, lo trovi nella stanza degli orologi » gli disse Philip, indicandogli la direzione con il mento.

Gerber attraversò la lussuosa casa, salutato dai dipinti di donne angeliche e distanti, opera di artisti preraffaelliti. Era eccitato all'idea di trovarsi lì. Fino a quel momento, l'affabulatore gli era stato sempre un passo avanti e lui era stato costretto a inseguire, senza avere alcuna possibilità di anticiparne le mosse. Ma adesso, per la prima volta, sentiva di avere un piccolo vantaggio.

Giunse davanti a una porta chiusa. Bussò.

« Avanti » lo esortò l'uomo più mite della terra.

Lo trovò seduto in una poltrona di velluto rosso, posizionata accanto a una vetrata a fiori, chino a operare su un tavolino su cui c'erano diversi orologi da polso smontati. Era uno strano omino, simile a un vecchio elfo saggio. I capelli, presenti solo ai lati della testa, erano pettinati all'indietro lasciando scoperte le orecchie sproporzionate rispetto al cranio. Sollevò la testolina dal suo lavoro di precisione e lo fissò attraverso il monocolo da orologiaio.

« Pietro Gerber » scandì bene il suo nome, riponendo un cacciavite di precisione. Un vecchio bassotto sonnecchiava rannicchiato sulle sue ciabatte.

Tutt'intorno, scaffali ricolmi di orologi da riparare. L'unico funzionante era un antico modello da tavolo, decorato di fregi dorati, che ticchettava nella quiete assoluta.

« Suppongo che tu sia venuto qui a scusarti » lo apostrofò subito il *signor Z.*, infilandosi in bocca una Savinelli di bambù: l'ambiente era invaso da una nebbia che profumava di Balkan Blend.

« Per cosa? » finse di stupirsi Gerber.

« Per aver disertato i giovedì alla farmacia Münstermann: da quando è morto tuo padre, siamo rimasti in tre e, come sai, così è impossibile giocare a Oblivio. »

« In realtà, sono venuto per una questione un po' più rilevante... »

Zaccaria lo fulminò con lo sguardo. « Cosa c'è di più importante dell'assicurare la sopravvivenza clandestina di un gioco di carte bandito da secoli? »

« *Habemus Malleum Animi* » dichiarò Gerber.

35

Dopo aver citato la carta con l'omino cieco che metteva fine al gioco dell'Oblivio, Pietro Gerber prese una sedia accostata alla parete e andò a piazzarsi davanti al *signor Z.* « Devi aiutarmi » disse, serio.

Il vecchio amico piegò la testa da un lato e poi dall'altro, come se volesse studiare bene quel figliol prodigo prima di concedergli il proprio perdono. « Se sei venuto da me, allora dev'essere una faccenda grave » sentenziò.

Lo psicologo sapeva di essere giunto a un confine, doveva decidere se andare fino in fondo e condividere le informazioni in suo possesso con qualcun altro, contravvenendo alla prima condizione posta dall'affabulatore.

Non parlerai a nessuno di me.

Gerber non sapeva cosa avrebbe comportato oltrepassare quella linea sottile, ma si disse che era improbabile che il suo antagonista avesse previsto quella mossa. E poi, che alternative aveva? Così, per la prima volta, iniziò a raccontare la storia di Nikolin, il bambino rinchiuso nella stanza perduta. Lo fece senza omettere nulla. Si era portato appresso anche il taccuino nero con gli appunti e, al momento opportuno, lo passò a Zaccaria Acher, che si mise a consultarlo febbrilmente.

Fra i battiti cadenzati dell'orologio da tavolo s'inserì un pesante silenzio, l'attesa prese il posto delle parole.

« È incredibile » disse a un certo punto il *signor Z.*, sollevando gli occhi dalle pagine del libriccino di Gerber.

« Non ne parlerai con nessuno, vero? » si raccomandò Gerber.

« Anche se lo facessi, chi ci crederebbe? » rispose l'altro. « Al di fuori della nostra cerchia ristrettissima, dubito che qualcuno sarebbe disposto a dare credito a una storia del genere. »

« Hai ragione » considerò l'ipnotista: per la prima volta, si rese conto dell'assurdità di ciò in cui era coinvolto. « Questa faccenda mi sta consumando » ammise, sentendo all'improvviso il peso della fatica. Come Philip, anche Zaccaria era stato molto caro a non rimarcare lo stato in cui era ridotto.

L'amico aveva solo una preoccupazione. « Non sei in pericolo, vero? »

« Non lo so » ammise Gerber e, in fondo, non gli importava. « L'unica cosa che mi preme è che Silvia e Marco siano al sicuro. »

« Credi che basterà l'aver rinunciato a loro per metterli al riparo da possibili conseguenze? »

« Sì » affermò, ma più per convincere sé stesso. « Quanto a me, cosa altro potrebbero portarmi via? Tutto ciò che potevo perdere, io l'ho già perso tempo fa » constatò, con amarezza.

« Ma Silvia e Marco potrebbero ancora perdere te » gli fece notare il vecchio amico.

Anche questo è già successo, avrebbe voluto dire. E l'ultima chiamata con l'ex moglie ne era la prova.

Il *signor Z.* si accontentò del suo silenzio. « Adesso puoi anche dirmi il resto... » lo esortò.

Finalmente erano giunti al fulcro della questione. Perché c'era una cosa che lo psicologo non aveva ancora detto: il motivo per cui era lì. « Nico parla nel sonno. Lo fa nella sua lingua madre: l'albanese. »

« Perciò è probabile che lo stato di *trance* permanente creato dall'affabulatore decada quando il bambino si addormenta » rifletté Zaccaria.

« C'è una falla » gli confermò Gerber.

L'altro spostò il tavolino con i pezzi di orologio che aveva davanti, sfilò i piedi con le ciabatte da sotto il bassotto e si alzò dalla poltrona. Si mise a camminare nella stanza e a pensare, intanto ricaricava la pipa con nuovo tabacco. « Quando parliamo nel sonno, si apre come uno spiraglio nel nostro inconscio. Da lì fuoriescono cose che non diremmo mai se fossimo pienamente coscienti » spiegò. « Una volta ho avuto un paziente fedifrago che ogni notte confessava le proprie scappatelle alla consorte. »

Anche Silvia parlava nel sonno, rammentò Gerber. Era uno degli amabili segreti di cui solo lui era a conoscenza. Chissà se anche il fidanzato « Luca » apprezzava le piccole imperfezioni della sua ex moglie.

« Forse potresti provare ad accedere alla mente del bambino mentre sta sognando » disse il *signor Z.* riportandolo indietro da quei dolorosi pensieri.

Era esattamente ciò che Gerber sperava di sentirsi

dire. « Quindi, tu ritieni che si possa creare un contatto? »

« Non è detto che funzioni » lo mise subito in guardia. « Uno stimolo esterno, come per esempio una tua domanda, potrebbe semplicemente riportarlo nella condizione sospesa creata dall'affabulatore quando Nikolin appare vigile. »

« Allora cosa posso fare? »

Zaccaria si fermò a fissare l'orologio da tavolo con i fregi dorati: vi appoggiò sopra una mano. « Il tempo » disse. « La risposta è il tempo » ribadì.

Gerber attese che l'altro si spiegasse meglio.

« Vedi quest'orologio? Lo scovai da un antiquario un bel po' di anni fa. Non lo pagai neanche molto, perché non segna mai l'ora esatta... Ogni tanto si ferma ma poi ricomincia a funzionare. »

Gerber lo guardò con aria interrogativa.

Allora Zaccaria gli indicò il quadrante dell'orologio. « Adesso è fermo già da qualche minuto. »

Appena lo disse, il ticchettio sparì dalle orecchie dello psicologo.

Il *signor Z.* sorrise. « Non te n'eri accorto, vero? »

« La mia mente ha replicato il suono in modo automatico, come fosse un'eco di memoria. » Ma ancora non capiva perché gli avesse portato quell'esempio.

« Ti è mai capitato di sognare un vaso che cade e poi di essere svegliato di soprassalto perché in casa è appena caduto un vaso? »

« Sì » ammise. « Una volta ho sognato Marco che

piangeva nel suo lettino e poi lui ha cominciato veramente a piangere. »

« In realtà, come è ovvio, non sei diventato veggente perché è accaduto esattamente il contrario: il pianto di Marco è un evento precedente, ma la tua mente dormiente ha anticipato il ricordo di una frazione di secondo per permetterti di reagire in maniera tempestiva. » Poi aggiunse: « Nei sogni non ci sono un prima e un dopo. Nei sogni il tempo non esiste ».

« Il tempo è una proiezione della mente vigile, come con il ticchettio del tuo orologio » concluse Gerber, che iniziava a comprendere cosa si celasse dietro quel mistero. « Nei sogni, invece, si può viaggiare nel tempo. »

« Con lo stimolo giusto potresti riportare Nikolin indietro negli anni mentre sta dormendo, così da risvegliarlo dallo stato di *trance* ipnotica creata dall'affabulatore » gli confermò Zaccaria Acher. « Ma ti occorre qualcosa che sia collegato al passato del bambino: per esempio, la ninna nanna che gli cantava la madre quand'era molto piccolo o qualcosa del genere. »

L'entusiasmo di Gerber si smorzò: non sapeva praticamente nulla del passato di Nico.

L'amico notò la sua improvvisa delusione. « Nessuno ha detto che sarebbe stato semplice » lo esortò. « Ma è l'unico modo. »

L'ipnotista ci pensò su. Forse c'era una soluzione, ma era quasi una scommessa.

36

Pietro Gerber non avrebbe mai scordato la bambina nello specchio.

Il suo nome era Ambra, in realtà. Ma era troppo doloroso da ricordare. Invece così, rievocando lo specchio, era più semplice serbare la memoria di ciò che era accaduto una sera di novembre di molti anni prima.

Dopo l'università, Pietro aveva iniziato il proprio apprendistato dal *signor B.* Ogni giorno si recava allo studio nella soffitta e, standosene defilato nella foresta di cartapesta, assisteva al rituale con cui suo padre immergeva i piccoli pazienti nell'abisso della propria psiche, calandosi poi insieme a loro per esplorare il mondo sconosciuto che nascondevano dentro di sé, come in un romanzo di Jules Verne. A Pietro era sempre piaciuto quel paragone, gli ricordava l'infanzia e la villa al mare all'Argentario, quando si rinchiudeva nella biblioteca di una madre che non aveva conosciuto abbastanza, sperando di trovare qualcosa di lei nei libri che leggeva quando era ragazza.

A ogni modo, al giovane dottor Pietro Gerber era proibito tassativamente interferire con le sedute d'ipnosi del padre ponendo domande o facendo osservazioni e, naturalmente, non poteva nemmeno interagire coi bambini. Il suo compito era controllare che i microfoni nascosti funzionassero, avviare il giradischi con *Lo stretto indispensabile* e, contemporaneamente, far partire la registrazione su nastro magnetico di quanto sarebbe accaduto nella stanza. Infine, avrebbe dovuto piazzarsi dietro uno dei baobab senza fiatare. La sua principale attività per il primo anno di praticantato si era limitata a quell'aspetto per così dire « tecnico » e, soprattutto, alla custodia e alla manutenzione del disco che dava inizio all'illusione del viaggio mentale.

Ma quella famosa sera di novembre cambiò tutto all'improvviso.

A metà del pomeriggio, il *signor B.* ricevette una telefonata. A chiamarlo era un'amica anestesista dell'ospedale Careggi. Pietro era al corrente dell'attività di volontariato che il padre svolgeva in alcuni reparti pediatrici, ma senza sapere in cosa consistesse esattamente. Presumeva che lui lenisse con l'ipnosi i dolori dei piccoli ricoverati, spesso legati alle dure terapie a cui venivano sottoposti. Una sorta di alternativa all'uso degli oppiacei.

Mai e poi mai avrebbe potuto immaginare che il *signor B.* li aiutasse a intraprendere il viaggio più difficile. Quello oltre la propria vita.

L'avrebbe scoperto dopo aver conosciuto Ambra.

La bambina di otto anni, fino a qualche ora prima, aveva un'esistenza potenzialmente felice davanti a sé. Era accaduto tutto in poco tempo: si trovava su uno scooter insieme alla madre che era andata a prenderla alla fine di una lezione di danza classica. Il tragitto fino a casa, percorso quasi quotidianamente, constava di appena un paio di chilometri. Solo che quel giorno le due erano state sorprese da un nubifragio che in pochi secondi aveva allagato le strade di Firenze. La mamma di Ambra, prudentemente, aveva fermato il motorino appena si era resa conto della furia del temporale. Si erano riparate insieme sotto una pensilina, aspettando che la tempesta si placasse. Ma in quel momento, l'autista di un autobus urbano di passaggio aveva perso l'orientamento a causa della fitta pioggia e, uscendo di strada, si era andato a schiantare con il mezzo, investendo le due povere malcapitate.

La madre di Ambra era morta sul colpo. Lei se l'era cavata miracolosamente: all'arrivo dell'ambulanza, aveva solo una frattura all'ulna destra. Ma, proprio mentre la stavano ingessando in ospedale, aveva cominciato ad avvertire forti dolori all'addome.

Il responso dell'ecografia era stato drammatico. Emorragia interna irreversibile.

Quando il *signor B.* e Pietro giunsero al Careggi, le restava pochissimo da vivere. Ambra, però, continuava a invocare il suo papà. L'uomo era via per lavoro ma era stato avvertito ed era già a bordo di un aereo diretto a Firenze. Sapeva della moglie morta, ma era stato rassicurato sul fatto che la figlia avesse solo un braccio rotto. Non poteva immaginare gli ultimi sviluppi e, inoltre, non ce l'avrebbe fatta ad arrivare in tempo per un ultimo abbraccio.

« Non possiamo farle nemmeno sentire la sua voce

per telefono, perché il cellulare risulta spento » spiegò loro l'anestesista amica del *signor B.*

La donna aveva pensato al padre di Gerber perché favorisse quell'ultimo incontro.

Pietro non sapeva come potesse far avvenire una cosa che era di fatto impossibile e quando glielo chiese, lui disse semplicemente: « Telepatia: li faremo comunicare col pensiero ». Davanti alla sua reazione stupita, si spiegò meglio: « Il papà con cui la metteremo in contatto non è quello che adesso sta su un aeroplano, ma è l'uomo che vive da sempre nei suoi ricordi ». Poi puntualizzò: « Sarai tu a ipnotizzarla e a impersonarlo ».

« Io? » domandò Pietro, che non si sentiva assolutamente all'altezza dell'impresa.

« Seguirai le mie indicazioni » insistette il *signor B.*

« Non mi sembra il momento per fare esperimenti » ribatté, con decisione. « Se davvero è possibile questa cosa », e Pietro aveva ancora molti dubbi al riguardo, « allora la bambina ha solo quest'occasione e io non voglio fargliela sprecare. »

Il *signor B.* gli posò le mani sulle spalle, fissandolo. « Se in questo momento fossi l'unico a poterlo fare, ti tireresti indietro? »

« È proprio questo il punto: non sono l'unico » replicò, sperando di farlo ragionare. « Ci sei tu. »

« Ma io non lo farò » fu la risposta netta del *signor B.* « Perciò, se fallirai, potrai sempre dare la colpa a me. »

Pietro tacque, sapendo che ogni protesta sarebbe risultata inutile.

« Allora, hai già scelto il tuo *oggetto guida*? »

L'oggetto guida era quello attraverso cui l'ipnotista stabiliva un contatto esclusivo col paziente. Il disco del *signor B.*, un pendolino, una spirale, una piccola torcia elettrica: c'era solo l'imbarazzo della scelta. Come gli aveva spiegato il padre, alcuni suoi colleghi preferivano servirsi del tatto o della voce. Ma utilizzare un « manufatto empirico » o un « feticcio di transizione » era più pratico.

Pietro non fu preso alla sprovvista: in realtà, ci stava pensando da un po'. « Userò un metronomo » disse. Nel tempo diversi esemplari si sarebbero alternati sul tavolino del suo studio: da quelli classici meccanici, passando per i digitali fino ad approdare al modello elettronico degli anni Settanta che stava utilizzando ultimamente. Li sceglieva con cura a seconda del battito che emettevano, riuscendo a distinguere perfino le sfumature. Ma quel giorno optò per uno con la lancetta, chiuso in una scatolina di metallo. Infatti, era già da un po' che se lo portava sempre appresso.

« Molto bene » approvò il *signor B.* « Avremo bisogno anche di uno specchio. »

Gli infermieri lo staccarono dal muro di uno dei bagni dell'ospedale e lo portarono nella stanza di Ambra: fu piazzato proprio davanti al suo letto.

« Adesso ti posizionerai alle sue spalle » gli spiegò il *signor B.* « In modo che lei ti veda nel riflesso e veda anche sé stessa. Appena l'avrai fatta cadere in *trance*, la tua immagine sarà sostituita da quella di suo padre. »

La bambina avrebbe tenuto per tutto il tempo gli occhi aperti.

Fu ridotta la morfina con cui i medici placavano il dolore fisico, per permetterle di recuperare un livello di coscienza che consentisse quell'operazione. Coi nervi tesi e il cuore che gli batteva forte per l'agitazione, Pietro iniziò il suo primo esperimento di ipnosi infantile. Fu sorprendente scoprire come, mentre Ambra si abbandonava, anche lui si rilassasse. In principio, il *signor B.* gli dava istruzioni sussurrandogli in un orecchio, poi smise.

Sempre stando dietro di lei, Pietro le prese la mano e gliela tenne stretta. Poi, servendosi dei ricordi accumulati da Ambra nei suoi otto anni di vita, evocò la figura paterna, sperando che si materializzasse nello specchio.

Quando la bambina sorrise, capì che il suo papà era apparso e lei lo stava vedendo.

Le parlò come se fosse il genitore, usando frasi dolci anche se generiche poiché non sapeva nulla dell'uomo che stava impersonando, né del rapporto che aveva con la figlioletta. La cosa stupefacente era che lei non distingueva la differenza.

Ambra sentiva davvero la voce di suo padre.

Si raccomandò con lei perché fosse forte e coraggiosa e le promise che di lì a poco il dolore sarebbe scomparso per sempre. Pietro non credeva nell'aldilà, non poteva assicurarle che dall'altra parte ci fosse qualcosa o qualcuno ad aspettarla, magari la sua mamma. Ma si rese conto che Ambra non cercava quel genere di conforto. Aveva voluto rivedere il padre per un motivo preciso.

Aveva un messaggio per lui. « Guendalina è finita in fondo all'armadio verde. E se lei piange anche io sto male. »

Pietro aveva registrato quelle strane parole con l'intenzione di riferirle a colui a cui erano destinate, convinto che il padre di Ambra ne avrebbe sicuramente compreso il significato.

Poi si accorse che il respiro della bambina diventava sempre più flebile. Dall'espressione nel riflesso, si rese conto che Ambra non provava alcun dolore, era in pace. Era arrivato il momento di separarsi per sempre.

Le disse di chiudere gli occhi e la lasciò andare.

La vide allontanarsi nello specchio, come alla deriva in un mare d'argento, sconosciuto. Quando lei smise di stringergli la mano, capì che non era più lì con loro.

Per molto tempo aveva sentito il *signor B.* parlare della « nostra mente che è molto più potente della nostra coscienza » o del « potere della mente che inganna sé stessa », senza intendere appieno il senso di quelle nozioni. Adesso, però, aveva avuto una dimostrazione pratica di quanto potessero essere reali. E sapeva anche di possedere uno strumento efficacissimo con cui operare concretamente nella vita degli altri per migliorarla.

L'ultimo atto del dono del *signor B.* si era compiuto davanti a una bambina morente. Il passaggio delle consegne era stato completato.

Perciò, quando Pietro Gerber incontrò il padre di Ambra che, come previsto, giunse troppo tardi al capezzale della figlia, era già a tutti gli effetti un addormentatore di bambini. Anche se il sonno in cui aveva guidato la sua prima paziente era pure quello da cui non si sarebbe più risvegliata.

Quando riferì all'uomo le ultime parole della sua bambina, lo vide reagire in maniera stranita. Il poveretto, già annientato dal dolore per aver perso in poco tempo la propria famiglia, non aveva idea di chi fosse « Guendalina » e disse che in casa loro non c'era mai stato un « armadio verde ». Siccome in quel momento doveva anche decidere se far espiantare gli organi di Ambra affinché la sua morte non fosse del tutto vana, Pietro scelse di non insistere e di non tormentarlo più con quella faccenda, spiegandosi quelle frasi col delirio che anticipava di solito la fine.

Trascorsi alcuni anni però, dopo che anche il *signor B.* era morto e Pietro ne era diventato il degno successore, il padre di Ambra si presentò allo studio nella soffitta. In principio, Gerber non lo riconobbe ma, quando comprese chi avesse di fronte, il tempo tornò indietro in un istante.

« So chi è Guendalina » disse l'uomo, trionfante. « Ci ho messo tanto a scoprirlo, ma alla fine ce l'ho fatta. Però ciò che sto per dirle temo la sconvolgerà, dottore. »

Lo psicologo avrebbe voluto replicare che la puntualizzazione era inutile, perché nel suo lavoro aveva già avuto parecchie dimostrazioni di come a volte la realtà potesse essere scioccante. Ma lo lasciò parlare.

Fu così che scoprì che Guendalina era una bambola. E non era lei a piangere, bensì la bambina a cui apparteneva, che viveva a Bergamo e non si dava pace per averla smarrita.

« Ho telefonato a quella famiglia e ho detto ai genitori di cercare in fondo all'armadio verde » raccontò l'uomo. « Non sapevo nemmeno che ne avessero uno in casa di quel colore: la bambola stava proprio in fondo al mobile, nascosta da un cumulo di vecchie coperte. »

Ambra e la bambina di Bergamo non si erano mai incontrate. La bambina di Bergamo aveva perso la sua bambola quando i genitori l'avevano riportata a casa dall'ospedale, dopo che le era stato impiantato un cuore nuovo perché il suo non funzionava come avrebbe dovuto.

Il cuore di Ambra.

E se lei piange anche io sto male.

Aveva detto proprio così la bambina nello specchio prima di morire. Il presagio di un dolore futuro, un dolore che apparteneva a qualcun'altra. E che lei, comunque, non avrebbe mai potuto provare. Ma forse il suo cuoricino sì.

Secondo suo padre perciò, ovunque fosse, Ambra era ancora collegata al mondo da cui era andata via per sempre.

Pur non possedendo una spiegazione razionale per quelle coincidenze, Pietro Gerber non aveva mai creduto alla possibilità di un ponte con una realtà invisibile. Ma non aveva voluto infrangere le illusioni di quell'uomo e aveva lasciato che si consolasse pensando che la morte di una bambina di otto anni, in fondo, avesse un senso all'interno di un inesplicabile disegno universale.

Però, da quando Silvia era andata via dalla loro casa di Firenze portandosi dietro Marco, ogni volta che entrava nella cameretta di suo figlio, provava una strana sensazione di disagio. Ogni oggetto recava ancora in sé una triste felicità.

Così fu anche quella sera, di ritorno dall'incontro con Zaccaria Acher.

I bambini ci parlano attraverso i loro giocattoli, si disse. Confidano a loro, non a noi, i propri segreti. Ed era come se i giocattoli conoscessero cose che gli adulti non potevano sapere.

Come la bambola Guendalina.

Dopo aver acceso la lampada a forma di clown, Gerber si mise a frugare fra gli oggetti del figlio, sicuro di trovare qualcosa che l'avrebbe aiutato a entrare nei sogni di Nikolin per mettersi in contatto con lui.

In una scatola di macchinine e ruspe di ogni colore e dimensione, che erano la passione di Marco, era finito anche il telefono finto che produceva vari suoni e si illuminava. Lo stesso che Anita Baldi gli aveva mostrato il giorno prima, tirandolo fuori da un sacchetto di cartone insieme ai disegni infantili di Nico.

Gerber lo prese e si mise a sedere sul pavimento, con le gambe allungate sulla moquette e la schiena appoggiata alla parete.

Teneva il telefono fra le mani e lo fissava.

Immaginò il bambino albanese rinchiuso nella stanza perduta. Che urlava disperato, sbattendo i pugni sul muro, nella speranza che qualcuno lo aiutasse. Ma nessuno poteva sentirlo.

Mentre quelle grida mute risuonavano nella sua fantasia, l'ipnotista si rese conto di ciò che aveva provato a ignorare per tutto il giorno: non aveva cercato un innesco per sbloccare un nuovo pezzo del racconto dell'affabulatore. Perché aveva un altro scopo. Ma non era semplicemente creare un canale per comunicare con Nikolin.

La vera speranza era risvegliarlo con l'aiuto del suo giocattolo preferito, riportandolo indietro nel tempo fino alla prima infanzia, come aveva consigliato Zaccaria Acher.

Ma quali sarebbero state le conseguenze nel caso in cui Gerber si fosse sbagliato? In questo consisteva l'azzardo. Ancora poche ore e avrebbe saputo se aveva fatto la scelta giusta.

37

Appena vide sfilare Nikolin nella soffitta, con indosso la tuta bianca e diretto alla sedia a dondolo, Pietro Gerber si pentì subito di ciò che stava per fare. Poiché, contravvenendo di nuovo alle prescrizioni dell'affabulatore, stavolta metteva a rischio l'incolumità del bambino.

Forse avrebbe dovuto pensarci bene prima di agire. Ma forse era anche troppo tardi e non poteva più tirarsi indietro.

Congedò la nuova operatrice e le guardie, quindi chiuse la porta. Poi andò verso la brocca dell'acqua e versò subito un bicchiere per Nico, senza attendere la fine della seduta come faceva sempre. Prima di darglielo, però, prese una boccetta e, tenendola inclinata, fece cadere poche gocce di Valium che si disciolsero subito nel liquido trasparente, fino a sparire.

Nico accettò l'offerta del bicchiere come tutte le altre volte e ne ingollò il contenuto. Solo a quel punto lo psicologo spinse la sedia a dondolo e, in silenzio, andò a mettersi sulla sua poltrona, rimanendo in attesa. Allorché il bambino chiuse gli occhi, Gerber capì che stava dormendo.

Poteva dare inizio al suo esperimento.

Prese dalla tasca il telefono giocattolo di Marco,

identico a quello rinvenuto nell'auto in cui Nikolin viveva con sua madre, e schiacciò il pulsante rosso che si trovava sotto il finto display. Lo schermo si illuminò e l'apparecchio emise un'allegra suoneria, simile a un carillon. La musichetta durò qualche secondo, poi cessò.

L'ascolto non produsse alcun effetto sul bambino.

Gerber ci riprovò, premette di nuovo il pulsante e aspettò. Niente anche stavolta. Decise di non avere fretta e temporeggiò senza fare nulla. Non c'erano regole né un protocollo da seguire, tutte le sue azioni erano basate sull'improvvisazione. Perciò lo psicologo non sapeva se stesse facendo la cosa giusta. Poteva solo sperarlo.

Nel frattempo, prese il taccuino nero con le note sul caso e lo sfogliò distrattamente, soffermandosi sull'ultima pagina. Dopo la fuga fallita, il racconto dell'affabulatore dodicenne si era interrotto nel punto in cui lo zio gli aveva esposto il folle piano di costituire una famiglia con la rossa della polaroid che non poteva avere figli. L'orco aveva anche annunciato l'arrivo imminente della « nuova madre ».

Chi era quella donna? A quel punto, forse Gerber non l'avrebbe mai saputo.

Ma di quella storia l'aveva comunque colpito un particolare: lo zio aveva detto al ragazzino che lui e la donna si erano conosciuti per corrispondenza. Anche se i fatti narrati risalivano a più di vent'anni prima, all'epoca esistevano già internet e cellulari, quindi c'erano modi più rapidi ed efficaci per instaurare una relazione e per comunicare. Il servizio postale sembrava un po' superato. L'anacronismo stonava, ma non era comunque l'unico elemento assurdo di quella vicenda che assomigliava sempre più a una fiaba disturbante. Gerber volle appuntarsi comunque il dettaglio.

Conosciuti tramite lettera

Sollevò lo sguardo dal libriccino e si accorse che sotto le palpebre di Nikolin iniziavano a intravedersi dei movimenti oculari, segno che il ragazzino stava sognando. Pensò che potesse essere il momento giusto per un nuovo tentativo.

Richiuse il taccuino e azionò il telefono giocattolo.

Stavolta il bambino sembrò reagire allo stimolo, poiché sollevò il capo e lo ruotò da una parte e dall'altra come se il suono l'avesse infastidito. O come uno che sta annegando e cerca faticosamente di riemergere per prendere aria, si disse Gerber.

Nico mosse le labbra. Incredibile. Ma lo psicologo non poteva stabilire se avesse detto realmente qualcosa o si fosse soltanto lamentato. Si alzò dalla poltrona e gli si avvicinò, porgendo l'orecchio. Nikolin ripeté qualcosa sottovoce. Era una parola, ma non si riusciva a distinguere bene.

«*Mamae...*» si sentì finalmente. Un'invocazione disperata rivolta alla madre.

Gerber provò pietà per lui, ma il vocabolo gli suonò comunque strano.

« *Mamae... mamae... mamae...* » continuava a chiamare il bambino. Ma aveva un accento dolce, senza le asprezze dell'albanese.

Lo psicologo stabilì di tralasciare momentaneamente l'anomalia perché doveva approfittare del contatto che si era instaurato. Per tirarlo fuori dalla stanza perduta, l'avrebbe attirato a sé con calma. Prima avrebbe dovuto convincerlo a fidarsi di lui, poi a seguirlo nell'oscurità che sicuramente lo circondava, fino a tornare in superficie, alla luce.

« Nikolin » lo chiamò, iniziando la procedura di recupero. « Puoi sentirmi? »

Il ragazzino continuava a dibattersi sulla sedia a dondolo, come in preda a una febbre misteriosa o a un incubo da cui non era capace di svegliarsi.

« Nico » riprovò. « Nico, se mi senti devi rispondermi. »

Nei minuti successivi, seguitò a insistere, senza successo. Il bambino si lamentava, senza dire più nulla.

Gerber stava ponderando un approccio diverso per vincere le resistenze e, probabilmente, anche i timori di Nikolin, quando il suo sguardo fu attirato dalla lucina rossa sul soffitto dello studio che si era illuminata per un momento. Sollevò il capo, pensando di essersi sbagliato. Ma l'accensione si ripeté.

Chi stava schiacciando il pulsante riservato ai pazienti nella sala d'aspetto?

Si alzò dalla poltrona e mosse qualche passo verso la luce che continuava imperterrita a reclamare la sua attenzione. Lui la osservava come stregato, senza sapere come comportarsi. Rammentò la prima volta che l'affabulatore era stato lì, quando lui poi aveva trovato l'ago col filo conficcati nella mela all'ingresso. Probabilmente, adesso la lampada gli stava rimproverando il fatto che stesse violando le condizioni che gli erano state imposte.

Mi ha scoperto, si disse. E adesso è venuto qui perché vuole riprendersi il bambino.

L'idea era delirante, ma non vedeva alternative. Non sapeva nemmeno come reagire. Fu allora che qualcuno cominciò a bussare alla porta della stanza.

« Dottore » chiamò una voce femminile. Era l'operatrice dell'istituto.

Il cuore di Gerber smise di battere all'impazzata, ma ci sarebbe voluto ancora un po' prima di tranquillizzarsi. Che stava succedendo? La donna avrebbe dovuto attendere di sotto insieme alle guardie, perché invece era salita nella soffitta prima del tempo?

« Siamo venuti a riprendere il bambino » disse quella, con tono calmo ma fermo. « Ci faccia entrare, per favore. »

La notizia lo colse alla sprovvista. Si voltò verso Nico che continuava il proprio sonno agitato, poi si avvicinò alla porta. « Non abbiamo ancora finito » affermò a voce bassa.

« Ci ha chiamati il giudice Baldi: ha detto d'interromperla subito e di portare via Nikolin. »

Lo psicologo rimase interdetto. Tralasciò il motivo di quel cambio di programma e valutò le opzioni a sua disposizione. « Deve concedermi qualche minuto » asserì. « Devo far uscire il bambino dallo stato di *trance* » mentì, nascondendo che quella volta l'aveva semplicemente addormentato col Valium, cosa per altro contraria a ogni regola deontologica.

Dall'altro lato della porta seguì un breve silenzio. « Va bene, ma faccia in fretta: noi aspetteremo in corridoio. »

Aveva guadagnato un po' di tempo. Non tanto in realtà, ma avrebbe dovuto farselo bastare. Tornò dal bambino e considerò che ormai doveva rinunciare al proposito iniziale di procedere per gradi. Avrebbe dovuto approfittare di quella fortunosa situazione, in cui Nikolin era parzialmente riemerso dallo stato di *trance* permanente provocato dall'affabulatore, per provare subito a risvegliarlo del tutto.

« Vorrei che seguissi la mia voce » disse. « Che ti ci aggrappassi, come fosse una corda. »

Dal bambino non arrivò alcuna risposta. Allora lui ci riprovò, ma i movimenti del corpo del paziente si fecero più rallentati: Nico aveva quasi smesso di dibattersi e stava ritornando alla condizione iniziale di quiete.

Gerber capì che la finestra di coscienza si stava richiudendo. « Nikolin, ti riporterò da tua madre » gli promise, sapendo che era impossibile poiché la donna era sicuramente morta. Ma lo psicologo era disperato e non sapeva a cos'altro aggrapparsi per convincerlo a fidarsi di lui. Insistette con quella bugia: « Hai sentito? Riabbraccerai Mira » disse, usando il diminutivo affettuoso con cui la chiamavano tutti.

Alla semplice menzione di quel nome, Nico riemerse dallo stato semicatatonico in cui stava riprecipitando. Lo psicologo credette di avercela fatta ma, contrariamente a quanto si aspettava, il bambino ebbe una reazione violentissima.

Si mise a urlare.

Le sue grida a occhi chiusi squarciarono il silenzio della soffitta. Gerber si ritrasse, preso alla sprovvista. Nikolin cominciò anche a colpirsi la testa con i pugni, in un attacco di isteria. Allora lui provò ad afferrargli le braccia, ma quello opponeva resistenza.

Gli strilli richiamarono l'attenzione delle guardie che irruppero nella stanza senza bussare, seguite dall'operatrice che si diresse subito verso la sedia a dondolo per provare anche lei a calmare Nico che continuava a percuotersi il volto.

« Non lo tocchi » le intimò Pietro Gerber.

« Dobbiamo fare qualcosa » gli rispose duramente l'operatrice. Poi aprì la cerniera del piccolo marsupio che portava con sé e ne estrasse una fiala di tranquillante con una siringa. Preparò con rapidità il farmaco, prese saldamente l'avambraccio del bambino, lo tese e glielo somministrò in vena.

Pochi secondi ed era tutto finito.

Nikolin riaprì gli occhi come se niente fosse. Ma i suoi occhi erano di nuovo di vetro, come finestre di una casa vuota.

Gerber prese la piccola torcia e scrutò le iridi, capendo di avere fallito. Si rivolse all'operatrice con sguardo furente. « Perché ci avete interrotti? Che accidenti vuole il giudice Baldi da questo bambino? »

La donna gentile lo guardò, severa. « Hanno ritrovato la madre » annunciò.

La notizia paralizzò Pietro Gerber. Ma certo, si disse: avrebbe dovuto capire subito che era quello il motivo. Però non era tutto, e lui non si aspettava ciò che venne dopo.

« È viva. »

38

L'avevano trovata proprio i cani da cadavere mentre vagava sperduta nei boschi del Mugello, a pochi chilometri di distanza da dove l'allevatrice di cavalli aveva incontrato il figlio qualche giorno prima. Mirbana Xhuljeta Laci detta « Mira » aveva indosso abiti puliti e, a parte un principio d'assideramento per aver trascorso la notte all'addiaccio, era in buone condizioni.

Ai soccorritori era apparsa in stato confusionale. Sapeva chi era ma la memoria si arrestava al giorno in cui aveva forato una gomma della macchina, mentre viaggiava sulla strada provinciale 477 insieme a Nikolin.

Gli investigatori avevano attribuito l'amnesia allo stato di shock, ma erano convinti che presto sarebbero riusciti a farsi dire dov'era stata insieme al figlio negli ultimi otto mesi. Il primo pensiero di Gerber, invece, fu che l'affabulatore le aveva cancellato i ricordi con l'ipnosi.

Mentre tornava a casa a piedi in una Firenze spenta e deserta già alle prime ore di un piovoso pomeriggio, stretto nel trench e incurante di bagnarsi, lo psicologo andava in cerca di un motivo plausibile per cui il rapitore l'avesse lasciata andare.

Era escluso che fosse scappata da lui poiché la donna non rammentava di essere fuggita.

Potevano esserci mille ragioni e altrettante spiegazioni. D'altronde, fino a quel giorno, i carabinieri erano convinti che Nikolin avesse ucciso la madre, perciò stavano solo cercando un cadavere.

Nessuno stava dando la caccia a un sequestratore. Solo Pietro Gerber sapeva della sua esistenza.

Ma forse il carceriere si era sentito comunque braccato, forse aveva avvertito il cerchio che si stringeva intorno a sé, magari le forze dell'ordine erano davvero vicine al luogo in cui era ubicata la prigione. Allora, per evitare di essere scoperto, aveva preferito sbarazzarsi dell'ostaggio con la consapevolezza che, tanto, Mira non avrebbe potuto fornire informazioni utili a identificarlo. Non avrebbe ottenuto lo stesso risultato uccidendola e lasciando che trovassero solo un corpo perché, potendo risalire all'ora e al giorno del decesso, sarebbe stato impossibile attribuire la colpa a Niko che già si trovava in istituto. Ma a quel punto gli inquirenti, oltre che un sequestratore, avrebbero cercato anche un assassino. La soluzione per cui aveva optato era la più elementare, oltre che la più furba.

Così lui sarebbe rimasto invisibile.

Però Gerber non riusciva ancora a capacitarsi di una cosa. Perché l'affabulatore aveva preso anche Mira *all'inizio*, visto che per i suoi scopi aveva bisogno soltanto di Nico? La gestione di un secondo prigioniero avrebbe comportato sicuramente un aumento dei rischi oltre che parecchie difficoltà logistiche.

Non aveva senso.

Già, si disse. Ma qual era il vero fine del misterioso ipnotista dalle straordinarie capacità di manipolazione? Anche quello era un enigma. Perché ordire un simile disegno? Solo perché Nikolin rivelasse a Gerber una storia vecchia di ventidue anni? E poi, perché aveva scelto proprio lui come spettatore del racconto?

Fino a quel momento, l'addormentatore di bambini si era posto solo marginalmente simili domande perché era concentrato sull'idea di dover salvare Nico, sapendo anche di essere l'unico in grado di tirarlo fuori dalla stanza perduta.

Ma ora era venuto il tempo di affrontare certi interrogativi.

La storia in possesso di Nikolin, sepolta dentro la sua mente, era rimasta in sospeso. Era quello il problema. Forse andando avanti sarebbero emerse anche le motivazioni celate dal piano criminale dell'affabulatore.

Lui non se ne starà acquattato nell'ombra mentre tutto gli crolla intorno, ipotizzò lo psicologo. Se ha un obiettivo, farà di tutto per conseguirlo. Oppure, prima di sparire per sempre, vorrà prendersi una rivincita.

Non dovrai cercarmi là fuori.

Forse invece avrebbe dovuto proprio iniziare a cercarlo. Ma la sola cosa che sapeva di lui era che, chiunque fosse, stava contravvenendo alle regole basilari del codice di ogni ipnotista, su cui il *signor B.* aveva tanto insistito con Gerber prima di trasmettergli il proprio dono.

Non manipolare il paziente. Non manovrarlo. Non condizionarlo. Non creargli falsi ricordi. Non alterare la sua percezione della realtà. Non illuderlo. Non plagiarlo. Non suggestionarlo. Non corromperlo. Ma, soprattutto, non sedurlo. La seduzione consisteva nel creare la falsa convinzione che un determinato comportamento fosse giusto. La si poteva usare per convincere qualcuno a farsi del male o a farne a qualcun altro.

Lo psicologo si arrestò a pochi metri dal portone di casa. La pioggia lo sferzava, colpendolo da ogni parte, senza che lui potesse farci niente. Le piccole gocce sembrava non volessero lasciarlo in pace e si abbattevano su di lui e sui suoi pensieri con beffarda insistenza. Pietro Gerber si volse all'indietro, guardando nella direzione da cui era appena arrivato.

Nella coltre d'acqua alle sue spalle c'era un'ombra.

« Chi sei? » chiese a voce alta, cercando di non tradire la paura di conoscere la risposta. « Lo so che mi stai seguendo, che non ti sfugge nulla di ciò che faccio. Ma cosa vuoi da me? »

Quell'ombra non era reale. Era nella sua testa.

Se rinuncio ora, mi perseguiterà per sempre, si disse. Non poteva permettere che il suo avversario rimanesse libero di continuare a fare ciò che voleva. Ma sapeva pure di non poterlo fermare da solo. Per questo s'incamminò daccapo nella direzione dell'ombra immaginaria, quasi volesse affrontarla. No, non sarebbe tornato a casa. Non si sarebbe nascosto.

Avrebbe trovato il suo antagonista, l'avrebbe costretto a uscire allo scoperto.

D'altronde, era già venuto meno alla prima condizione dell'affabulatore che prevedeva che avrebbe ascoltato la sua storia «fino in fondo». La seconda e la terza erano, in qualche modo, collegate fra loro.

Non dovrai parlare a nessuno di me.

Ma Pietro Gerber aveva già preso la decisione di andare a riferire tutto ciò che sapeva ad Anita Baldi. Così l'affabulatore avrebbe perso l'invisibilità che l'aveva protetto fino ad allora.

Mentre procedeva a passo spedito verso il tribunale dei minori, avvertì la vibrazione del cellulare custodito nella tasca del Burberry. Lo prese. Era Silvia. Rallentò il passo perché non si aspettava una chiamata dell'ex moglie dopo l'ultimo litigio.

«Ho saputo» disse lei, appena le rispose. Il tono era dispiaciuto. Probabilmente aveva telefonato per scusarsi con lui.

«Non dovresti rammaricarti» replicò, cercando di sembrare distaccato perché ce l'aveva ancora con lei per averlo accusato di mettere a repentaglio inutilmente la carriera. «Come ti avevo detto: il bambino era innocente, ma nessuno ha voluto credermi.» La Baldi avrebbe dovuto perlomeno ringraziarlo invece d'interrompere bruscamente i suoi incontri con Nico, come se Gerber avesse avuto torto fin dall'inizio.

«Non è per questo» ribatté Silvia.

Scorse nella sua voce anche una nota di preoccupazione. «Allora per cosa?»

« Come? Non lo sai? » disse lei, tergiversando.

« Cosa? Cosa è successo? » blaterò, subodorando qualcosa di brutto.

« Zaccaria Acher ha aggredito suo marito Philip nel sonno. »

Le gambe di Gerber si piantarono sul lastrico del centro storico. Travolto dalla notizia, ondeggiò in mezzo al temporale.

« Philip è molto grave » aggiunse Silvia. « E Zaccaria è piantonato in ospedale. »

« Come è potuto accadere? » trovò il coraggio di domandare con un filo di voce, anche se temeva di essere lui la vera causa.

« Una vicina ieri notte ha chiamato la polizia perché dall'appartamento provenivano delle urla, ma pare che prima avesse sentito il telefono di casa loro che squillava. »

Come tutti i sonnambuli, Zaccaria ha un sonno profondo, rammentò Gerber. Non si è accorto dello squillo del telefono. E poi Philip era l'unico che potesse rispondere perché in quel momento il *signor Z.* era costretto nella camicia di forza, si disse.

« Secondo la ricostruzione dei poliziotti, dopo la telefonata, Philip è tornato in camera da letto con un coltello e ha tagliato le cinghie di contenzione. »

L'azione imprevista ha provocato la reazione di Zaccaria che, a causa dello stress determinato dallo spavento, ha avuto uno dei suoi episodi violenti di RBD, pensò lo psicologo. Si è difeso, aggiunse fra sé per corroborare quella tesi.

Era la rappresaglia dell'affabulatore per aver infranto le regole, per aver raccontato al *signor Z.* la storia che avrebbe dovuto tenere segreta. E Philip aveva pagato al posto di Gerber. L'ipnotista gli ha impartito il comando per telefono, si convinse lo psicologo.

«Posso immaginare come ti senti, visto che siete molto amici» disse Silvia.

«Infatti» ebbe solo la forza di ammettere, poiché non riusciva nemmeno a respirare.

«Non volevo essere io a darti la brutta notizia» proseguì lei. «Ma temevo che nessuno ti avesse avvertito.»

«Va bene» asserì. «Non preoccuparti.»

«Se hai bisogno di parlare o anche solo di sfogarti, io sono qui» affermò lei.

Quell'improvvisa disponibilità sorprese Gerber. Dopo l'ultima lite non credeva che potesse esserci ancora spazio per un rapporto di qualche tipo. E, soprattutto, non era da Silvia essere così accomodante. Ma forse era cambiata e, semplicemente, in qualità di ex marito ormai non la conosceva più abbastanza. «Grazie» si limitò a dire. Stava per riattaccare.

«Stasera vedo un po' di amici al bar del Four Seasons» lo precedette l'ex moglie. «Forse non sei dell'umore giusto» aggiunse. «Ma se volessi unirti a noi, mi farebbe piacere.»

Il grande albergo sito nel palazzo della Gherardesca. Un rito che si ripeteva da quando Silvia si era laureata in psicologia ed era andata lì per la prima volta, tutta sola, a bere una coppa di champagne. Non l'aveva mai detto a nessuno. La tradizione era rimasta segreta finché non aveva conosciuto Gerber: da quel momento, l'aveva condivisa con lui. Dopo il divorzio, però, lei aveva continuato con qualcun altro.

« Buon compleanno » le disse con tono rammaricato, consapevole di essersene scordato.

« Non fa niente » lo assolse lei, senza rancore. « Ciao, Pietro » lo salutò prima di riagganciare.

Per un attimo, aveva dimenticato Zaccaria ed era tornato nel passato. L'invito di Silvia era assurdo, ma lui ebbe improvvisamente voglia di una serata spensierata. In fondo, ciò che era accaduto al *signor Z.* costituiva un avvertimento ed era stato provvidenziale che la telefonata dell'ex moglie fosse arrivata prima che Gerber parlasse con Anita Baldi e violasse ulteriormente gli ordini dell'affabulatore. La cosa più sensata era invertire di nuovo il passo e tornarsene a casa, come stava facendo fino a poco prima. E magari prepararsi per andare al Four Seasons. O forse non era affatto l'idea migliore. Perché lui ne aveva abbastanza di subire quella situazione. E, soprattutto, non ne poteva più di sentirsi continuamente minacciato.

Non finirà da sé, si disse mentre l'acqua seguitava a scrosciare e il cielo sembrava schernirlo. Devo farlo finire io.

Ma era stanco di essere solo contro un nemico sadico e sconosciuto. Così, si lasciò alle spalle la musica dell'orchestra del grande albergo, il suono delle risate, l'allettante immagine di una festa e di Silvia in abito da sera e decise di proseguire nella pioggia verso il tribunale.

39

« Un rapitore? »

La reazione della Baldi era un misto di stupore e diffidenza. Ma Pietro Gerber non poteva accontentarsi, doveva convincerla. « Sì » le confermò, continuando a sgocciolare sul pavimento la pioggia che gli aveva inzuppato i vestiti. Poi le raccontò tutto, cominciando dalle tre condizioni che gli erano state imposte e per cui aveva taciuto fino ad allora.

Si trovavano nel corridoio dell'antico palazzo che ospitava il tribunale dei minori. Lo psicologo l'aveva intercettata casualmente all'uscita da un'udienza e il giudice, che era ancora arrabbiata con lui, gli aveva concesso solo pochi minuti per ascoltare ciò che era venuto a dirle.

« E quale sarebbe lo scopo di questo *affabulatore*? » chiese il magistrato, rimarcando la definizione con sospetto.

« Non lo so » le confessò Gerber.

« Un piano diabolico a cui manca un fine altrettanto... diabolico » ironizzò l'altra.

« Capisco che possa sembrare assurdo, ma se mi concede l'opportunità di fare altre sedute con Nikolin potremo conoscere il resto della storia dell'orco e del bambino. »

« Posto che, se la tua storia è vera, allora il bambino è scampato all'orco per raccontarla... Non credi che, se un fatto del genere fosse davvero accaduto ventidue anni fa, io ne sarei già al corrente? » chiese, riferendosi al passato dell'affabulatore.

« Infatti è strano, perché neanch'io ne ho trovato traccia sulla stampa dell'epoca o su internet » ammise lui, senza difficoltà. « Ma sono lo stesso convinto che ci sia una spiegazione anche per questo. Devo solo cercare un nuovo innesco e lo sapremo con certezza. »

« Innesco? » ripeté la Baldi con sufficienza e sollevando un sopracciglio.

« Le ho spiegato come funziona, no? » insistette lui, provando a non farsi condizionare da quell'atteggiamento disfattista. « L'innesco può essere un oggetto, un suono, un odore o anche una semplice parola. Come l'ago col filo che ho usato con Nikolin nella stanza dei giochi la prima volta: solo da quel momento il bambino ha iniziato a parlare. Se lo ricorda? »

La Baldi, però, continuava a contrapporgli il proprio scetticismo. « Quindi è questo che hai fatto fino a ora » commentò. « Ed è sempre per questo motivo che mi hai ricattato, minacciando di ritirare la perizia? »

« Non era una minaccia, sono stato costretto » la corresse Gerber, che cominciava a essere esasperato.

« Forse mi convincerai mostrandomi i video delle sedute con Nikolin » sembrò concedergli la vecchia amica.

« Non le ho filmate » le rivelò, imbarazzato. « L'affabulatore è stato molto chiaro: la storia sarebbe dovuta rimanere fra me e lui.»

L'altra non sembrò avere alcuna reazione. «A quanto pare, abbiamo due versioni dei fatti» asserì, calma. «C'è la tua, con il rapitore ipnotista e tutto il resto. E poi c'è quella dei carabinieri che, invece, sostengono che madre e figlio, dopo aver forato la gomma della propria auto a giugno, abbiano abbandonato il veicolo per continuare un'esistenza già precaria vagabondando fra i boschi del Mugello, cercando rifugi di fortuna e rubando cibo e vestiti in giro oppure prendendo ciò che gli serviva direttamente dai rifiuti, così come erano abituati a fare anche prima di scomparire. E questo finché qualcuno non li ha casualmente ritrovati: prima il bambino e poi la donna, a quasi una settimana di distanza l'uno dall'altra.» La Baldi fece una pausa. «Se tu fossi al mio posto, a quale delle due ricostruzioni daresti più credito?»

Ovviamente, era sarcastica. Ma Gerber non aveva alcuna intenzione di arrendersi. «Perché non si fa raccontare dall'allevatrice di cavalli la sensazione di essere stata 'obbligata' a recarsi alla Valle dell'Inferno dove avrebbe incontrato Nico? Perché non chiede al guardiacaccia del disegno fatto su un muro servendosi di un tizzone ardente senza sentire alcun dolore? E già che c'è, parli anche con Zaccaria Acher e si faccia dire come mai suo marito Philip l'ha liberato dalla camicia di forza in piena notte pur sapendo che avrebbe scatenato una reazione violenta.» Poi aggiunse: «E l'affabulatore è riuscito anche a manipolare Lavinia, una quattordicenne che viene in cura da me».

Sentendo che era coinvolta anche una giovane paziente, lo sguardo della Baldi si fece seriamente preoccupato. «Non avrai messo a repentaglio l'incolumità di quella ragazzina, spero» lo ammonì.

«Certo che no» ribatté lui.

«Mi auguro che sia davvero così perché, in caso contrario, dovrei prendere provvedimenti.» Poi la donna lo squadrò dalla testa ai piedi, commentando con una smorfia il suo pessimo stato come aveva già fatto quando era andata in visita allo studio. «Guardati, Pietro, non ti riconosco più.» Stavolta il giudizio era molto più impietoso, perché in pratica lo trattava come se avesse una specie di esaurimento nervoso. «Sei fradicio, pallido. Perché non la smetti e te ne torni a casa?»

«E lei perché non vuole credermi?» domandò, mentre lacrime di rabbia gli risalivano agli occhi. Non si era mai sentito così impotente. «Se non vuole cercare l'affabulatore, va bene. Ma io sono l'unico che può liberare Nikolin dalla stanza perduta. La prego, mi lasci continuare la terapia. Altrimenti condannerà quel bambino a rimanere prigioniero di sé stesso per il resto dei suoi giorni...»

La Baldi lo scrutò in silenzio per qualche secondo. «Vieni con me, voglio mostrarti una cosa.»

40

Pietro Gerber e Anita Baldi percorsero il lungo corridoio, sorvegliati dallo sguardo muto dei presenti che si voltavano al loro passaggio. Lo psicologo si sentiva esposto, vulnerabile. Le altre volte che era stato lì aveva avuto un aspetto dignitoso o, quantomeno, presentabile. Adesso era il fantasma di sé stesso e un po' se ne vergognava.

Il giudice lo condusse nel proprio ufficio, senza dire una parola. Lui si domandò cosa potesse esserci d'importante in quella stanza in cui era stato decine di volte.

Dopo essere entrati, il magistrato chiuse la porta e si diresse verso la scrivania dove, senza sedersi, iniziò ad armeggiare col mouse del pc. L'affresco raffigurante il girone infernale che si levava alle sue spalle sembrava incombere su Gerber, rimasto in piedi dall'altra parte del tavolo, in attesa. Nonostante la scena fosse sempre ricoperta dal collage dei disegni donati al giudice dai bambini, lui distolse lo sguardo perché non ne sopportava la visione.

« Ecco, ora puoi constatarlo coi tuoi occhi » gli disse l'amica, girando il monitor del computer nella sua direzione.

Gerber mosse un passo in avanti e vide che sullo schermo scorrevano le immagini filmate da una telecamera nascosta. Nella ripresa appariva Nikolin insieme a una donna minuta e dimessa, sulla cinquantina, coi capelli corti e incanutiti anzitempo. Sua madre, pensò subito Gerber. Mira si mostrava veramente felice di rivedere il figlio: infatti continuava ad abbracciarlo e baciarlo, piangendo. Anche Nico appariva contento di essere travolto da tanto affetto. Ma la cosa che colpì lo psicologo fu che, sebbene certamente stordito dall'aver ritrovato sua madre, il bambino non sembrava più smarrito.

Nikolin parlava.

I due comunicavano in albanese, la loro lingua. Tuttavia non era difficile immaginare il significato di ciò che si stavano dicendo. Probabilmente pensavano entrambi di essersi persi per sempre, invece adesso erano di nuovo insieme. La brutta avventura si era conclusa con un lieto fine.

« Non mi pare catatonico » considerò la Baldi, riferendosi al ragazzino.

L'ultima cosa che ricordava di lui erano le urla che aveva lanciato al termine della loro ultima seduta, quando Gerber l'aveva ingannato promettendogli che presto avrebbe rivisto Mira. Ma adesso l'ipnotista capiva che la vista della madre aveva spezzato l'incantesimo dell'affabulatore.

Nico era uscito dalla stanza perduta. Infatti, aveva ricominciato a sbattere le palpebre regolarmente.

Mira era stata la chiave per liberarlo.

Lo psicologo non poteva dire se era un effetto fortuito oppure se fosse stato lo stesso affabulatore a prevederlo, l'ennesimo colpo di teatro di un abilissimo illusionista. Ma comprese lo stesso che, da quel momento, non c'era più bisogno di lui.

« Cosa succederà adesso? » domandò.

« Li affideremo entrambi ai servizi sociali e forse finalmente qualcuno si occuperà davvero di loro, per fargli avere una casa, un lavoro stabile per la donna e per assicurare a Nico l'istruzione adeguata e un futuro. »

Gerber provò pena per l'altro bambino, quello che era rimasto con l'orco: era come se, in mancanza del resto della storia, quel dodicenne fosse ancora incastrato in un incubo vecchio di più di vent'anni.

Intanto, nello schermo la madre di Nikolin prese il viso del figlio fra le mani per guardarlo negli occhi. Gli chiese qualcosa e lui le rispose, annuendo: « *Po mami* ».

Continuava a rivolgersi a lei chiamandola appunto *mami*.

« Strano » affermò Gerber. « Pensavo che nella loro lingua mamma si dicesse '*mamae*'. » D'altronde, era la parola che aveva blaterato Nico quando lui aveva provato a risvegliarlo con il telefono giocattolo di Marco.

La Baldi lo guardò cercando di capire se davvero riteneva quel dettaglio degno di nota. Ovviamente no, ma al punto in cui erano non poteva biasimarla se lo giudicava paranoico.

« Mi dispiace » le disse. Ed era sincero. « Anche se non posso provare nulla di ciò che le ho riferito, la prego di credere che volevo realmente aiutare Nikolin. »

« Non so quanto gli servisse il tuo aiuto e non penso nemmeno che sia stato salutare per lui essere sottoposto a una terapia d'ipnosi con te in queste condizioni » replicò l'altra. « Ma forse abbiamo fatto in tempo a evitargli il peggio. »

« Dovrò scusarmi anche con Silvia. » Sì, avrebbe proprio dovuto farlo. Forse c'era ancora una speranza per instaurare un rapporto civile. Avrebbe dovuto trasformare la rabbia e la nostalgia in qualcosa di positivo. Ma, per farlo, avrebbe dovuto anche rinunciare a lei. Stavolta per sempre. Non era facile.

« Abbi cura di te » si raccomandò la Baldi. « Ora, se non ti dispiace, ho molto da fare » lo congedò.

Gerber abbassò il capo, si stava voltando per andarsene, quando vide qualcosa e venne a mancargli il fiato. « Da quanto tempo sta lì? » domandò, sollevando il braccio e puntando un dito.

« Cosa? » Il giudice faticava a capire.

« Quel disegno... » disse, deglutendo saliva amara.

La donna si voltò in direzione del collage che copriva l'affresco. « Quale di questi? Di che parli? » chiese, infastidita.

« Il terzo da destra » specificò Gerber, con la voce che tremava.

La Baldi ci metteva un po' a individuare il foglio, allora lui aggirò la scrivania e andò a staccarlo dal muro. Lo osservò meglio, poi lo mostrò anche al magistrato.

« Guardi anche lei... »

C'erano tanti omini schierati l'uno accanto all'altro come attori di una recita in attesa dell'applauso.

Ma l'altra continuava a essere confusa riguardo alla scoperta. « E allora? »

« Da dove viene questo? È da molto che sta sulla parete? » insistette lui, senza decidersi a spiegare.

« Che vuoi che ne sappia! » ribatté il magistrato, spazientita. « Saranno anni che sta lì. »

« Anni? » Gerber era incredulo. « Come anni? Non è possibile... »

« Non lo so, probabilmente... » tergiversò lei. « Ma che importanza ha? Cosa farnetichi? » si alterò.

« Ma almeno ricorda chi l'ha fatto? » la incalzò.

« Un bambino » fu la risposta scontata e anche irritata della Baldi.

Gerber la ignorò e voltò il foglio per vedere se ci fosse una firma o qualcosa che potesse aiutarlo a risalire a un nome oppure a una data. Solo tre lettere, una sigla in calce.

A.D.V.

« Se non mi dici subito cosa sta succedendo, giuro che ti faccio sbattere fuori dai carabinieri » lo avvertì il giudice.

« Come fa a non vederlo anche lei? » domandò un sempre più angosciato Pietro Gerber, sventolandole il foglio davanti alla faccia. Eppure era così evidente. Possibile che se ne rendesse conto soltanto lui?

Per quanto stilizzati e ritratti con lo stile elementare tipico dei bambini, nel disegno si riuscivano a riconoscere l'allevatrice di cavalli, il guardiacaccia, Lavinia, Zaccaria Acher e Philip, la stessa Baldi, ovviamente Gerber, poi Nico e sua madre. E infine un decimo personaggio che fino a quel momento era rimasto fuori da quella storia.

« Devi andartene, Pietro » gli intimò la Baldi, indicandogli anche la porta.

L'asprezza e la perentorietà del tono non gli lasciarono scelta. « Posso almeno tenerlo? » mendicò, come un matto che ha un bisogno disperato che qualcuno lo assecondi.

« Va' via » disse soltanto lei.

Gerber s'incamminò verso l'uscita a capo chino, tenendo il disegno ancora stretto fra le mani. Superata la soglia, si richiuse l'uscio alle spalle. Fermo in corridoio, cercò di placare l'agitazione e di riprendere il controllo di sé stesso.

Che accidenti significava quella specie di scherzo?

Non credeva si trattasse davvero di una premonizione del futuro lasciata lì anni prima. Qualcuno era entrato nella stanza della Baldi recentemente e l'aveva attaccato sul muro perché lui lo vedesse, come una specie di messaggio.

Qualcuno che stava realmente cercando di farlo impazzire.

Tuttavia, l'ipnotista comprese anche che, per non perdere del tutto il senno, non aveva alternative. Forse c'era una spiegazione. Ma per cercarla doveva tornare al suo studio nella soffitta. Dimenticare il rancore. Ed entrare in una stanza chiusa da tanto tempo.

Perché su quel foglio era raffigurato anche il *signor B.*

41

Aprì la porta della stanza e fu subito investito dall'odore dolciastro della colla che teneva insieme la giungla di cartapesta. Quell'odore piaceva da impazzire ai bambini. E anche a lui da piccolo, ma non l'aveva mai rivelato al padre perché, in fondo, era geloso del rapporto particolare che il genitore instaurava con i suoi coetanei e allora tendeva sempre a disdegnare tutto ciò che riguardava il *signor B.*

Adesso, però, Gerber provò un'improvvisa nostalgia. Anche se ce l'aveva a morte con lui e quella rabbia non gli sarebbe passata mai.

Allungò un braccio verso l'interruttore sulla parete e accese la volta stellata sotto la quale il padre ipnotizzava i propri pazienti, facendoli distendere sul prato di moquette e sdraiandosi accanto a loro per contemplare un universo di lucine, cullati dalle note allegre dello *Stretto indispensabile.*

I bambini ci cascavano tutti, ci cascavano sempre.

Non c'era niente di poetico o di romantico in quella finzione. Era solo un trucco escogitato dal mago che voleva entrare nella loro testa. Quella recita disturbava Pietro Gerber, per questo aveva scelto una semplice sedia a dondolo per il proprio studio.

Ignorò i ricordi e i sentimenti contrastanti che si

alternavano dentro di lui e si diresse subito verso il baobab che custodiva l'archivio del *signor B.* Afferrò i pomelli nascosti nella corteccia e, tirandoli a sé, spalancò le ante a scomparsa di un grande armadio.

Davanti a lui, diversi scaffali su cui erano ordinati e classificati i fascicoli personali.

Erano suddivisi per anno e lo psicologo andò subito in cerca di quelli che risalivano al 1999. Per proteggere l'identità dei pazienti, sul profilo di ogni copertina erano indicate solo le iniziali del nome.

« A.D.V. » ripeté fra sé Gerber, rammentando la sigla sotto il disegno rinvenuto sul muro della Baldi.

Trovò ciò che cercava. A quanto pareva, l'autore di quell'opera inquietante era stato in terapia dal padre quando era piccolo. All'interno del fascicolo c'erano quattro cassette che contenevano le registrazioni audio delle sedute.

Decise di ascoltarle.

Recuperò il vecchio walkman del *signor B.* e se lo portò appresso sul prato sintetico. Si sedette per terra, indossò le cuffie e introdusse il primo nastro nell'apposito scomparto. Quando si sentì pronto, premette il tasto Play.

Gli fece un certo effetto riconoscere il padre mentre guidava il piccolo paziente nelle profondità della propria psiche. Ma, soprattutto, sentiva per la prima volta la vera voce dell'affabulatore, anche se al tempo delle registrazioni era appena dodicenne.

Su quei supporti magnetici era incisa la storia dell'orco e del bambino.

Ma, senza la mediazione di Nikolin, il racconto appariva più realistico e anche più scioccante. Grazie a quelle cassette, Gerber ripercorse la vicenda attraverso i vividi ricordi del protagonista: non si discostava molto da quella che aveva già sentito.

L'inizio dell'incubo che corrispondeva all'ultimo giorno di scuola del ragazzino. La presenza in casa dell'intruso che voleva essere chiamato « zio ». La balla dei genitori partiti per una vacanza in camper senza di lui. La porta chiusa della cantina. Il cane scomparso e poi riapparso. La fuga fallita per colpa del guardiacaccia. L'assurdo biglietto del padre in cui annunciava che lui e la madre non sarebbero tornati mai più e che, perciò, da quel momento il bambino era affidato alle cure di quell'estraneo. La polaroid della rossa nel bar. La donna senza nome e l'orco che si erano conosciuti per corrispondenza. La loro intenzione di mettere su famiglia. L'impossibilità di lei ad avere figli. Il folle piano di prendere con loro il dodicenne per fargli da genitori.

Tu potrai già chiamarla mamma.

Arrivato alla fine della terza cassetta, Gerber osservò l'ultima in suo possesso immaginando che contenesse l'epilogo della vicenda e, soprattutto, che spiegasse come il bambino aveva sopraffatto l'orco e la sua complice, scappando e salvandosi da loro.

Prima di inserirla nel walkman, esitò qualche secondo. Aveva maturato la conclusione di trovarsi esattamente dove l'affabulatore voleva che fosse. Dopo il ritrovamento della madre del ragazzino albanese e l'uscita di Nikolin dalla stanza perduta, poteva sembrare che Gerber non avesse più alcuna possibilità di conoscere tutta la verità su ciò che stava accadendo e, soprattutto, di giungere fino alle motivazioni che avevano spinto il misterioso ipnotista a ordire un simile piano. Facendogli rinvenire il disegno nell'ufficio della Baldi, invece, il suo antagonista l'aveva riportato a sorpresa nella partita.

Chissà che non fosse previsto fin dall'inizio che tutto andasse esattamente in quel modo, si disse lo psicologo. Ormai non si sarebbe stupito più di nulla.

Iniziò l'ascolto della quarta cassetta.

« *Come va oggi, Mang?* » Il *signor Baloo* usava nomi tratti dal *Libro della giungla* per rivolgersi ai suoi pazienti e ai bambini piaceva, ma a volte serviva a preservarne l'anonimato nelle registrazioni. Anche Gerber utilizzava nomignoli nei casi particolarmente delicati. *Mang* era il pipistrello.

« *Bene* » gli assicurò il ragazzino, con tono educato.

« *Sei riuscito a farti qualche amico in istituto?* » Era la prima volta che Gerber sentiva nominare quel posto: negli altri nastri non era mai stato menzionato. Immaginò che fosse lo stesso luogo in cui era stato mandato Nikolin.

« *Ancora no* » rispose il bambino, un po' affranto.

« *Vedrai che fra un po' ti ci abituerai e ti troverai bene coi tuoi compagni.* » Perché l'avevano messo lì?, continuò a domandarsi lo psicologo. La coincidenza con ciò che era accaduto ventidue anni dopo al bambino albanese era alquanto sospetta. Cosa aveva fatto il dodicenne del 1999 per meritarsi quella specie di detenzione?

« *Se sei pronto, possiamo cominciare... Che ne dici?* »

« *D'accordo.* »

Il *signor B.* avviò il disco con *Lo stretto indispensabile* e Gerber attese il momento in cui la puntina s'inceppava. Quando avvenne, gli sembrò anche di percepire il respiro del ragazzino che rallentava. Era in *trance.*

« *Allora, Mang, l'ultima volta hai terminato il tuo racconto dicendo che la donna della fotografia stava arrivando per unirsi a te e allo sconosciuto...* »

« *Sì* » confermò il bambino. « *L'orco mi ha detto proprio così, e anche che avrei dovuto chiamarla 'mamma'.* »

« *Ed è ciò che è avvenuto? La donna della polaroid è venuta a vivere con voi al casale?* »

Il piccolo paziente sembrò agitarsi.

« *Non c'è fretta* » lo rassicurò il *signor B.* « *Prenditi tutto il tempo che ti serve...* »

« *La porta della cantina* » disse il ragazzino, inquieto. Ma non aggiunse altro.

« *Cosa c'è in cantina?* »

Avevano già affrontato l'argomento nelle sedute precedenti, esattamente come era avvenuto a Gerber con Nico. Ma, anche nelle registrazioni risalenti a ventidue anni prima, la questione era rimasta ancora inevasa. Forse era venuto il momento di sciogliere l'enigma.

« *In cantina...* » ripeté il bambino, interrompendosi. « *In cantina...* » Per quanto si sforzasse, non riusciva ad andare avanti. Era evidente la sua sofferenza.

« *Sei sceso in cantina?* »

Silenzio.

« *Se non vuoi dirmelo adesso, non fa niente* » lo tranquillizzò il *signor B.* « *Ci arriveremo per gradi, d'accordo?* »

Ma l'altro continuò: « *In cantina c'è...* »

« *Va bene, Mang, allora cosa c'è là sotto?* »

« *Il kerosene.* »

42

Il babbo ha stipato circa mille litri di kerosene nella nostra cantina. L'ha fatto in previsione dell'inverno. Ha approfittato di un momento in cui il prezzo era più basso, così mi ha spiegato quando è arrivata l'autocisterna per scaricare il combustibile nel pozzo sotto il casale, dove un tempo ci andava il mosto.

Ripenso a quel giorno in cui un lungo tubo rosso, snodandosi dal camion, s'infilava sottoterra gorgogliando. Nell'aria, un odore che brucia le narici e fa girare la testa. A volte ti dà la nausea, ma a volte è perfino piacevole. Basta abituarsi.

Non so perché ma la scena continua a venirmi in mente mentre torno a casa con l'orco che guida la vecchia Volvo del babbo. Per tutto il tragitto, non accenna più alla mia fuga e non mi rimprovera nemmeno una volta. All'arrivo mi aspetto almeno una punizione, invece mi dice: « Sarai stanco, sicuramente stanotte non avrai dormito abbastanza ».

Ha ragione, ma non capisco perché si preoccupi per me. « Penso che andrò a stendermi un po', grazie » gli rispondo. Non so neanche perché mi sforzo di essere rispettoso con quest'uomo. Forse mi sto abituando a lui, come quel giorno con la puzza di kerosene.

Dovrei lavarmi, ma sono a pezzi. Così mi butto sul letto con i vestiti. Tanto nessuno avrà nulla da obiettare. « Capito, mamma? » urlo affondando la testa nel cuscino. « Il tuo bambino è uno schifoso e non si laverà! Faccio schifo e non importa a nessuno! »

Non importa a nessuno.

Quella semplice verità mi travolge. Finora è sempre importato a qualcuno di me. E allora comincio a piangere. La federa s'inzuppa di lacrime calde. Il muco mi sgocciola dal naso, me l'asciugo con il dorso della mano, Bella si avvicina e inizia a leccarmela. Non ho nemmeno la forza di mandarla via. Ma quel solletico, in fondo, è confortante.

Così mi dimentico di tutto e mi addormento.

Quando mi risveglio è ancora giorno. Mi è sembrato di dormire per un mese. Quanto tempo è passato? Sono nella stessa posizione di quando ho preso sonno, tirandomi su mi fa male tutto: le braccia, le gambe, il collo, la schiena. Deve essere l'effetto della lunga camminata nel bosco. Guardo l'ora: sono appena le nove. Ho perso completamente i sensi, ma alla fine ho dormito solo tre ore.

Ho la gola secca. Mi alzo per andare a bere.

Scendo di sotto e trovo l'orco, si è alzato presto anche lui e ora è seduto al tavolo della cucina con la sua lurida salopette di jeans. Ormai facciamo a gara a chi puzza di più, ma almeno oggi non sarò costretto a vederlo in mutande come al solito. La cosa strana è che sta sfogliando una vecchia rivista di mamma in cui si parla solo di vestiti, scarpe e altre cose così. Mamma non è il tipo che segue la moda, di solito preferisce i romanzi ma ogni tanto le piace distrarsi anche con quelle letture. Ho sempre pensato che le servissero più che altro a immaginare una vita diversa da quella con me e il babbo. Una vita che lei, sono sicuro, non ha mai desiderato. Però a volte è comunque bello scappare un po' con la fantasia. Ciò che mi chiedo adesso è perché l'orco si dedichi a un giornale come quello.

« Ho pensato che potremmo farle un regalo, che ne dici? »

Come sempre, all'inizio fatico un po' ad afferrare il filo dei suoi ragionamenti.

« Una specie di dono di benvenuto, per dimostrarle che non vedevamo l'ora d'incontrarla » prosegue, nonostante il mio sguardo interrogativo. E poi aggiunge, sorridendo: « La tua nuova mamma ne sarebbe felicissima ».

La rossa della polaroid, mi dico e mi do dello stupido per non averlo colto prima. « E quando dovrebbe arrivare? » domando, quasi di sfuggita.

« Domani » mi annuncia.

Cristosantissimo, non c'è un momento di pace! Quando finirà questa storia del cazzo? Non c'è un attimo di tregua, va sempre peggio. E ora anche questo. Una sconosciuta che viene qui e chissà cosa vorrà da me!

« Stavo guardando questa rivista in cerca di un'ispirazione » mi spiega l'orco.

Tutto ciò che c'è fra quelle pagine è troppo caro

per lui e, anche se sono sicuro che ha preso i soldi dei miei, non ce lo vedo proprio andare a Firenze ed entrare in una boutique per comprare una borsa o un paio di scarpe costose. Però decido lo stesso di assecondarlo. « Mi sembra una buona idea, zio » affermo, anche se in realtà non me ne frega niente e voglio solo prenderlo in giro.

L'orco si illumina. « Davvero? »

« Certo, le donne impazziscono per i regali » dico, sforzandomi di rimanere serio. « E hai già scelto qualcosa che potrebbe piacerle? » domando, lasciandogli credere che mi interessi veramente.

Lui si alza di scatto dalla sedia con gli occhi che gli brillano. « Vieni, ti faccio vedere cosa ho trovato. »

Sono spiazzato. Che significa? A questo punto, però, sono anche curioso. Lo seguo.

Saliamo di sopra e mi porta nella stanza dei miei, che ormai adesso è camera sua. Appena varco la soglia, non posso credere a ciò che ho davanti.

L'armadio è spalancato e i vestiti di mamma sono sparsi ovunque.

Lui afferra una gruccia con appeso un vestito a fiori e me lo mostra. « Avevo pensato a questo, che ne dici? »

Vorrei dirgli che quel vestito è un regalo del babbo. E che mamma lo metteva d'estate insieme agli orecchini turchesi di sua nonna, in occasione della festa al paese. E che, mentre lei lo indossava, io e il babbo l'aspettavamo alla fine delle scale per vederla scendere. E, anche se quel vestito non cambiava mai, ogni volta che lei appariva in cima ai gradini era uno spettacolo.

Mamma ci sorrideva e faceva una cosa con la testa, una specie di inchino. E ci diceva che era molto fortunata ad avere « *ben due cavalieri!* » E noi ci sentivamo davvero importanti perché stavamo con lei che era così bella. L'orco non può sapere tutto questo. E non credo gli importi. Perciò rimango muto.

« Allora? » mi sollecita.

Non riesco a capacitarmi che questo bastardo voglia regalare a una donna che non ho mai visto la roba di mia madre. « Siamo sicuri che sia della sua taglia? » affermo con un groppo in gola, perché spero che nel dubbio lasci perdere.

« Già » dice lui, come se non ci avesse pensato. « Dalla foto che mi ha mandato non si capisce. »

« Non benissimo » confermo. Mi ricordo che l'orco ha detto che si sono conosciuti per corrispondenza, perciò non si sono mai visti. « Mamma ha i fianchi larghi » proseguo. « E una donna di solito si arrabbia quando qualcuno lascia intendere che è troppo grassa, specie se si tratta del suo fidanzato. »

« Non è carino » concorda lui.

Sta per mollare, lo vedo. A volte mi sembra solo un gigante con il cervello di un bambino. Ma poi è colto da una specie di folgorazione. Infila una mano nella grande tasca centrale della sua salopette ed estrae un mucchietto di lettere aperte e stropicciate, sono sei.

« Aiutami a controllare se da qualche parte si capisce quanto pesa » dice, porgendomene tre.

Rimango a bocca aperta davanti a una simile dimostrazione di fiducia. Non mi aspettavo di leggere

Baldi sulla sua situazione familiare, né in generale sulla vita privata o sul perché avesse un aspetto così provato. Eppure era più di un anno e mezzo che non s'incontravano. Il giudice si limitò a porre una sola domanda.

« Come stai? »

« Bene. »

La sua conferma sbrigativa le fu sufficiente, forse perché non aveva altra scelta che affidarsi a lui. La donna gli illustrò per sommi capi la vicenda.

Era stato ritrovato un bambino.

Il fatto era avvenuto all'alba di quello stesso giorno nei boschi del Mugello, grazie a un'anziana allevatrice di cavalli che stava portando a spasso i cani. Il minore si chiamava Nikolin ed era scomparso otto mesi prima insieme alla madre, dopo che avevano forato una gomma dell'auto in cui vivevano da quando erano stati sfrattati. L'incidente era accaduto sull'unica strada asfaltata che attraversava il parco naturale ma che poi s'interrompeva, ramificandosi in sterrati e mulattiere.

« Non si è mai capito cosa ci facessero in quel luogo sperduto » concluse la Baldi.

Gerber ricordava a malapena la foto sui giornali di una vecchia utilitaria, stipata di roba, abbandonata sul ciglio della carreggiata con la ruota estratta dal semiasse e le portiere aperte. Erano i primi giorni di giugno. « E dopo quel piccolo inconveniente, cosa può essere successo? »

« C'erano due ipotesi al vaglio degli inquirenti, entrambe molto accreditate. La prima, la più drammatica, era che madre e figlio si fossero avventurati improvvidamente nei dintorni in cerca d'aiuto, finendo per smarrirsi fra i boschi... Sarebbe stato più logico seguire a ritroso la strada asfaltata, ma forse sono stati sorpresi dal buio e hanno perso l'orientamento – chi poteva saperlo.»

«Ma, se fosse andata così, dopo tanti mesi sarebbero entrambi morti» concluse Gerber. «E la seconda teoria?»

«La più rassicurante: l'automobilista di passaggio. Un buon samaritano che li carica a bordo e li lascia chissà dove. La donna e il bambino, in fondo, sono abituati a vivere alla giornata, perciò spariscono dai radar dei servizi sociali. Ci si aspettava di vederli riapparire da un momento all'altro in qualche altra parte d'Italia. Oppure, dopo aver peregrinato un po', potevano essere semplicemente tornati in Albania: d'altronde la donna non aveva più futuro qui e si era ridotta ad accettare impieghi modesti e malpagati.»

«E cosa non convinceva di questa ricostruzione?»

«Il fatto è che, pur trattandosi di una notizia rimasta senza sviluppi, a livello locale se n'è parlato parecchio...»

«... e nei mesi successivi nessun buon samaritano si è mai fatto avanti per dichiarare di aver dato un passaggio alla donna e al ragazzino che tutti stavano cercando» completò lo psicologo per lei. «Però la riapparizione del bambino scombina ogni possibile versione dei fatti. Perciò da stanotte c'è una terza ipotesi, è esatto? » Finalmente aveva compreso la ragione per cui la Baldi fosse in ansia.

« Proprio così: l'abbiamo definita la 'variante misteriosa' e vorrei che tu la verificassi. »

« E come? » domandò lui, incuriosito.

« Il bambino non parla » spiegò il magistrato mettendosi a sedere dietro un'antica scrivania di noce e lasciando Gerber in piedi. « Non spiccica una parola, anche se reagisce quando lo si chiama per nome. Non aveva documenti con sé ma sulla sua identità non ci sono dubbi, visto che corrisponde alle descrizioni delle due assistenti sociali che vigilavano su madre e figlio prima che scomparissero. Ma, se vogliamo capirci qualcosa, è a lui che dobbiamo chiederlo, perché sono troppi gli interrogativi ancora in sospeso. » Poi elencò: « Cosa è successo esattamente quel giorno di giugno? Dove è finita la madre? E, soprattutto, dov'è stato lui per tutto questo tempo? »

« E io dovrei sbloccarlo? » Gerber l'aveva già fatto in passato. Ricordava il caso di una bambina di cinque anni che un giorno si era chiusa in un inspiegabile mutismo e che sotto ipnosi aveva rivelato che la baby-sitter la maltrattava senza che i genitori se ne fossero mai accorti.

« Il fatto è che, a parte forse i capelli un po' troppo lunghi, Nikolin non sembra trasandato o denutrito. Pur essendo scomparso d'estate, adesso indossa abiti invernali. E il posto in cui l'anziana coi cani l'ha incontrato non è molto lontano dal luogo in cui si erano perse le sue tracce insieme alla madre. »

Gerber, però, non capiva. « Cosa sta cercando di dirmi esattamente, giudice? »

« Questa storia è piena di buchi neri, Pietro. E, alla fine, la verità potrebbe rivelarsi più semplice e insieme più agghiacciante di quanto possiamo immaginare. E soltanto quel bambino la conosce. » La Baldi non riusciva a esprimere meglio di così l'idea che la angustiava. « Allora, cosa suggerisci di fare? »

L'ipnotista tirò fuori dalla tasca del trench il taccuino nero con le pagine ancora immacolate. « Riapriamo la stanza dei giochi. »

7

La «stanza dei giochi» era di fatto una stanza con dentro dei giochi. Cambiava solo la funzione degli oggetti.

Servivano a esplorare la mente dei bambini.

Anche se non c'era un letto, sembrava in tutto e per tutto la cameretta di un bambino. Il pavimento era rivestito da una moquette coi colori dell'arcobaleno. Le pareti erano giallo paglierino, ricoperte di poster che variavano a seconda dell'età e del sesso del minore che doveva ospitare temporaneamente. Potevano essere personaggi dei cartoni animati per i più piccoli. Oppure cantanti, gruppi rock o sportivi amati dai teenager. Anche i giocattoli cambiavano, si andava da trenini e bambole fino a puzzle e videogame.

Lo scopo era anche aiutare il minore a distrarsi dal trauma di ciò che aveva visto o che gli era accaduto, al fine di raccogliere la sua deposizione. Grazie al gioco, di solito i racconti erano depurati dall'ansia che invece avrebbe provocato un ufficio o un'aula di giustizia.

La stanza era stata allestita dagli psicologi infantili, ogni oggetto pensato per avere uno specifico ruolo. Se un bambino o una bambina si accaniva su un pupazzo o una bambola, era probabile che avesse subito una qualche violenza. Le sedute erano sempre condotte da professionisti, mentre microcamere nascoste nei muri registravano ciò che accadeva ai fini della verbalizzazione. E poi c'era una parete con un falso specchio, dietro il quale di solito c'erano un giudice, un cancelliere, a volte una giuria, le forze dell'ordine, gli imputati con i loro difensori.

Nella stanza dei giochi, il ricorso all'ipnosi non era la regola. C'era il rischio concreto che un abile avvocato impugnasse la testimonianza contro il proprio cliente perché ottenuta con metodi suggestivi che avrebbero potuto inficiarne la genuinità. Il giudice Baldi, però, nei casi più difficili si era servita della collaborazione del *signor B.* e poi, dopo la sua morte, del figlio Pietro.

Spesso era l'unico modo per ricostruire verità complesse.

Dopo aver dato disposizioni ai carabinieri perché si approntasse una seduta, la Baldi accompagnò Gerber alla stanza dei giochi. Lungo il corridoio, lo psicologo notò un vecchio con stivali e giaccone verde: se ne stava appoggiato al muro con lo sguardo basso. Mani callose torturavano un Borsalino e lui masticava un sigaro toscano spento. Al loro passaggio, sollevò per un attimo il capo e accennò un saluto rispettoso. Solo allora Gerber si rese conto che si trattava di una donna dall'aspetto mascolino.

«Chi è?» domandò l'ipnotista.

«L'allevatrice di cavalli che ha trovato Nikolin nel bosco» rispose il magistrato.

«E perché è ancora qui?»

L'altra sollevò le spalle. « Le è stato detto che può tornarsene a casa, ma insiste a dire che non vuole lasciare solo il bambino. »

Gerber provò rispetto per quella donna mossa da un anacronistico senso di responsabilità verso un perfetto sconosciuto. Poteva addirittura leggerle nel pensiero: siccome era toccato a lei ritrovare Nikolin, era come se qualcosa o qualcuno l'avesse affidato alle sue cure.

L'ipnotista entrò nella stanza dei giochi. Non ricordava quasi più da quanto tempo non ci rimettesse piede. Per un attimo provò un senso di claustrofobia, prese fiato per tenere a bada l'emotività ma si rendeva conto benissimo di non essere più quello di prima.

Mettiamoci al lavoro, si disse.

Si sfilò l'impermeabile e lo appoggiò in un angolo sulla moquette, poi si tirò su le maniche del maglione e arrotolò la camicia a quadretti fino ai gomiti. Quindi iniziò a preparare ogni cosa in attesa del paziente. Tolse i poster dalle pareti, mise via i giochi nei cassetti. Aveva bisogno di un ambiente neutro. Lasciò soltanto matite colorate e fogli bianchi sparsi sul tavolo basso, posizionato al centro: siccome il bambino era albanese e forse parlava ancora a malapena l'italiano, Gerber pensava che potesse aiutarsi disegnando.

Con un cursore a parete, regolò la luminosità. C'era un vecchio metronomo elettronico, simile a quello dello studio della soffitta: lo settò su un ritmo in quattro quarti, con un accento sul primo battito.

Poco dopo, autorizzò i carabinieri a condurre lì il giovane Nikolin.

8

Il ragazzino varcò la soglia quando era da poco passata mezzanotte. Per prima cosa, si guardò intorno, forse domandandosi il motivo del suono persistente che si sentiva in sottofondo, ma senza lasciar trasparire alcuna reazione. Indossava un maglioncino a rombi con sotto una camicia chiara, pantaloni di flanella e un paio di Adidas consumate. Il caschetto biondo gli scendeva sulla fronte fin quasi a coprirgli gli occhi azzurri, i tratti del viso erano delicati, quasi efebici, forse per via dell'incarnato lattiginoso. Pur essendo alle soglie dell'adolescenza, su di lui non c'era traccia di pubertà.

« Vieni avanti, Nico » lo invitò Gerber, impiegando lo stesso nomignolo che, a quanto gli avevano detto, usava con lui sua madre. Poi gli indicò le sedie basse intorno al tavolino, in modo che scegliesse quella che preferiva. « Io sono Pietro » si presentò. « Benvenuto. »

Come previsto, il bambino non disse nulla. Però andò a sedersi.

Al fine di farlo ambientare, Gerber si prese tutto il tempo per richiudere la porta e lanciò un'occhiata alla parete con lo specchio, come a voler comunicare a chi stava dall'altra parte che lì erano pronti a cominciare. Quando tornò a voltarsi verso il bambino, Nikolin aveva allineato le matite colorate e impilato i fogli che lui invece aveva sparso poco prima sul tavolo. Senza un motivo specifico e senza che nessuno glielo avesse chiesto.

Gerber andò a sedersi accanto al ragazzino e attese che, dopo quell'accurata operazione, si apprestasse a disegnare qualcosa. Invece Nico rimase appoggiato al ripiano, la testa china, le braccia conserte e lo sguardo indirizzato al polsino sinistro della camicia che spuntava dalla manica del maglione.

Gerber si accorse che un bottone si era quasi scucito e penzolava da un filo di cotone. Il bambino ci giocherellava con le dita, estraniandosi dal resto.

Nel farlo, però, non sbatteva le palpebre.

La cosa gli parve subito strana. Iniziò a misurare per quanto tempo fosse in grado di resistere in tale condizione. Quaranta secondi. Poteva sembrare poco ma era un'eternità, visto che normalmente una persona sbatteva le palpebre ogni cinque secondi. Anche se non si spiegava il motivo, Gerber avrebbe dovuto tenere conto di quell'anomalia.

« Adesso faremo una specie di esperimento, ti va? » Lo psicologo non si aspettava una risposta, infatti proseguì: « Senti questo suono? Vorrei che ti concentrassi bene e che provassi a inspirare ed espirare nel momento preciso in cui ti sembra che il battito diventi più forte » spiegò.

Il respiro di Nikolin era regolare ma non andava a tempo.

Gerber non era sicuro che il ragazzino avesse capito bene, così provò a reiterare la richiesta e, per rassicurarlo, aggiunse: «Questo ti farà sentire molto rilassato: sarà piacevole, vedrai».

Però quello continuava solo a tormentare il bottone della camicia.

Gerber allora allungò una mano verso il congegno elettronico e girò la manopola affinché fosse il battito a seguire il ritmo della respirazione di Nico. Ma si accorse che il bambino ancora non si lasciava andare. Decise d'inserire una breve nota che emergeva e si inabissava.

Niente da fare, il paziente opponeva resistenza. Sembrava che per lui non esistesse altro che quel maledetto bottone penzolante. Era impossibile penetrare la sua concentrazione.

Lo sguardo sconfortato di Gerber cadde sulle matite e sui fogli ordinati. Entrando in quello spazio vuoto e del tutto nuovo per lui, Nikolin aveva avvertito subito il bisogno impellente di sistemare per bene quegli oggetti.

Disturbo ossessivo-compulsivo, si disse lo psicologo.

In contemporanea, ebbe un'intuizione. Era inutile eccitarsi troppo, avrebbe scoperto presto se si sbagliava. L'ipnotista si alzò dal proprio posto e andò a recuperare l'impermeabile che aveva poggiato per terra.

Sul bavero era appuntato l'ago da cucito con il filo blu che aveva trovato nella mela dello studio.

Lo levò, portandolo con sé al tavolo. Poi afferrò con gentilezza il braccio del bambino e tirò via il bottone della camicia insieme al filo a cui era appeso: per coincidenza, anche quello era blu. Nikolin osservò l'operazione senza protestare. Quindi Gerber iniziò a ricucire con calma il bottone al polsino col nuovo cotone. Poteva immaginare cosa stesse pensando la Baldi dall'altra parte dello specchio. Sicuramente il magistrato si stava domandando cosa diamine stesse accadendo. Ma lui era sicuro che fosse la mossa giusta.

Infatti, quando il bottone tornò al proprio posto e l'ordine delle cose fu ripristinato, il bambino gli dedicò completa attenzione. Di lì a poco, anche il respiro rallentò, segno che stava scivolando in uno stato di quiete. Gerber ne approfittò per modificare il metronomo.

Grazie a quell'espediente, Nico era caduto in una *trance* leggera. Lo testimoniavano lo sguardo perso e le braccia abbandonate lungo i fianchi.

« Mi senti? » domandò allora l'ipnotista.

Si aspettava di vederlo semplicemente annuire, invece si sorprese quando udì il suo: « Sì ».

Lo psicologo era galvanizzato da quel progresso imprevisto. « Sai dove ti trovi? »

Una breve pausa. « No. »

« Sai almeno come sei arrivato qui? »

« No. »

La seconda risposta negativa non era un buon segno: significava che probabilmente il bambino versava in uno stato confusionale, qualcosa di simile a una specie di shock post-traumatico. « Sai chi sei? »

« Sì » disse stavolta, sempre parlando in maniera automatica.

Gerber si aspettava l'inflessione tipica di uno straniero che ha dovuto imparare l'italiano, e si meravigliò che la pronuncia fosse così limpida. «E ricordi anche il tuo nome?»

L'altro non rispose, ma il respiro accelerò: la banalissima domanda lo rendeva inquieto.

Gerber decise di non insistere, la sospensione in cui si trovava il ragazzino era fragilissima e poteva infrangersi da un momento all'altro. «Qual è l'ultimo ricordo che hai?» chiese allora.

«Il bosco.»

Fu come se, improvvisamente evocato, il bosco si materializzasse intorno a loro. «Cosa c'è nel bosco?»

Il bambino iniziò ad agitarsi. «Prima le tre condizioni, poi le domande.»

Gerber non capiva. La frase era incomprensibile, ma fu soprattutto il tono autoritario a sembrargli stranamente fuori luogo. La definizione esatta era che *stonava* in bocca a un bambino, però lo psicologo non sapeva perché. Decise di spostare l'attenzione su un altro tema. «Ricordi l'incidente, quando tu e tua madre avete forato la gomma dell'auto?»

Nico annuì.

«Cosa ricordi di quel momento?»

«Sono stato io» disse.

La risposta spiazzò Gerber. «In che senso sei stato tu? Vuoi dire che hai bucato tu la gomma?»

«Sì» confermò l'altro, secco.

Non aveva tentennato, pensò l'ipnotista. Anche questo gli parve strano. «Perché?» azzardò allora.

Il ragazzino sembrò pensarci su. Poi disse, tutto

d'un fiato: « ... Arnau aveva capito dove sarebbe andata a finire prima degli altri, ma lui non poteva più farci niente... »

La frase non aveva senso. « Chi è Arnau? »

Nikolin tacque.

L'ipnotista attribuì quelle parole a una sorta d'interferenza: come se un ricordo, venuto da chissà dove, si fosse inserito arbitrariamente nella ricostruzione dei fatti. « Ti va di parlarmi di tua madre? » chiese.

« Arnau aveva capito dove sarebbe andata a finire prima degli altri, ma lui non poteva più farci niente » ripeté invece il bambino, come una cantilena.

Cercava di sviare l'argomento? C'era solo un modo per scoprirlo: insistere. « Nico, cosa è successo a tua madre? » domandò, in modo diretto.

Silenzio.

« Le è accaduto qualcosa? »

« Sì. »

« È colpa di questo Arnau? »

« No. »

« Allora di chi? »

« Sono stato io. »

La stessa frase di poco prima, la stessa nettezza. Pietro Gerber provò un senso di disagio. Improvvisamente, si pentì di non essere rimasto a casa quella sera. Non voleva più stare lì. « Cosa intendi? Puoi essere più chiaro, per favore? » si sforzò di domandare.

Stavolta il bambino voltò lentamente il collo verso di lui. Lo fissò e, con tono glaciale, ribadì: « Sono stato io ».

9

Prima seduta: 24 febbraio 2021.
Paziente: Nikolin (12 anni).

Note

L'ho riportato indietro staccando nuovamente il piccolo bottone dal polsino della camicia. Non è stato necessario contare a ritroso. Il gesto l'ha come «disconnesso». Dopodiché, il ragazzino è tornato a chiudersi in un silenzio imperturbabile.

Al termine della seduta, Nikolin non aveva una chiara percezione di quanto mi aveva appena rivelato, né delle conseguenze che ciò avrebbe comportato per lui. Al risveglio, si è limitato a osservarmi coi suoi occhi innocenti che sembravano esplorare il mondo per la prima volta.

Allora Pietro Gerber rammentò di aver provato un'immensa compassione per lui, il mostro bambino.

Sollevando lo sguardo dal taccuino nero e guardandosi intorno nel corridoio semideserto del tribunale dov'era seduto su una panca di formica, lo psicologo si rese conto di essere molto coinvolto. Non gli era mai capitato e non era accettabile. Specie verso la fine della seduta con Nikolin, l'insolito stato d'animo aveva messo seriamente a rischio la sua imparzialità.

Il giudice Baldi aveva definito una chiara ammissione di colpa l'ultima frase pronunciata da Nico. I carabinieri concordavano con lei. La procura era stata informata subito del drammatico sviluppo della vicenda. Anche se la dichiarazione resa sotto ipnosi non aveva lo stesso valore legale di una confessione, adesso si sarebbero cercati gli elementi per corroborarla.

All'alba sarebbero iniziate le perlustrazioni dei boschi in cui era stato ritrovato il ragazzino con l'impiego dei cani da cadavere.

Gerber non poteva fare a meno di pensare che lo stesso sforzo non era stato profuso ai tempi della scomparsa, per cercare madre e figlio mentre erano forse ancora entrambi vivi. Probabilmente perché erano poveri e, soprattutto, perché non erano italiani. E anche all'opinione pubblica era importato poco di loro. Ma forse adesso, con quella svolta inaspettata, ci sarebbe stato materiale succulento per appagare anche l'appetito dei social.

Alla fine, la verità potrebbe rivelarsi più semplice e insieme più agghiacciante di quanto possiamo immaginare.

Aveva detto proprio così Anita Baldi quando aveva esposto a Gerber le motivazioni per cui era necessario un suo intervento. E, alla luce di ciò che era accaduto poi nella stanza dei giochi, quello del giudice non era soltanto un presentimento.

Quel bambino nascondeva un segreto più grande di lui.

Siccome non sarebbero bastate mille sedute d'ipnosi per scandagliarlo e capire cos'era realmente successo, il ruolo dello psicologo infantile poteva dirsi esaurito. Dopo aver apposto la firma sulla dichiarazione giurata, poteva tornarsene a casa. Non avrebbe più dovuto occuparsi di quella storia e non avrebbe più rivisto Nico. Dopo ciò che era accaduto quella notte, l'idea lo sollevava.

Eppure non riusciva a smettere di annotare le proprie impressioni sul taccuino che aveva riservato al caso.

Forse perché, mentre attendeva che si espletassero tutte le formalità, dalle porte aperte degli uffici gli era capitato di carpire l'ipotesi che si faceva strada fra gli inquirenti. Cioè che Nikolin, dopo aver condotto la madre con un pretesto in una zona isolata, avesse provocato intenzionalmente il piccolo incidente della gomma forata. Approfittando della situazione, l'aveva uccisa e, dopo essersi sbarazzato del corpo, si era avventurato nel bosco con l'intento di far perdere le proprie tracce.

Tralasciando per un attimo l'idea che un bambino di dodici anni potesse escogitare un simile piano, la circostanza che fosse stato davvero in grado di sopravvivere per mesi da solo, nascosto nei boschi, non sembrava un problema per gli investigatori. C'erano diversi ruderi abbandonati dove avrebbe potuto trovare rifugio. Quanto al cibo, avrebbe potuto sempre avventurarsi saltuariamente fuori dalla foresta e procurarselo nei casali o nei paesini limitrofi, rubando o, alla peggio, frugando tra i rifiuti.

Gerber, però, non era del tutto persuaso da quella ricostruzione.

Non poteva fare a meno di pensare che il ragazzino fosse ben nutrito e, a detta pure della Baldi, il suo aspetto non era affatto malmesso, a cominciare dall'abbigliamento e proseguendo con l'igiene personale. Sicuramente c'era una spiegazione anche per quello, ma lo psicologo criticava il modo in cui gli inquirenti a volte cercavano di forzare i fatti solo per farli combaciare con la versione che gli faceva più comodo.

Tuttavia, l'unica che ancora si rifiutava di dare credito a quella verità era l'anziana allevatrice di cavalli che aveva trovato Nico nel bosco: dopo aver appreso che il bambino sarebbe stato portato in una struttura detentiva per minorenni, aveva capito da sé la piega che aveva preso la faccenda, senza bisogno che qualcuno le chiarisse che c'era stata una specie di confessione. La donna aveva protestato, chiedendo di poter parlare col giudice. In tutta risposta, era stata pregata di allontanarsi.

Andando via, era sfilata a capo chino davanti a Gerber che aveva provato pena per lei e per il modo in cui l'avevano trattata.

Intanto, l'attesa si prolungava oltremisura e in quel frangente l'ipnotista ebbe modo di tornare col ricordo nella stanza dei giochi. Rianalizzando la seduta e le parole del ragazzino, si rese conto che c'erano delle incongruenze che proprio non riusciva a collocare in uno schema logico.

Inezie, ma più ci pensava e più s'incaponiva a cercargli un significato. Decise di annotarle.

Quando gli ho chiesto se rammentava come si chiamasse, Nikolin si è agitato.

In seguito, ha nominato un certo « Arnau ».

Poi c'è la questione della parlata senza accento straniero: possibile che il bambino abbia imparato cos bene l'italiano in quattro anni?

Infine, la frase stonata.

« Prima le tre condizioni, poi le domande. »

Gerber si rendeva conto che il suo era un esercizio speculativo quasi del tutto inutile, visto che anche lui, in fondo, non vedeva alternative al fatto che Nikolin, nonostante la giovane età, si fosse reso responsabile di qualcosa di tremendo. Forse avrebbe dovuto semplicemente smetterla di immaginare possibili vie d'uscita da quella realtà, perché erano solo miseri espedienti per non essere costretti ad accettare che una forza insensibile governava l'universo e che, perciò, anche i bambini potevano macchiarsi di delitti innominabili. E ostinarsi a cercare particolari fuori posto che rimettevano in moto la spirale dei pensieri non avrebbe cambiato certamente le cose.

Però c'era ancora qualcosa che s'inceppava nel meccanismo logico.

Il bottone della camicia scucito e il fatto che avessi con me ago e filo dello stesso colore blu ora mi sembrano casualità fin troppo... casuali.

Mentre la scriveva, si rese conto che quell'ultima annotazione esulava dalla valutazione del bambino e lui, in quanto consulente del tribunale, avrebbe dovuto esimersi da simili considerazioni, anche se lo coinvolgevano direttamente. Ancora una volta, era come se cercasse una verità alternativa a quella ufficiale. Ma questo era comunque compito degli investigatori, non suo.

Verso le tre del mattino, finalmente una carabiniera lo convocò in un ufficio per sottoscrivere la dichiarazione giurata in cui era riassunto il proprio parere di esperto. Quando si trattò di confermare il giudizio di colpevolezza, Pietro Gerber esitò un momento. Anche se, data la giovane età, Nikolin non era imputabile né processabile, la sua opinione avrebbe pesato sul futuro del ragazzino. Tante altre volte lo psicologo si era trovato in una situazione analoga con un minore: si trattava di una responsabilità enorme. Ma mai come in quel caso, gli costò fatica apporre il proprio nome in calce al foglio.

Quando ebbe finito, non aveva voglia di trattenersi oltre o di rivedere la Baldi. Immaginò che il giudice fosse impegnata a districarsi fra le nuove implicazioni del caso. Di lì a qualche ora, era prevista anche una conferenza stampa e Gerber sapeva bene cosa sarebbe accaduto.

Il mondo avrebbe avuto un nuovo mostro di Firenze, stavolta con le sembianze di un bambino.

Allo scalpore e allo sconcerto iniziali avrebbe fatto seguito un sentimento meno nobile, curiosità. Si sarebbe scatenata una morbosa caccia ai dettagli e l'orrore sarebbe evaporato insieme alla pietà, lasciando il posto a una liturgia più prosaica, fatta di chiacchiere e pettegolezzi. In fondo, la prima reazione della gente davanti a un fatto di sangue era cercare il profilo dei carnefici sui social. E solo in un secondo momento anche quello delle vittime. Come se nella normalità ostentata sul profilo Facebook o Instagram del futuro mostro potesse nascondersi qualche traccia di malvagità o di follia.

Ma non sempre il male poteva essere spiegato.

E Gerber avrebbe voluto che quelle persone sperimentassero ciò che aveva provato lui nella stanza dei giochi, la stessa sensazione di terrore e di sgomento prima che Nikolin tornasse a essere soltanto un bambino. Perché era come se ci fossero due entità dentro di lui.

L'innocuo dodicenne e il freddo assassino.

Mentre lasciava il tribunale ridiscendendo rapidamente lo scalone di marmo, lo psicologo teneva una mano in tasca e stringeva il taccuino nero di cui aveva riempito soltanto le prime due pagine. Il resto, invece, sarebbe rimasto intonso e quel quadernetto sarebbe finito nel suo archivio, protetto per sempre da un segreto professionale che gli impediva tanto di diffonderne il contenuto quanto di distruggerlo.

L'addormentatore di bambini avrebbe voluto gettarlo nel primo cassonetto. Ma non poteva.

Una volta per strada, fu investito da una folata di vento freddo che sembrò respingerlo all'interno dell'edificio. Prima di proseguire, si strinse nell'impermeabile e affrontò la tormenta. Un'atmosfera surreale incombeva sul centro storico, l'umidità impregnava pesantemente l'aria.

Era come se piovesse, ma non c'era la pioggia.

In giro non si vedeva ancora nessuno. Si sentivano solo i rintocchi della campana del Leone, collegata all'orologio della torre di Arnolfo che svettava su Palazzo Vecchio. Gerber considerò che fosse il caso di andarsene a dormire, anche perché il primo appuntamento della giornata era fissato per le nove e aveva bisogno di riposarsi prima di affrontare un'altra seduta. Specie dopo una notte come quella.

Si mosse in direzione di casa, quando percepì chiaramente il suono di passi alle proprie spalle. Provò un senso di disagio. Allora accelerò l'andatura. Ma anche lo sconosciuto dietro di lui fece lo stesso.

La concomitanza lo mise in allerta.

In un altro momento, non avrebbe dato molto peso alla cosa. Ma la memoria beffarda gli ripropose il ricordo della porta dello studio nella soffitta che si apriva e si chiudeva da sola, nonché l'accendersi della lampadina rossa che annunciava l'arrivo dei pazienti senza che però nell'anticamera ci fosse qualcuno, poco prima che lui rinvenisse l'ago da cucito nella mela.

Pietro Gerber conosceva il potere della suggestione e sapeva bene che lasciare libera la mente d'immaginare tutto ciò che voleva significava anche perdere il controllo delle proprie azioni. Con l'intenzione di smascherare la propria fervida fantasia, si fermò e si voltò di scatto, mettendosi in attesa.

Avrebbe visto passare la persona dietro di lui e si sarebbe dato dello stupido. Ma l'ombra che lo stava seguendo sembrò spiazzata dalla sua repentina decisione e rallentò, e ciò sorprese anche Gerber.

Trascorse qualche istante di assoluto silenzio. Poi, chiunque fosse, riprese a venirgli incontro.

10

« Non volevo spaventarla » si scusò l'allevatrice di cavalli che aveva trovato Nico nel bosco, cavandosi anche il cappello per presentarsi.

Gerber pensò che doveva esserle sembrato improvvisamente pallido, altrimenti non si spiegava quella giustificazione. « Mi spiace, ma non posso dirle nulla: sono tenuto al segreto professionale » la precedette e, per farle capire meglio, si riavviò.

« Quel bambino non sbatte le palpebre. »

Non aveva dimenticato l'anomalia, ma l'affermazione della donna servì a rinfrescargli la memoria. Tornò a voltarsi verso di lei.

« Non voglio farle delle domande » proseguì l'altra, incoraggiata dall'avere finalmente la sua attenzione. « È solo che non posso tenermi dentro questa roba, ho bisogno di raccontarla a qualcuno » quasi lo supplicò.

Di che « roba » stava parlando? « Non capisco: non ha già riferito tutto ai carabinieri? »

« Ho risposto a tutte le loro domande » si difese l'allevatrice. Ma, evidentemente, c'era dell'altro.

« Se ha omesso qualcosa di rilevante, deve tornare subito da loro e integrare le sue dichiarazioni. »

« Ho chiesto del giudice fino a poco fa, ma non mi ha voluto ricevere... »

Gerber emise un sospiro. « Rischia un'incriminazione per aver intralciato la giustizia, lo sa? »

« Non credo che ciò che ho da dire cambierà molto le cose, o forse sì... Non lo so... »

A cosa si riferiva esattamente la donna?

« È una cosa che è successa, ma non so se è successa veramente. Sono avvenute delle strane... *coincidenze* » asserì. « Ecco perché non ne ho parlato prima. Ma, quando ho capito che forse state accusando il bambino di aver fatto del male a sua madre, mi sono detta che probabilmente sono importanti. »

Tergiversava, sembrava confusa. Gerber, però, decise di concederle lo stesso pochi minuti. « Conosco una caffetteria che rimane aperta tutta la notte: venga con me, così mi spiegherà meglio. »

Poco dopo, erano seduti all'unico tavolino del locale: una piccola torrefazione con servizio d'asporto situata in un bugigattolo a due passi dalla basilica di Santa Croce e che, da quasi cinquant'anni, serviva il più gustoso espresso di Firenze.

Col sottofondo degli sbuffi di vapore di una macchina per il caffè in rame e avvolti dal profumo dei cornetti caldi appena consegnati dal garzone di un fornaio, Gerber provò a capire che cosa intendesse l'anziana allevatrice poco prima. « Allora, mi racconti dal principio e non abbia timore... » la incoraggiò.

« Il fatto è che, da qualche settimana ormai, ogni notte mi sveglio alla stessa ora: le 3.47 » riferì la donna mentre si avvicinava una tazzina calda alle labbra, reggendola con entrambe le mani come fosse un piccolo nido. « Non so perché sia così, ma mi volto verso la sveglia e segna sempre quell'orario. »

Lo psicologo conosceva il fenomeno. « Lei soffre d'insonnia? »

« Sì » ammise l'altra.

« Allora è normale: si tratta di un'illusione creata dal cervello, uno strascico della fase REM anche detto 'sogno cosciente'. Lei pensa di ridestarsi sempre alla stessa ora precisa ma, in realtà, quando guarda la sveglia sta ancora sognando. »

L'allevatrice però non sembrava del tutto persuasa. « E c'è un'altra cosa » aggiunse. « Visto che sono costretta ad alzarmi così presto, ogni giorno ne approfitto per portare i miei cani nei boschi in cui un tempo andavo a caccia con mio marito, prima che i nipoti cominciassero a guardarmi come un'assassina » ci tenne a specificare. « Ma vado sempre nello stesso posto, la Valle dell'Inferno. »

Gerber, però, non capiva. « Perché non cambia? »

« Non lo so: ogni volta che mi metto in macchina mi dico che andrò altrove, ma poi finisco sempre lì. »

Lo psicologo non sapeva come replicare. Gli sembrava una cosa assurda e non voleva che la donna si sentisse offesa per un suo commento, allora la lasciò semplicemente finire di parlare.

« I miei due setter corrono come dei dannati per una mezz'ora e poi li riporto indietro, al casale. »

Gerber sapeva che l'incontro con Nikolin il mattino prima era avvenuto proprio in tali circostanze. « I suoi cani hanno trovato il bambino. »

« Sì, ma non è solo quello... » Dopo aver posato la tazzina, l'allevatrice si torturava le mani incallite dal cuoio delle redini, in preda a una strana inquietudine. « Parcheggio sempre la mia Lada in uno spiazzo dove comincia il sentiero. E anche ieri mattina ero lì, prima che sorgesse il sole, perciò non si vedeva ancora quasi niente, però... »

« Però? » la sollecitò Gerber, improvvisamente incuriosito.

« Ho avuto l'impressione di non essere sola. »

« In che senso? »

« È come se sapessi che il bambino era nel bosco... un attimo prima che i miei cani si mettessero ad abbaiare. »

« Ma ha sentito un rumore o ha notato qualcosa di strano? »

L'altra scosse il capo, mordendosi il labbro. Era spaventata e imbarazzata.

Gerber non voleva umiliarla dicendo che forse era solo suggestione: a suo parere, si trattava delle fantasie di una persona anziana ancora scossa dall'accaduto. Però, in qualche modo, si rivelarono utili perché lo costrinsero a considerare che anche lui aveva provato una strana sensazione mentre cercava di far parlare Nikolin.

Una presenza.

Sì, era come se ci fosse qualcun altro insieme a loro nella stanza dei giochi. Ma l'ipnotista non avrebbe saputo chiarire meglio la cosa, neanche a sé stesso. E poi c'era la faccenda dell'intruso che si era introdotto nel suo studio per infilare l'ago con il filo nella mela. Adesso Gerber non era più così sicuro che l'intento di chi aveva piazzato lo spillo fosse quello di fare del male.

Chi l'ha messo lì voleva semplicemente che me ne accorgessi e che me lo portassi appresso, si disse improvvisamente.

Perché solo ricucendo il bottone che penzolava dal polsino della camicia di Nico, il bambino aveva iniziato a parlare. Ma forse il blocco del dodicenne non dipendeva da un disturbo ossessivo-compulsivo. E adesso, ascoltando il racconto sconclusionato dell'allevatrice di cavalli, l'ipnotista si rese conto che era come se quel gesto lo avesse... *attivato.*

« Mentre era con lei, Nico ha fatto qualcosa? » le chiese.

« No, a parte seguirmi in silenzio fino a casa e poi mangiare pane e latte accanto alla stufa... Ma se devo dirle la verità, per tutto il tempo mi è sembrato come sperduto. »

Gerber ci pensò su: « sperduto » era la parola più adatta per descrivere quello stato. « Le dice niente: 'Prima le tre condizioni, poi le domande'? » chiese, contravvenendo in parte al proprio dovere di riservatezza. Ma al momento non intendeva andare tanto per il sottile, doveva capire perché quelle parole gli erano parse stonate.

La donna alzò le spalle, interdetta, poi chiese: « È stato Nico a dirlo? »

Non confermò ma nemmeno smentì. Non le avrebbe rivelato che il ragazzino si era autoaccusato di ciò che era accaduto alla madre, ma lì per lì decise che sarebbe andato fino in fondo con lei. Gli tornò in mente la frase apparentemente fuori contesto e senza senso che Nikolin aveva proferito di punto in bianco.
« 'Arnau aveva capito dove sarebbe andata a finire prima degli altri, ma lui non poteva più farci niente' » ripeté.

La vecchia si drizzò, sbalordita. Ovviamente, sapeva qualcosa che invece Gerber ignorava.

« Ha già sentito questo nome? Sa chi è Arnau? » la incalzò.

L'allevatrice cercava di mettere ordine ai pensieri, come se non sapesse da dove cominciare a spiegare. Ma poi disse: « Tutti a Firenze sanno chi è Arnau ».

11

La maggior parte delle persone non immaginava di trascorrere almeno il dieci per cento della propria esistenza al buio. Perfino di giorno. Perché, sommando tutte le volte in cui un essere umano in media sbatte le palpebre, si ricavava esattamente quel numero.

Siamo immersi nell'oscurità per almeno quattro secondi ogni minuto, rammentò Pietro Gerber. E tutto ciò avviene senza che ce ne accorgiamo, anche mentre stiamo compiendo un'azione che richiede la massima concentrazione, come maneggiare una lama affilata oppure guidare.

Era risaputo che quel semplice automatismo serviva a idratare l'occhio e liberarlo da eventuali impurità, come il pulviscolo presente nell'aria. Ma pochi erano a conoscenza del fatto che avesse anche l'importantissima funzione di far « riposare » il cervello. Infatti, in quella frazione di secondo fra l'apertura e la chiusura delle palpebre il cervello si prendeva una pausa senza che ciò avesse alcun effetto sulle mansioni in cui era impegnato: nella fattispecie, non ci si tagliava e non si andava a sbattere con l'auto perché, in qualche modo, la nostra mente « continuava a vedere ». Ma un'interruzione o un ritardo in questo elementare processo alterava gravemente la percezione del tempo e dello spazio. Una delle torture preferite dagli inquisitori fiorentini nel Medioevo era « l'abbacinamento » e consisteva nel tagliare le palpebre agli eretici per costringerli a confessare. Dopo un po', infatti, questi iniziavano a vedere demoni e spiriti maligni, ma la loro eresia consisteva nell'aver perso la cognizione del mondo che gli stava intorno.

Mi è sembrato come sperduto.

Le parole dell'allevatrice di cavalli descrivevano bene lo smarrimento di Nikolin. Per questo, le palpebre rallentate del bambino avrebbero dovuto far risuonare un campanello d'allarme nella testa di Gerber. E adesso l'ipnotista nutriva il serio dubbio che l'anomalia non dipendesse da Nico, ma fosse determinata da qualcos'altro. Per capire qual era la causa, non poteva permettersi di lasciare nulla d'intentato.

A tal fine, lo psicologo era tornato subito in studio e adesso era seduto davanti allo schermo di un computer. Aveva appena digitato il nome « Arnau » su YouTube.

L'anziana donna forse aveva esagerato asserendo che tutti a Firenze lo conoscevano. Ad esempio, Gerber non ne aveva mai sentito parlare, e nemmeno la Baldi. Però, a giudicare dalla quantità di video e di commenti che gli apparvero sul monitor, l'episodio per cui Arnau veniva ricordato a Firenze aveva fatto scalpore.

Risaliva a più di vent'anni prima.

Il 2 novembre del 1999 allo stadio Franchi si giocava la partita di Champions League tra la Fiorentina e il Barcellona. In mezzo ai vari campioni schierati in campo, c'era anche un centrocampista che fino a quel momento aveva avuto una dignitosa ma modesta carriera da gregario. Si chiamava Mauro Bressan e fino al tredicesimo minuto del primo tempo nessuno immaginava che potesse entrare nella storia della città di Firenze, tantomeno lui stesso.

Guardando il filmato che immortalava la sua impresa e leggendone la didascalia, Gerber non poté fare a meno di meravigliarsi.

Nella ripresa televisiva, Bressan si trovava abbondantemente fuori dall'area avversaria quando aveva visto venirgli incontro una palla alta. Era di spalle alla porta e doveva solo addomesticarla per provare a lanciare qualche compagno più talentuoso di lui. Almeno era ciò che avrebbe dovuto suggerirgli l'istinto di comprimario.

Invece ecco la follia, oppure il genio.

Bressan si elevava e colpiva il pallone in rovesciata. La sfera compiva una traiettoria impossibile e andava a insaccarsi alle spalle del portiere *blaugrana*, Francesc Arnau: così come aveva detto giustamente Nikolin, Arnau era stato il primo a intuire che la traiettoria sarebbe terminata nella sua rete. Prima dei compagni di squadra, del pubblico e certamente anche dello stesso Mauro Bressan. Ma l'unica cosa che poté fare fu assistere impotente al capolavoro balistico che si stava realizzando davanti ai suoi occhi.

Gerber guardò e riguardò quel video, cercando di capire cosa c'entrasse l'evento sportivo con la storia di

Nico e di sua madre. L'unica cosa che gli venne in mente fu che il ragazzino nel 1999 non era ancora nato.

E allora da dove veniva quel ricordo?

Forse conosceva l'episodio perché era un tifoso della Fiorentina, ma gli sembrò un dettaglio troppo anacronistico. Un bambino albanese che è arrivato in Toscana da soli quattro anni non sa queste cose, si disse.

L'informazione era penetrata in un altro modo nella sua mente, Gerber ne era sicuro.

Un terribile sospetto, ma anche un'incontrollabile paura. Non ti immischiare, gli disse una vocina. Il tuo compito è finito. Sapeva anche troppo bene che non le avrebbe dato retta, doveva prima avere la certezza di essersi sbagliato.

Non sbatte le palpebre.

Aggiunse l'appunto sul taccuino perché era convinto che ci fosse un nesso fra l'anomalia fisica che aveva notato nel bambino e una partita di calcio di più di vent'anni prima. La *presenza* che aveva avvertito mentre parlava con Nikolin non era solo un frutto della sua immaginazione. Non avrebbe saputo definirla e, prima di allora, avrebbe diffidato di certe cose. Però, dopo quella notte, non era più sicuro di ciò in cui credeva veramente.

Perché era come se quel bambino fosse posseduto.

12

« Perché? » fu la domanda secca della Baldi al telefono.

Ci avevano messo venti minuti a passargliela e Gerber temeva un rifiuto solo per il fatto che l'avesse disturbata in un momento critico, mentre il suo ufficio si apprestava a diffondere la notizia dell'esistenza di un matricida minorenne.

« Per non lasciare nulla d'intentato » fu la risposta parzialmente veritiera con cui cercò di rabbonirla e, contemporaneamente, di giustificare il fatto che volesse rivedere Nikolin. Si stava già recando a piedi verso l'istituto in cui era detenuto il bambino.

« Non è che poi rischiamo di mandarlo in confusione o qualcosa del genere? »

Lo psicologo capì che il giudice voleva fidarsi di lui. Le aveva fatto balenare il pensiero che l'accusa non fosse poi così solida. Forse era davvero così, ma per ora non aveva voglia di illustrarle il proprio sospetto. Anche perché difficilmente il magistrato avrebbe creduto a una possessione.

C'era qualcos'altro nella mente di Nico. Qualcosa che Gerber non era riuscito a far emergere durante la seduta d'ipnosi. O forse era venuto fuori e lui non aveva saputo interpretarlo.

Provò a spiegarle la storia delle palpebre e aggiunse: « Devo solo eseguire un test sullo stato di coscienza: che danni posso causare se provo a fare ancora due chiacchiere con lui? In fondo, avete già verbalizzato ciò che vi serve ». Avevano una confessione che, probabilmente, presto sarebbe stata confermata dal ritrovamento di un cadavere. Perciò la Baldi non aveva nulla da temere. « Non ho intenzione di ipnotizzarlo » le assicurò per farla sentire più tranquilla.

« Niente ipnosi? »

« Niente ipnosi » promise, anche perché era convinto che non ce ne sarebbe stato bisogno.

« D'accordo » si arrese la Baldi. « Li avverto che stai arrivando, ma poi dovrai riferire subito a me » lo ammonì.

Chiusero la comunicazione quando Gerber era quasi giunto a destinazione. Erano appena le sette del mattino e lo psicologo calcolò che, nel caso si fosse sbagliato, avrebbe fatto in tempo a tornare in studio per il primo appuntamento della giornata.

Desiderava più di ogni altra cosa essere in errore.

Nico si trovava in un palazzo a poca distanza dalla basilica di Santa Maria Novella e dall'omonima stazione ferroviaria. L'anonimo istituto era l'ultima destinazione per i minori che, a causa della giovane età, non potevano subire un processo ed essere condannati. Sarebbero rimasti lì a tempo indeterminato, finché un giudice non avesse stabilito che erano pronti a tornare a una vita normale in mezzo agli altri. Non c'erano sbarre alle finestre e l'edificio era soggetto a vincoli per la sua rilevanza architettonica. Il *signor B.* diceva sempre che a Firenze ogni cosa è impreziosita dalla storia. Perfino una prigione per bambini non si sottraeva a quella regola. Ma c'erano due motivi perché non dovesse somigliare a un carcere. Per tutelare i ragazzi che stavano là dentro. Ma anche per proteggere il mondo esterno dall'idea che ci fossero bambini in grado di uccidere. Infatti, a chi gli domandava se esistessero davvero posti del genere, Gerber rispondeva sempre di no.

Lo psicologo c'era già stato in passato, per svolgere il proprio lavoro di consulente del tribunale. Perciò sapeva che spesso i giovani ospiti si erano macchiati di azioni orripilanti. La capacità criminale di quei ragazzini era del tutto simile a quella degli adulti, così come la spietatezza. Ma con in più un vantaggio: l'età era una maschera ingannevole, grazie alla quale molti di loro erano stati in grado di raggirare le proprie vittime, facendole sentire al sicuro prima di colpirle con ferocia.

Gerber fu accolto sul portone da un'operatrice sulla quarantina, capelli scuri raccolti in una coda e occhiali da vista. Era stata già informata di tutto dalla Baldi. «Nikolin è stato affidato a me» precisò, presentandosi con modi cordiali.

Un minore, un operatore: era questa la regola. Gli operatori avevano il compito precipuo di monitorare i comportamenti con particolare attenzione ad aggressività e cambi repentini dell'umore. La loro valutazione avrebbe pesato sul curriculum carcerario, ma l'intenzione principale era capire se il crimine commesso avrebbe potuto o meno essere reiterato in età adulta.

Mentre lo accompagnava lungo i corridoi, la donna ci tenne a ragguagliarlo: al momento i ragazzi detenuti erano già svegli e stavano facendo colazione in perfetto orario con l'inizio dell'attività scolastica, previsto come sempre per le otto esatte. Nikolin era esentato perché quello era il suo primo giorno.

« L'hanno portato qui un paio di ore fa e quindi non ha riposato molto » disse l'operatrice mentre attraversavano diversi varchi di sicurezza, sorvegliati da guardie. « È il più piccolo e perciò l'abbiamo messo in stanza da solo, ma valuteremo se spostarlo con gli altri. »

La stanza, come l'aveva definita la donna, in realtà era una vera e propria cella. Gerber scorse Nikolin attraverso lo spioncino di una porta chiusa. Era seduto in punta al letto, la schiena ricurva e le mani strette fra le gambe. Non portava più i vestiti di quando era stato trovato nel bosco: come gli altri compagni, era tenuto a indossare una tuta bianca. Guardava in alto, verso l'unica finestrella da cui filtrava la prima luce del mattino.

« Come va? » lo salutò lo psicologo. « Ti ricordi di me? » Ma sapeva già che non avrebbe ottenuto alcuna risposta.

« Sta così da un bel po' » affermò la donna. « Non dice e non fa nulla, però è tranquillo. »

Allora Gerber andò a sedersi accanto a lui e gli passò anche una mano fra i capelli biondi, accarezzandogli amorevolmente la testa. « Sei contento che sono venuto a trovarti? »

Nikolin non spostò nemmeno lo sguardo, era come catatonico.

« Sì che è contento » rispose l'altra per lui, con il tono commiserevole che molti usano a sproposito con i bambini.

Ma Gerber non era certo che Nico fosse felice di rivederlo. Lui non lo era. Non era ancora sicuro di sapere con quale strano fenomeno avesse a che fare, né che Nikolin fosse innocuo come voleva far sembrare. Le domande di circostanza e l'atteggiamento amichevole servivano solo a fare scena con l'operatrice, che infatti si congedò subito.

« Tornerò fra mezz'ora » li avvertì, allegra. « E magari vi porto anche un po' di colazione. »

« Grandioso » commentò Gerber. Ma appena l'operatrice si fu allontanata, il suo sorriso si spense.

Aveva promesso alla Baldi che non avrebbe ipnotizzato Nico, ma solo perché era convinto che non fosse necessario ripetere il solito rituale col metronomo e il conto alla rovescia. Senza perdere altro tempo, recuperò dalla tasca lo smartphone. A causa dei controlli, non avrebbe potuto introdurre un ago da cucito in un carcere. Ma era anche sicuro che qualcun altro avesse previsto quell'impedimento, offrendogli nel contempo anche la soluzione.

Se le sue supposizioni erano giuste, sapeva come attivare il bambino una seconda volta.

Sul telefono, andò in cerca del video del gol di

Bressan in Fiorentina-Barcellona e piazzò lo schermo di fronte a Nikolin. Avviò la riproduzione.

Mentre attendeva speranzoso che facesse effetto, si sentiva fortemente inquieto. Ripensò a Lavinia e al fatto che la ragazzina non riuscisse ad aprire una porta chiusa dentro di sé. Come poteva pretendere che ci riuscisse se il suo terapeuta non era in grado di fare altrettanto in quel momento? Solo che la soglia che si apprestava a varcare Pietro Gerber affacciava sul baratro dell'ignoto. E lui non sapeva se avrebbe fatto meglio ad appellarsi a Dio o alla propria scienza.

Il filmato stava per terminare, ma Gerber si accorse che Nico già abbandonava braccia e spalle. Era il segnale. La porta nella sua mente si era aperta per lasciar entrare l'ipnotista.

Mise via il cellulare. « Come vedi, ho scoperto chi è Arnau » esordì, rivolgendosi al bambino. « E forse ho capito perché tu abbia avvertito il bisogno di fornirmi quest'informazione... Penso che fosse una specie di test, che volessi mettermi alla prova. Mi sbaglio? »

« Non ti sbagli » disse l'altro, senza scomporsi.

« E ti sei servito di un episodio del passato per farmi anche capire che non sto parlando con un bambino di dodici anni, ma con un adulto... Perché in questo momento tu non sei Nikolin, vero? »

Il ragazzino tacque. Quel silenzio ebbe ugualmente il potere di far rabbrividire Gerber.

Poi, come la prima volta che si erano visti, il paziente ribadì in tono monocorde: « Prima le tre condizioni, poi le domande ».

Lo psicologo si sentiva in tumulto. Per quanto fosse spaventato, cercava di rimanere calmo. « D'accordo: sentiamo queste condizioni... »

L'altro iniziò a elencare meccanicamente: « Primo: non dovrai parlare a nessuno di me. Secondo: ascolterai ciò che ho da dire... *fino in fondo* ». Sottolineò l'ultima parte.

Gerber considerò le varie implicazioni di quelle richieste. Lui non aveva la facoltà di incontrare Nico come e quando voleva e mantenere pure la cosa riservata. Non era certo di poter stringere un simile patto, però si ritrovò lo stesso a chiedere: « Qual è la terza condizione? »

« Non dovrai cercarmi là fuori. »

L'ultima frase confermò la teoria che lo psicologo aveva maturato fin dall'inizio. Cioè che a parlare attraverso il bambino fosse chi l'aveva rapito e poi tenuto prigioniero in quegli otto lunghi mesi. Perciò, quando nella stanza dei giochi Nico aveva detto: « Sono stato io » era l'altro che confessava.

« Che fine ha fatto la madre di Nikolin? » azzardò, con timore.

Ma la richiesta non sortì alcuna reazione, come se ci fossero risposte che il bambino non era stato programmato a fornire.

Gerber era sempre più allarmato. « Se accetto le tue condizioni, cosa otterrò in cambio? »

Non ci fu alcuna replica.

« Sei venuto tu al mio studio ieri pomeriggio, hai lasciato tu l'ago nella mela... » L'affermazione rimase senza riscontro, ma Gerber era certo che fosse andata così. La visita aveva un duplice scopo: fornirgli uno strumento per attivare il racconto nel bambino e fargli capire che lui era vicino, molto più di quanto Gerber potesse immaginare. « Se ti avvicini di nuovo ai miei pazienti, dovrai vedertela con me » lo minacciò, sapendo anche che era del tutto inutile perché chi stava realmente parlando non avrebbe potuto sentirlo.

Nikolin era una specie di registratore che riproduceva quanto era stato inciso nella sua mente, come su un nastro magnetico. Ecco perché la sua pronuncia non aveva un'inflessione straniera.

Ma, per lo stesso motivo, Gerber si accorse che in quel momento avrebbe potuto promettere qualsiasi cosa: qualunque patto gli avrebbe solo fatto guadagnare tempo prezioso per capire meglio cosa stava accadendo e se esistevano davvero dei pericoli. « D'accordo » disse allora. « Farò ciò che chiedi. »

Nikolin non si scompose e continuò a inspirare ed espirare con regolarità, fluttuando nel suo stato di quiete come un pesce rosso in un'ampolla di cristallo.

Gerber aveva ancora una domanda, ma era intimorito da ciò che avrebbe potuto sentire stavolta. Tuttavia non aveva scelta, anche se a spingerlo non era la curiosità bensì, paradossalmente, la stessa paura che lo frenava. Alla fine, osò: « Chi sei tu? »

Un debole sorriso. « Lo sai chi sono... »

Sì, è vero: lo sapeva. « Sei un ipnotista. »

13

Pietro Gerber non avrebbe immaginato di tornare così presto in quell'opprimente corridoio del tribunale dei minori, ma aveva interrotto la seduta con Nikolin per riferire alla Baldi. D'altronde, gliel'aveva assicurato. Però al momento il giudice era impegnata proprio con la conferenza stampa sul caso e lui attendeva di essere ricevuto.

« Non capisco cosa dici, possiamo sentirci più tardi? » A causa dei muri spessi dell'antico palazzo, c'era poco campo per i cellulari. Perciò Gerber camminava nervosamente, avanti e indietro, cercando di trovare il punto giusto in cui piazzarsi per parlare.

« No, dobbiamo risolvere adesso la questione » replicò Silvia, con fermezza.

L'ex moglie aveva scelto il momento meno opportuno per chiamarlo, ma Gerber decise di lasciarla sfogare. Tanto conosceva già l'argomento. Mentre il segnale andava e veniva, lui pensava a come impostare il discorso con la Baldi. Non sarebbe stato facile riassumere ciò che aveva scoperto e, soprattutto, renderlo credibile per un profano. Gli venne in mente una spiegazione e, stando in piedi col cellulare bloccato fra l'orecchio e la spalla, tirò fuori la stilografica e provò ad abbozzarla sul taccuino nero.

Nikolin sembra imperturbabile perché la sua coscienza si trova a un livello sospensivo, in una specie di *trance* costante. Come se lo stato d'ipnosi in cui è stato immerso dal rapitore fosse permanente.

Gerber confidava di poterlo liberare, ma chiunque gli aveva fatto questo meritava di essere punito. Perciò, lo psicologo se ne infischiava delle tre condizioni dello squilibrato. E se l'ago infilzato nella mela era anche un modo per intimorirlo, quel tipo si sbagliava di grosso: lui non si sarebbe lasciato influenzare.

«Non ti fai sentire mai» lo rimproverò Silvia. La sua voce emergeva di tanto in tanto per poi inabissarsi. «Se non fossi io a scriverti, non sapresti neanche come sta tuo figlio.»

A Gerber apparve l'immagine dei tulipani gialli che aveva comprato per lei la sera prima e che adesso marcivano nella spazzatura. Avrebbe voluto dirle che non si faceva sentire perché, nella sua mente, lei e Marco erano ancora nella loro casa di Firenze e che lui ogni giorno era costretto a fare un esercizio di straniamento per rimuovere il fatto che, invece, non fossero più nella sua vita. Avrebbe voluto sbatterle in faccia il fatto che ormai tutto ciò che gli restava era una maledetta videocassetta con quaranta minuti scarsi di dolorosi ricordi che lui ogni sera usava come metadone per disintossicarsi dal passato. Ma poi non disse nulla e lasciò che Silvia continuasse a elencare tutte le sue mancanze come ex marito e come padre.

Intanto, mille altri pensieri vorticavano dentro di lui.

Avrebbe dovuto spiegare alla Baldi che la teoria del buon samaritano, cioè di un terzo attore intervenuto nella scena della scomparsa di madre e figlio, non era del tutto inesatta. Ma non si era trattato di un automobilista di passaggio, tantomeno di un benefattore. Perché nella stanza dei giochi l'ipnotista misterioso si era accusato con la voce di Nikolin di aver causato la foratura dello pneumatico.

Quel « sono stato io », reiterato più volte, faceva pensare a un piano articolato.

Forse lo sconosciuto aveva attirato la donna e il ragazzo sulla strada nel bosco. O forse erano soliti andarci e lui ne aveva approfittato. Di fatto, l'incidente e il luogo deserto si erano rivelati perfetti per seminare false piste per gli inquirenti.

Un'altra cosa era sicura: li aveva scelti.

Due sbandati senza fissa dimora, entrambi stranieri. Nessuno si sarebbe affannato troppo a cercarli. Ma il rapitore aveva bisogno solo del bambino, si disse. In un simile disegno, la madre era superflua e poteva essere eliminata. E questo faceva dello sconosciuto un assassino, Gerber non doveva dimenticarlo.

« E poi, se permetti, mi sono rifatta una vita. » Silvia si riprese con prepotenza la sua attenzione.

La precisazione stavolta lo infastidì, era del tutto gratuita. « Non ho mai detto nulla sul conto del tuo nuovo compagno » ribatté.

« Non è un semplice compagno » puntualizzò lei, stizzita. « È il mio fidanzato. »

Poi sparì di nuovo e Gerber pregò che cadesse presto la linea per poter spegnere il cellulare. La parola « spegnere » lo riportò a Nikolin, perché era proprio ciò che era accaduto al bambino. Il sequestratore aveva selezionato con cura il ragazzino disadattato da poter manipolare a piacimento. Pensò ai vari metodi con i quali poteva essere riuscito a entrare nella sua testa. Li conosceva bene. Facevano parte di una pratica d'indottrinamento forzato, detta comunemente « lavaggio del cervello ».

La prima fase era quella dell'isolamento.

Se vuoi che qualcuno creda a qualcosa che è in contrasto con la propria esperienza o, per esempio, con l'educazione ricevuta dalla propria famiglia, allora devi portarlo via dal mondo e tenerlo lontano da ciò che conosce. Era tipico delle sette millenariste, che così si assicuravano che gli accoliti fossero totalmente immersi nell'apprendimento dei precetti religiosi.

La prigione del ragazzino doveva essere ubicata in un luogo appartato, considerò Gerber e decise che sarebbe stato anche il primo suggerimento da fornire alla Baldi e ai carabinieri per iniziare la caccia al rapitore.

La seconda fase era quella del controllo.

Consisteva nell'impedire che il soggetto da corrompere entrasse in contatto con idee in conflitto con quelle che si voleva inculcargli. Ovviamente, niente telefono, tv o internet. Ma, soprattutto, nessun altro contatto umano.

Ha fatto tutto da solo, si disse Gerber. L'ipnotista di Nico non ha complici.

La terza fase era quella dell'incertezza.

Far credere al soggetto che il mondo esterno non ha bisogno di lui, lo rifiuta oppure che, addirittura, è stato sconvolto da un evento catastrofico o da un olocausto. Molti manipolatori riuscivano a convincere le proprie vittime di essere gli ultimi umani sulla Terra.

Poi c'era la quarta fase: la reiterazione.

Ripetere all'infinito un concetto finché non attecchiva totalmente o si radicava in forma di ossessione. Così facendo, mettere in discussione o anche modificare una semplice verità acquisita costava alla vittima dolore fisico e smarrimento. Era la cosiddetta « obbedienza senza pensiero », il risultato era un'azione pedissequa depurata da ogni possibilità di critica. Come appunto il riferire meccanicamente fatti appresi da qualcun altro, come stava accadendo a Nikolin.

Infine, c'era la fase della rieducazione emotiva o della « nuova madre », con cui il manipolatore rendeva la vittima completamente dipendente da sé, come in un rapporto filiale.

Perciò, lo svezzamento psicologico di Nico sarebbe stato un'impresa complessa per Gerber. Anche questo avrebbe dovuto dire alla Baldi non appena l'avesse ricevuto.

La cosa straordinaria e insieme più inquietante era che, per ottenere un simile risultato, non occorrevano la coercizione o la violenza. Era sufficiente disporre dell'habitat giusto per addomesticare il soggetto nonché del tempo per farlo.

Otto mesi erano un intervallo perfetto, considerò lo psicologo. Il paziente diventava cavia.

Naturalmente, la premessa necessaria era che il plagiatore possedesse un'enorme competenza. E Gerber temeva che il loro antagonista, oltre che senza scrupoli, fosse anche molto esperto.

C'era un nome per quelli che si servivano di tecniche psicologiche invasive senza alcun riguardo per la salute o il benessere del soggetto da ipnotizzare.

Affabulatori.

« Davvero, io non ti capisco » carpì dal telefono, avvicinandosi a una grande finestra. Aveva trovato un punto in cui il segnale era discreto, ma non era sicuro che fosse un bene. Silvia proseguì: « Se vogliamo conservare un rapporto onesto, dobbiamo imparare a rispettarci. E tu non puoi fare come ti pare ».

« Io non faccio come mi pare » protestò.

« E allora perché continui a comportarti così? »

Che diavolo stava dicendo? A cosa si riferiva?

In quel momento, la porta del giudice Baldi si aprì. Gerber fu investito da una piccola folla di cronisti, operatori televisivi e fotografi che uscivano dall'ufficio. Poi anche il magistrato apparve sulla soglia. « Scusa se ti ho fatto aspettare, Pietro. Vieni pure, ma ti informo già che ho molta fretta » disse, invitandolo nella propria stanza.

Gerber, però, le fece cenno che gli serviva ancora un momento. « Cerca di essere più chiara, per favore » spronò Silvia, provando a non farla arrabbiare ulteriormente. Davvero, non capiva.

« Avanti, sai di che sto parlando... » lo accusò. « Nostro figlio è confuso e anche il mio fidanzato pensa che tu sia stato inopportuno. »

« Io non ho fatto nulla » si difese ancora una volta. Improvvisamente, però, comprese che lei non l'aveva chiamato per una delle sue solite sfuriate. C'era un motivo. « Non me ne starò qui ad ascoltare le tue insinuazioni » finse d'indignarsi per spingerla a parlare senza però impaurirla.

« I fiori » disse lei, seccata.

Gerber si irrigidì. « Quali fiori? »

« I tulipani gialli che mi hai mandato stamattina. »

14

Uno degli espedienti che mandavano avanti un buon matrimonio era conoscere qualcosa dell'altro che nessuno sapeva. Silvia lo ripeteva sempre. Una delle sue passioni, di cui solo Pietro era al corrente, riguardava i fiori. Ufficialmente, lei amava le orchidee. Solo lui, però, era il depositario della verità.

Tulipani gialli.

Non era un granché come segreto, ma soltanto una piccola cosa che avevano deciso insieme quando erano fidanzati. E si erano anche promessi che quell'informazione sarebbe rimasta fra loro per sempre e nonostante tutto.

Perché solo Pietro avrebbe potuto regalarle i suoi fiori preferiti.

Ecco perché, entrando nell'ufficio della Baldi dopo la telefonata con l'ex moglie, Gerber si accorse di avere improvvisamente la bocca secca. Era la tensione.

«Allora, come è andata?» gli domandò il giudice mentre apriva la finestra per cambiare l'aria nella stanza, ansiosa di conoscere l'esito del nuovo colloquio con Nikolin all'istituto.

Gerber, però, se ne stava impalato e non riusciva a proferire parola, con la lingua impastata come se avesse mangiato un pugno di sabbia. Tuttavia sapeva

« Quella dopo » specificò lui.

« Potete anche fermarvi qui una notte o due, c'è una camera libera con un bagnetto: mio marito l'aveva predisposta per i nostri figli, perché venissero a trovarci coi nipotini. Ma non gli piace tornare qui. Così, dopo che è morto, ho pensato di farci un bed & breakfast ma continuo a rimandare... La verità è che non ho voglia di avere estranei per casa, ma con voi sarebbe diverso. »

Lo psicologo sorrise. « Grazie per l'invito, ne approfitteremo sicuramente. »

« Bene » affermò la vecchia allevatrice, contenta.

Gerber bevve un ultimo sorso d'acqua dal proprio bicchiere e si alzò dal tavolo per andare a dire a Marco di prepararsi. Mentre si avvicinava, lo sentiva sempre canticchiare. Da lontano vide che, con la punta del ramo, il figlio aveva disegnato nella polvere del piazzale delle figure umane stilizzate. Un bambino, una donna e due uomini adulti. Immaginò che questi ultimi rappresentassero lui e Luca. Almeno faccio ancora parte della famiglia, si consolò. Quando fu a un paio di passi da Marco, udì meglio la sua voce mentre cantilenava una sola parola.

« *Mamae... mamae... mamae* » ripeteva il bambino, letteralmente.

Gerber si paralizzò. Era il modo in cui Nikolin aveva invocato la madre mentre dormiva. Era successo durante la loro ultima seduta, quando aveva provato a mettersi in contatto con lui nella stanza perduta, seguendo i consigli del *signor Z.* e dandogli del Valium per indurlo a parlare nel sonno.

Prese Marco per le spalle e lo costrinse a voltarsi verso di lui. « Dove hai sentito quella parola? » gli domandò, un po' troppo bruscamente.

Il bambino si ritrasse, spaventato. E lo guardò cercando di capire cosa avesse fatto di sbagliato.

Non c'era tempo per la gentilezza o per le buone maniere, Gerber era terrorizzato dall'idea che l'affabulatore avesse fatto del male a suo figlio, entrando nella sua testa senza permesso e impiantando un pensiero ostile solo per colpirlo ancora. « Allora » insistette, brusco. « Dove l'hai sentita? »

Il piccolo sgranò gli occhi che si stavano riempiendo di lacrime. Sollevò il braccio, puntando un dito. « Sta scritta sul muro dietro le stalle... »

Gerber si voltò un istante nella direzione indicata. « D'accordo » disse adesso, calmandosi e accarezzandogli la testa. « Arrivo subito. »

Mentre aggirava la struttura con il tetto in tegole e travi di legno in cui venivano ricoverati i cavalli, il cuore gli batteva forte, ma si sentiva comunque sollevato nel constatare che nessuno aveva fatto del male a Marco. Proprio come aveva detto il figlio, nel retro dell'ampia stalla, dove l'allevatrice poco prima aveva detto di ritrovarsi spesso senza sapere il motivo, c'era una grande scritta sul muro, in stampatello. Era incisa nella pietra, infatti ai piedi di Gerber c'era una specie di punteruolo consumato gettato nell'erba. Le lettere erano state ripassate più volte nel corso del tempo, per rimarcare un'unica parola.

Mamae.

Il primo pensiero fu che Nikolin aveva pronunciato quel nome nel segreto dello studio in soffitta, mentre erano soli. E in quel momento era stato il bambino albanese a parlare, non l'alter ego del dodicenne sequestrato dall'orco ventidue anni prima.

Allora, come faceva l'affabulatore a sapere di quella parola?

50

Rientrati a Firenze, accompagnò Marco allo studio di Silvia, come avevano concordato. Il bambino era ancora un po' risentito con lui per come l'aveva trattato quella domenica pomeriggio, in auto Gerber aveva provato a scusarsi ma poi si era arreso davanti all'evidenza che il figlio era orgoglioso come la madre. Non lo riteneva un difetto, anzi avrebbe voluto essere come loro.

« Ci torniamo, al maneggio » gli promise, mentre si salutavano davanti all'ex moglie.

Inaspettatamente, il bambino gli gettò le braccia al collo.

« Ti trovo bene » disse Silvia, commentando il suo aspetto.

In effetti, dopo i fatti di febbraio cercava sempre di consumare pasti regolari, indossare vestiti puliti e andare a letto presto. Ma era solo apparenza, perché le conseguenze di ciò che gli aveva fatto l'affabulatore erano ancora presenti dentro di lui. Però non poteva dirlo alla donna che aveva amato e che non l'amava più, il pericolo era rievocare vecchi fantasmi e, soprattutto, il caso Hall.

« Grazie » affermò soltanto, congedandosi.

Era già sera e, invece di tornare a casa, Gerber decise di passare dallo studio nella soffitta. Continuava a risuonargli in testa la parola incisa sul muro e voleva verificare se per caso, mesi prima, avesse tralasciato qualcosa.

La scritta dietro le stalle del maneggio non era recente. Le lettere rimarcate e il punteruolo consumato stavano a indicare che era stata rifatta più volte nel corso del tempo. Insieme alla sveglia alle 3.47 esatte e all'impulso di recarsi sempre nella Valle dell'Inferno, anche quello era un comportamento compulsivo indotto all'allevatrice di cavalli dall'affabulatore.

Solo che, fino a quel momento, nessuno se n'era accorto.

A quanto pareva, il misterioso ipnotista conosceva la parola che era stata pronunciata da Nikolin in presenza di Gerber, mentre con loro non c'era nessun altro. Non solo, la considerava un elemento rilevante. Altrimenti, perché ordinare all'anziana di realizzare la scritta? Forse si trattava addirittura di un nuovo innesco.

Perché quella parola è così importante?

L'addormentatore di bambini si accorse di una sensazione che macerava in lui da un po', anche senza saperle dare un nome. Una sorta d'incompiutezza. Aveva come l'impressione che mancasse qualcosa alla storia dell'orco, nonostante l'esplosione del casale con cui si era concluso il racconto. In particolare, c'era una domanda che lo perseguitava.

Perché adesso?

Per quale motivo l'affabulatore aveva atteso ventidue anni per vendicarsi di ciò che gli avevano fatto tutti, cominciando dal *signor B.*? Non avrebbe potuto rapire prima un bambino e istruirlo come aveva fatto con Nico?

C'erano mille risposte per quegli interrogativi. Per esempio, poteva anche essere che il misterioso ipnotista non si sentisse ancora pronto o sicuro di aver raggiunto la competenza necessaria ad attuare un simile piano. Oppure la verità era che ci aveva provato prendendo altri bambini, ma i tentativi precedenti erano falliti.

Ma Gerber nutriva la sensazione che Nico e sua madre fossero essenziali per lui.

Arrivato allo studio, non si premurò nemmeno di accendere la luce: gli bastava quella dello smartphone. Dopo essersi accomodato nella sua poltrona, si mise a cercare su internet la traduzione del termine « mamma » in albanese. Ebbe la conferma che si dicesse « *mami* ». In fondo, nel video del ricongiungimento di Nikolin con sua madre Mira che gli aveva mostrato la Baldi, il bambino si rivolgeva a lei chiamandola proprio in quel modo.

Allora cos'era « *mamae* »?

La parola ricercata non esisteva nel vocabolario albanese. La immise in Google e non apparve alcun risultato soddisfacente. L'unico degno di nota accostava il misterioso termine sempre alla figura materna, ma in portoghese. Anche se, in quella lingua, si scriveva con uno strano accento: « *mamãe* ».

Perché un bambino albanese avrebbe dovuto rivolgersi alla madre in portoghese? Non aveva senso.

Lo psicologo si alzò per andare a prendere il taccuino nero dedicato al caso di Nico che aveva riposto da tempo nell'archivio. Se lo portò appresso nella sua postazione, accese la lampada accanto alla poltrona e iniziò a sfogliarlo in cerca di qualcosa, un indizio oppure un'idea. Nei propri appunti non riuscì a trovare nulla che saltasse agli occhi o che gli fosse sfuggito. Si fermò all'annotazione riportata sull'ultimo rigo dell'ultima pagina.

C.P. 9001.

Per gli investigatori e anche secondo il *signor B.*, l'orco e la rossa misteriosa erano solo il frutto della fantasia di A.D.V.: due personaggi inventati apposta per nascondere il crimine tremendo che il dodicenne aveva commesso ai danni dei propri genitori. Stando al racconto del bambino, la coppia si era conosciuta per corrispondenza e i due comunicavano fra loro per lettera. In particolare, lo zio riceveva le missive della fidanzata desiderosa di maternità attraverso una casella postale.

Quella casella postale, si disse Gerber.

Un dettaglio troppo preciso per essere inventato e, fino a quel momento, lui non ci aveva riflettuto abbastanza. Ventidue anni prima, carabinieri o polizia avevano certamente verificato a chi fosse intestata o chi l'avesse noleggiata, pensò lo psicologo. E sicuramente non era spuntato fuori alcun nome o alcun riscontro con la versione di A.D.V.

E se invece non l'avessero fatto? Se nessuno avesse controllato?

Il dubbio s'insinuò in lui in modo fastidioso. Era convinto che ci fosse una spiegazione, che un indizio tanto macroscopico non fosse sfuggito a chi era chiamato ad appurare la verità dei fatti e nemmeno al *signor B.*

Tuttavia, qualcosa gli diceva di andare a controllare di persona.

51

Le cassette postali noleggiabili erano contrassegnate da numeri progressivi e a Firenze erano riunite in un unico luogo.

L'imponente Palazzo delle Poste era situato nella parte ottocentesca della città e occupava un intero isolato fra via Pellicceria, via Porta Rossa e piazza Davanzati. Pietro Gerber, però, dovette attendere le sette e trenta del lunedì mattina per recarsi lì, nella speranza di trovare qualcuno che lo aiutasse a risalire al titolare della cassetta numero 9001 nel lontano 1999. Non avendo alcuna autorità per chiedere una simile informazione, lo psicologo pensava di affidarsi all'arte della persuasione oltre che a una lauta mancia.

Varcato l'ingresso principale dell'edificio a pianta ortogonale, si ritrovò in un vestibolo con una volta a cupola ricoperta di maioliche che immetteva nella luminosa galleria del pianterreno. I passi di Gerber risuonavano sul pavimento di marmo, sulla sua testa un soffitto decorato a stucco. Poco dopo, sbucò in un'ampia sala, simile a un cortile rinascimentale, circondata da un porticato e sovrastata da una struttura d'acciaio su cui erano sospese coloratissime vetrate da cui filtrava il chiarore brillante di uno degli ultimi mattini d'estate, la luce poi andava a posarsi con delicatezza su ogni cosa sottostante.

Lì si trovavano gli sportelli per accogliere il pubblico. Ma al momento, a parte gli impiegati, c'era soltanto lui.

A Gerber erano sempre piaciuti gli uffici postali. Gli trasmettevano un'idea di ordine e pulizia. Da quel luogo, apparentemente statico, si irradiavano migliaia di connessioni verso il resto del mondo. Da lì erano transitate milioni di vite e di storie, sotto forma di lettere o pacchi o telegrammi ma anche di vaglia e buoni fruttiferi. Per non parlare delle cartoline che milioni di turisti ancora inviavano per dimostrare ad amici e parenti di aver veramente visitato una delle più belle città concepite dall'uomo.

In quel palazzo, in particolare, si respirava un'aria antica, ricca di fascino.

Gerber si guardò intorno perché si accorse di provare una strana sensazione a essere lì, come se fosse stata una forza oscura a deciderlo. E come se un paio di occhi invisibili lo scrutassero. Ma il padrone di quello sguardo era lontano. Eppure, anche a distanza, *lui* sapeva tutto ciò che stava accadendo nel momento stesso in cui accadeva. Le graffette che cadevano dalle mani di una donna spargendosi sul pavimento. Il lieve fruscio di una pila di moduli sfogliati da un impiegato che si aiutava inumidendo il polpastrello sulla lingua. Il ticchettio dei tasti di un pc. Il tonfo secco e cadenzato di un timbro.

Lo psicologo si soffermò davanti a una tabella dov'erano indicati i vari uffici e le relative competenze. Memorizzata la direzione da seguire, s'incamminò lungo un corridoio. Scortato da una schiera di colonne corinzie, giunse in un salone con un alto muro di metallo.

Un fitto alveare di cassette postali.

Molte erano aperte e perciò risultavano inutilizzate, il che faceva di quel luogo un residuo archeologico di un'epoca che non esisteva più. A quelle più alte si accedeva servendosi di scalette e ognuna era marcata da una targhetta numerata. Gerber si mise subito a cercare quella che gli interessava. Faceva scorrere lo sguardo da sinistra a destra e intanto, senza accorgersene, contava a fil di labbra. Ma, arrivato in fondo al lato più estremo della parete, scoprì con grande disappunto che l'ultimo numero era 9000.

« Non è possibile » si ritrovò a dire, ad alta voce. La frase e il suo stupore riecheggiarono nel vasto ambiente.

Gli sembrò l'ennesimo scherzo. Le speranze andarono in frantumi, così come la sua pazienza. Avrebbe voluto imprecare. Si guardò intorno e intercettò un impiegato di mezz'età seduto a una scrivania, intento a riempire un registro.

« Mi scusi » disse attirando la sua attenzione e avvicinandosi.

« Prego » gli rispose quello, sollevando lo sguardo dalle carte e sfilandosi un paio d'occhiali da lettura.

« Le cassette sono tutte concentrare in questa sala o

ce ne sono anche altre, dislocate magari in altri uffici postali della città? »

« Che io sappia, sono tutte qui. »

« Cerco la *novemilauno* » affermò allora, decidendo di venire allo scoperto. « Ma non la trovo. »

« Infatti non c'è » gli confermò l'impiegato.

« È stata dismessa o cosa? »

« Non è mai esistita » disse l'altro. Poi indicò l'alveare con la penna. « Sono sempre state solo queste che ha davanti. »

Gerber si voltò di nuovo verso il muro di metallo. Sospirò. Aveva fatto un buco nell'acqua. Ed era stato anche incredibilmente ingenuo. Di sicuro, chi ventidue anni prima investigava sul caso di A.D.V. era stato lì per verificare le parole del bambino sul conto dell'orco e si era imbattuto nella medesima risposta. Non essendoci alcuna casella 9001, non c'era nemmeno un'identità a cui risalire. Ergo, il ragazzino di dodici anni aveva mentito proprio come sosteneva il *signor B.*

« Grazie comunque » disse all'impiegato, congedandosi. Quindi s'incamminò per andarsene. Si sarebbe recato allo studio nella soffitta e avrebbe cercato di dimenticare quell'episodio concentrandosi sui suoi piccoli pazienti.

« Però negli anni Novanta c'era un'agenzia matrimoniale con quel nome » dichiarò di punto in bianco l'uomo alle sue spalle.

Gerber si bloccò e lo fissò. « Come, scusi? »

L'impiegato si soffermò un istante su quel ricordo.

« All'epoca, a Firenze c'era una gran richiesta di cassette postali e, siccome tutti sapevano che ce n'erano solo novemila a disposizione, un'agenzia matrimoniale adottò proprio il nome 'Casella postale 9001' per farsi pubblicità: come a voler intendere che c'era un altro modo per scambiarsi messaggi... specie se si trattava di messaggi di natura sentimentale. »

Lo psicologo non riusciva a crederci. « Grazie infinite » si limitò a dire, avviandosi senza aggiungere altro.

52

« Come mai, dopo che i titolari dell'agenzia matrimoniale hanno cessato l'attività nel 2003, i locali sono rimasti sfitti? » chiese Gerber alla donna col gatto siamese, mentre salivano le scale del grigio condominio in via delle Porte Nuove.

La portiera sessantenne dello stabile, in vestaglia rosa a fiori e con una sigaretta in bilico sulle labbra e i bigodini che trattenevano a stento una vaporosa capigliatura rossiccia, procedeva reggendosi alla balaustra in ferro battuto: « L'appartamento fa parte del patrimonio di un conte morto da anni: gli eredi sono in causa fra loro e, fin quando non si mettono d'accordo, nessuno può toccare nulla ».

La donna col gatto abitava al piano terra e Gerber l'aveva corrotta con appena venti euro perché gli permettesse di visitare la casa abbandonata. Lo psicologo aveva trovato l'indirizzo dell'agenzia « C.P. 9001 » su un vecchio tomo delle Pagine Gialle, risalente agli anni Novanta, che conservava ancora in studio. Nonostante l'avvento di internet e dei cellulari, il *signor B.* era refrattario a sbarazzarsi degli elenchi telefonici e lui non aveva voluto buttarli via dopo la sua morte: a differenza degli eredi del conte, non voleva più avere niente a che fare con la roba del padre. In verità, recandosi in via delle Porte Nuove, Gerber sperava di raccogliere qualche informazione sull'attività dell'agenzia, non certo di trovarne la sede ancora intatta.

« Sa dirmi qualcosa dei titolari? » chiese mentre ricominciavano a salire.

« Niente, a parte che sono spariti da un giorno all'altro lasciandosi dietro un bel po' di debiti, comprese diverse mensilità d'affitto da pagare » commentò la donna.

« Però mi ha detto che la loro roba è ancora qui... »

« Sì » gli confermò la donna, approdando sul pianerottolo del terzo piano. « Non hanno portato via nulla e tutto è rimasto come l'hanno lasciato quasi vent'anni fa. »

Sulla porta c'era ancora una targa col nome dell'agenzia circondato da cuoricini rossi.

La portiera si frugò nella tasca della vestaglia di seta ed estrasse un pesante mazzo di chiavi. « Lei tenga Lillo » disse, piazzandogli il siamese fra le braccia.

Gerber lo prese per consentirle di aprire le serrature. Dopo un breve sferragliamento di chiavistelli, la donna spinse il battente: i cardini facevano resistenza e la porta grattò il pavimento. Lo psicologo si appoggiò con una spalla allo stipite per agevolare l'operazione. Finalmente, riuscirono a spalancarla quel tanto che bastava a passare.

Li investì un tanfo di polvere stantia e scarichi stagnanti. Dal varco non si riusciva a vedere un granché, l'interno era immerso nell'oscurità.

Gerber le restituì il gatto e stava per infilarsi nella fessura della porta.

« Le dispiace se non l'accompagno? » lo frenò la sessantenne. « Ho lasciato la ceretta sul gas. »

« Nessun problema » le disse. Anzi, era anche meglio non avere nessuno fra i piedi mentre perlustrava.

La portiera gli consegnò le chiavi. « Quando ha finito, richiuda bene e me le lasci pure sullo zerbino. »

« D'accordo » le assicurò Gerber. « E grazie per l'aiuto. »

Attese che scendesse la prima rampa di scale, quindi s'introdusse nella casa buia.

53

Tastò una parete in cerca di un interruttore. Lo trovò, ma non funzionava. Ovviamente, non c'era luce perché nessuno pagava più le bollette da anni. Anche le tapparelle erano abbassate. Alcune non del tutto, e dagli spiragli filtrava una luce caliginosa.

Gerber lasciò che gli occhi si abituassero a quell'atmosfera rarefatta.

L'appartamento si sviluppava partendo da un lungo corridoio centrale, da cui si diramavano vari ambienti. Lo psicologo s'incamminò, gettando un occhio oltre la soglia delle stanze. Erano perlopiù uffici, con scrivanie, telefoni e materiale di cancelleria. Vecchi pc, fax e stampanti: una tecnologia ormai in disuso, che risaliva agli anni Novanta. Era come se il tempo si fosse congelato in attesa che un altro essere umano venisse a esplorare quell'universo sospeso.

Imperversavano cuori e cupidi: raffigurati nei poster, negli adesivi incollati ai vetri delle finestre o sulle pareti divisorie fra i cubicoli, nei soprammobili. C'erano anche parecchi gadget con il nome e il logo dell'agenzia: bloc-notes, agende, portachiavi. Incuriosito, Gerber si soffermò accanto a uno dei tavoli e prese una penna marchiata con la scritta « C.P. 9001 », la esaminò e vide che la parte superiore trasparente conteneva un liquido denso in cui nuotavano glitter argentati: se la si teneva inclinata con la punta verso il basso, i brillantini andavano a comporre la parola « Love ».

In che razza di posto era capitato? Quegli oggetti testimoniavano una civiltà estinta, fondata sull'amore e sul kitsch.

Transitò davanti all'uscio di un piccolo ambiente insonorizzato, con una videocamera piazzata su un cavalletto e puntata su uno sgabello con alle spalle uno schermo verde. Gerber ipotizzò che servisse a realizzare i videomessaggi degli aspiranti fidanzati o fidanzate che, attraverso quel mezzo, si proponevano ai partner ideali per un'iniziale conoscenza che magari sarebbe sfociata in una vera e propria relazione.

Accanto a un muro erano accatastati sacchi di corrispondenza inevasa. Una delle conseguenze dell'improvvisa cessazione dell'attività, si disse lo psicologo. L'arrivo di internet si era abbattuto con gli stessi effetti di un olocausto nucleare sul lavoro dell'agenzia matrimoniale ma anche sulle aspettative di decine di uomini e donne in cerca di una compagna o di un compagno con cui trascorrere insieme il resto dell'esistenza. Guardando quella posta ammassata, Gerber immaginò lettere piene di romanticherie che non erano mai state aperte e perciò cuori solitari che si erano consumati in un'inutile attesa. Gli sembrava tutto grottesco. Ma la verità era che, scherzandoci su, cercava di allontanare il sinistro presagio che aveva avvertito mettendo piede in quel luogo.

Qualcosa di malvagio abitava in quelle stanze e, negli anni, aveva preso il posto di tutte le speranze e i palpiti d'amore. Una specie di entità acquattata nel silenzio, che si nutriva di rancore per non essere stata creduta.

E che lo stava aspettando.

Giunse infine davanti all'ingresso della stanza che più lo interessava. Uno sgabuzzino privo di finestre in cui si trovavano alcuni schedari d'acciaio.

L'archivio con i nomi dei clienti dell'agenzia matrimoniale.

Gerber tirò fuori dalla tasca lo smartphone e accese la torcia in dotazione al telefono. Poi aprì un cassetto a caso. Per sua fortuna, i fascicoli personali erano suddivisi in ordine cronologico.

Andò subito in cerca di quelli del 1999.

Gli innamorati censiti in quell'anno erano all'incirca un centinaio, ripartiti fra due scomparti. Gerber estrasse tutte le cartelline e le mise per terra, quindi si sedette sul pavimento a gambe incrociate e iniziò la consultazione. In realtà, senza i nomi e una precisa descrizione fisica dell'orco e senza conoscere il volto della rossa della polaroid, non sapeva cosa cercare. Il suo era un metodo del tutto azzardato.

Mentre scartabellava pensò che, se lì dentro c'era la prova che lo «zio» era esistito veramente e non era stato solo l'invenzione di un dodicenne che aveva ucciso i propri genitori, allora era nascosta molto bene.

Gerber continuava ad aprire i fascicoli e a scartarli. Solitamente nella prima pagina c'era la foto dell'interessato o dell'interessata con accanto età, altezza, peso, professione e segno zodiacale, seguita da una breve presentazione personale. La seconda pagina era un questionario compilato dal soggetto e contenente gusti, abitudini e interessi vari. Lo psicologo giunse alla conclusione che, in base a quel test, poi l'agenzia combinasse i vari profili dei single a disposizione, seguendo un criterio all'apparenza imperscrutabile.

Se l'abbinamento andava a buon fine, nella quarta e ultima pagina appariva anche la foto dell'aspirante partner.

Non tutti, però, risultavano accoppiati e il foglio alla fine era spesso vuoto. Notò anche che gli uomini che si rivolgevano all'agenzia erano molti di più rispetto alle donne, perciò per parecchi di loro quel tentativo sarebbe risultato vano fin dal principio.

Era trascorsa circa mezz'ora da quando era lì e, spalancando l'ennesima copertina, si ritrovò davanti un volto familiare e si bloccò per guardarlo meglio.

Un uomo col collo taurino. Perfettamente sbarbato, capelli nerissimi con la riga al lato e il petto villoso che spuntava da una camicia gialla aperta sul davanti. Mentre gli scattavano la fotografia, mostrava con orgoglio due file di denti storti, in parte mancanti o anneriti. Da come sorrideva, non sembrava curarsene troppo. Come tutti gli altri, si era fatto bello per l'obiettivo con l'intenzione di apparire al meglio.

« Rodolfo Perrini » lesse il nome. Trentanove anni. Un metro e ottantadue d'altezza per novanta chili di peso. Disoccupato. Capricorno. È lui, si disse lo psicologo, senza sapere da dove venisse quella certezza.

Era come se qualcuno l'avesse seminata dentro la sua testa.

Non è una prova, pensò subito. È solo il frutto di un condizionamento esterno. È come con la voce di Silvia per telefono: l'affabulatore mi ha impresso questo volto nella mente e adesso vuole farmi credere che si tratta del famigerato « zio ». No, questa volta non ci casco.

Infatti non c'era alcun collegamento con la storia che aveva ascoltato da Nikolin, né con l'indagine degli investigatori per l'esplosione del casale risalente a ventidue anni prima.

È un altro inganno.

Quel « Rodolfo » poteva essere chiunque e probabilmente era ignaro che qualcuno si stesse servendo del suo volto e della sua identità per avvalorare la vecchia menzogna di un bambino assassino diventato adulto.

Gerber stava per richiudere il fascicolo, quando fu colto dalla curiosità di vedere cosa ci fosse nell'ultima pagina dedicata al partner abbinato a quel profilo dall'agenzia matrimoniale. Scartabellò rapidamente i pochi fogli e si ritrovò davanti un'altra polaroid della donna dai capelli rossi. Anche lei si era messa in posa con l'intenzione di trovare marito. Sempre nello stesso bar, con la birra in mano e la canotta bianca che ne esaltava le forme. La fotografia era stata scattata un secondo prima o un secondo dopo rispetto a quella che Gerber aveva strappato e gettato via, perché in questa immagine la donna non stava brindando e la mano col bicchiere risultava abbassata.

Lei crede al diavolo, dottore?, aveva detto l'affabulatore con la voce di Nico durante una delle sedute. *Che lei ci creda o no, esistono solo due foto del demonio. Questa è una delle due... Il suo vero nome non ha alcuna rilevanza. Ma, quando il diavolo assume le sembianze di questa donna, devi chiamarlo « mamma ».*

Il primo pensiero di Pietro Gerber davanti alla polaroid nel fascicolo fu che aveva trovato la seconda foto del demonio.

Ma stavolta il volto nell'immagine non risultava bruciato.

Lo psicologo ebbe come l'impressione che il suo cuore perdesse un battito. Il secondo pensiero che gli attraversò la mente fu che il bambino del 1999 aveva detto la verità sul conto dell'orco, quella ne era la dimostrazione. Il terzo fu che la rossa aveva realizzato il proprio desiderio di maternità, anche se aveva dovuto attendere diversi anni per avere un figlio tutto suo. Il quarto pensiero era una parola.

Mamãe.

Mirbana Xhuljeta Laçi detta « Mira » adesso aveva i capelli bianchi e corti ma un tempo era rossa. L'orco aveva detto all'affabulatore bambino che lei era sterile, ma che desiderava tanto avere una famiglia.

Ha un problema là sotto, con le sue uova e tutto il resto.

Lo zio aveva assicurato a A.D.V. che col tempo si sarebbe abituato ad avere nuovi genitori, dimenticandosi di quelli veri che se n'erano andati lasciandolo solo con lui. E che la donna che stava arrivando al casale per unirsi a loro era pronta a offrirgli tutto l'amore di cui un ragazzino della sua età aveva bisogno.

Tu potrai già chiamarla mamma.

Gerber si era chiesto perché l'affabulatore avesse atteso ventidue anni per attuare la propria vendetta. Adesso lo sapeva. In tutto quel tempo aveva cercato la rossa della polaroid.

Alla fine, l'aveva trovata.

Il destino a cui era scampato il misterioso ipnotista a dodici anni in seguito era toccato a Nikolin. O qualunque fosse il suo vero nome, si disse lo psicologo. Non era nemmeno sicuro che fosse albanese come la donna che diceva di essere sua madre. Anzi, era probabile che fosse portoghese. Ma, affetto da sindrome da cattività affettiva, aveva dimenticato le sue vere origini e la sua vera identità. Solo nel sonno era emerso un residuo dell'esistenza a cui era stato sottratto con la forza.

«*Mamãe*» si ripeté Gerber, rendendosi conto di aver contribuito a riconsegnarlo alla sua rapitrice. Proprio come il guardiacaccia aveva fatto con l'affabulatore da ragazzino, restituendolo all'orco quando aveva provato a fuggire per salvarsi.

Nessuno è disposto a credere alle storie dei bambini.

Otto mesi fa, l'affabulatore non l'ha rapito perché voleva raccontarmi la sua storia. L'ha fatto perché io potessi salvarlo, pensò Pietro Gerber vedendo finalmente in modo chiaro tutto il disegno. E ha preso anche la madre perché fosse punita come meritava, ma noi l'abbiamo lasciata andare. Non ci siamo accorti che quella piccola famiglia disastrata nascondeva un segreto. Non se ne sono resi conto il tribunale dei minori, i servizi sociali e nemmeno i carabinieri. E neanch'io l'ho capito. Lui invece sì.

Per tutti erano solo due poveracci che vivevano alla giornata. Alla luce del sole, però, si stava compiendo un crimine tremendo. Che si ripeteva ogni giorno, da anni.

Gerber si alzò di scatto da quel freddo pavimento. Forse c'era ancora modo di fermare l'orrore.

54

L'allevatrice di cavalli aveva detto che i servizi sociali avevano sistemato madre e figlio a Luco. Gerber guidò con l'acceleratore del Defender quasi completamente abbassato per raggiungere al più presto la frazione nella zona del Mugello.

Giunto sul posto, si mise subito in cerca del bar in cui Mira aveva trovato lavoro. Quanti potevano essercene in un luogo tanto piccolo? Chiese a qualche passante se per caso conoscesse la donna, uno si ricordò di lei e gli indicò il locale alla fine del corso principale.

Quando arrivò, Gerber s'imbatté in una saracinesca abbassata e in un cartello che annunciava la chiusura settimanale.

Però l'allevatrice ha detto che madre e figlio abitano sopra il locale, rammentò. E iniziò a girare intorno alla palazzina di due piani, cercando l'ingresso. Trovò un portoncino. Sul citofono non c'era alcun nome, ma lui suonò lo stesso con insistenza.

Non gli aprì nessuno.

Mosso da un'improvvisa necessità di sapere e forse anche dalla follia, Pietro Gerber si mise a percuotere la porta. Per strada non c'era un'anima e allora decise di sferrare una serie di calci all'altezza della serratura.

Dopo un paio di tentativi, il portoncino cedette spalancandosi su una rampa di scale.

Lo psicologo iniziò ad arrampicarsi sui gradini, facendone anche due alla volta. E intanto gridava: « Nico! Nico! Dove sei?! »

La sua voce riecheggiava e, quando giunse in cima, Gerber dovette arretrare davanti allo spettacolo desolante delle sedie di una cucina gettate per terra o accantonate in un angolo insieme a un tavolo ricoperto di bottiglie di vetro e piatti sporchi. Un frigo aperto e spento, che emanava un odore rancido nonostante fosse vuoto. Fornelli incrostati e un lavello in cui sgocciolava un rubinetto solitario. Andò nella stanza accanto, un soggiorno con un divano liso piazzato davanti a un televisore con lo schermo ricoperto di polvere. Dal bagno cieco provenivano i gorgoglii di uno scarico malfunzionante. Infine, nella camera da letto, un armadio in cui erano rimaste solo le grucce, una diversa dall'altra. E due reti appaiate con due materassi spogli.

Sono andati via, pensò solo allora, rassegnandosi all'evidenza. Anche se la cosa più giusta da dire era che lui non aveva fatto in tempo a fermarli.

Sarebbe dovuto arrivare molto prima. Considerando lo stato dei luoghi, era in ritardo di mesi.

Gerber si appoggiò con la schiena al muro, gli girava la testa. Si lasciò scivolare per terra. Rimase immobile, cercando di riprendere fiato. Gli apparve il *signor B.* Aveva accusato il padre di non aver creduto alla versione di un bambino che si era presentato da lui ventidue anni prima. Invece di aiutarlo, l'aveva condannato a subire per sempre le conseguenze di ciò che gli era capitato senza che fosse colpa sua.

Ma io ho fatto di peggio, considerò. Volevo liberare a tutti i costi Nikolin per dimostrare di essere più bravo dell'affabulatore.

La verità l'aveva sempre avuta davanti agli occhi. Ma la presunzione gli aveva impedito di vederla.

L'addormentatore di bambini sentì di nuovo l'urlo che Nico aveva lanciato quando lui gli aveva promesso di ricongiungerlo con Mira. Quel grido l'avrebbe perseguitato per sempre. Era il prezzo per l'errore di valutazione che aveva commesso.

La stanza perduta in cui Nico era prigioniero non si trovava dentro la sua mente. Era il mondo intero.

55

Quella domenica mattina d'agosto, Elisa Martins fu svegliata molto presto dall'umido abbraccio del caldo opprimente che avvolgeva Lisbona. La camicia da notte appiccicata alla schiena e i capelli, neri come le piume dei corvi, inzuppati di sudore. Si voltò verso le persiane da cui filtrava la luce pallida del sole, immaginando un cielo gravato da nubi opache e sottili.

Accanto a lei, Dario dormiva profondamente a pancia in su, con la bocca spalancata e una manina agganciata a uno dei suoi seni che fuoriusciva dalla scollatura. Nonostante avesse già compiuto tre anni, il figlio non aveva perso l'abitudine di cercare il conforto del latte materno, specie la notte. E il corpo di Elisa aveva continuato ad assecondare quel bisogno. Ma, in fondo, egoisticamente, anche lei sperava che quel legame così esclusivo durasse ancora un po'. D'altronde, il piccolo Dario non aveva che lei al mondo. E lei non aveva che lui. Eppure sembravano così diversi.

Il bambino aveva capelli biondi e occhi quasi trasparenti.

Alzandosi lentamente per non svegliarlo, Elisa controllò che lo slip azzurro indossato dal figlio e le lenzuola sotto di lui fossero asciutti. Almeno era riuscita ad abituarlo a non fare la pipì a letto, così si sarebbe liberata anche della spesa cospicua che comportava l'acquisto dei pannolini.

Prima di uscire dalla stanza, gli sistemò intorno i cuscini perché temeva sempre che, cercando il suo abbraccio nel sonno, il figlio potesse finire sul pavimento. Non era mai accaduto, ma bastava il pensiero.

Avrebbe voluto dargli un bacio, ma lui dormiva così tranquillo. La rinuncia forzata, però, le spezzò il cuore. Era ridicolo, ne era consapevole. Ma solo una madre può sapere quanto può essere doloroso trattenere anche un piccolissimo moto d'affetto.

Dopo aver accostato la porta, andò in bagno e, per evitare di fare rumore, non tirò lo sciacquone. Si lavò il viso e le mani e si recò a piedi scalzi in cucina. Dopo essersi legata i capelli in una coda, si preparò una tazza di caffè solubile e aprì la finestra per far entrare un po' d'aria. Si ricordò che avrebbe dovuto ritirare il bucato che aveva steso sul balcone la sera prima, altrimenti i piccioni, che ormai si erano insediati stabilmente nel cortile del palazzo, avrebbero imbrattato la roba pulita coi loro escrementi.

Prima, però, si sedette al tavolo per bere il caffè. Intanto, guardava fuori.

Fin da piccola, aveva sognato di vivere in un attico con un bel panorama. Invece le toccavano le facciate scrostate del cortile. Lei e Dario si erano stabiliti in quel piccolo appartamento alla Mouraria prima che lui nascesse, dopo che i genitori di Elisa avevano troncato ogni rapporto, sbattendola fuori di casa, perché non accettavano la relazione col padre della creatura innocente che portava in grembo. Quel quartiere non era certo il posto migliore in cui far crescere un figlio, però l'uomo che aveva giurato di amarla e di provvedere a lei e al bambino era sparito. O forse era stata lei a illudersi che quello a cinquant'anni avrebbe lasciato moglie e tre figli ormai grandi per andare a stare con la sua nuova famiglia.

Incinta e senza un soldo, Elisa Martins aveva dovuto inventarsi una nuova esistenza.

Non era così che immaginava la propria vita a ventidue anni. Ma ce la stava mettendo tutta. Aveva reso dignitoso un appartamento fatiscente il cui precedente inquilino era uno spacciatore finito in galera e si era trovata un impiego part-time come segretaria di un avvocato. Nelle ore in cui lei era al lavoro, Dario stava con una vicina. Ma per tutto il resto del tempo, era soltanto suo. Nonostante le difficoltà di essere solo loro due, il suo bambino era tutto ciò che lei voleva dalla vita, non aveva bisogno di nient'altro.

Ne aveva la conferma tutte le volte che Dario allargava le braccia chiamandola «*mamãe*».

Terminato il caffè, Elisa ripose la tazza vuota nell'acquaio, andò sul balcone e iniziò a ritirare il bucato. Le finestre delle case intorno alla sua avevano le imposte chiuse o le tapparelle abbassate. A parte gli uccelli che si inseguivano sopra di lei, c'era un grande silenzio. Erano appena le sette ma, gli altri giorni, già a quell'ora si udivano le voci e i rumori del vicinato. Pensò che, in quella caldissima domenica nel bel mezzo dell'estate, ne avevano approfittato tutti per andare al mare. Lei non poteva permetterselo. Però sicuramente avrebbe trovato qualcosa da fare con Dario per passare il tempo. Magari una gita al parco. Avrebbero preso il tram e, costeggiando l'Avenida de Brasilia e il porto, avrebbero raggiunto il Jardim da Estrela, portandosi dietro anche qualche panino per pranzare accanto al laghetto coi cigni e le anatre che piacevano tanto a Dario. Pregustava già la reazione entusiasta del bambino a quella proposta. Per fortuna, suo figlio aveva imparato a gioire delle piccole cose. Ma, mentre tirava via le mollette da una camicetta rosa, quel pensiero felice svanì, sostituito da un'immagine insolita. Nel cortile deserto sotto di lei si allungavano le ombre dei pilastri che costituivano una specie di colonnato che girava tutt'intorno alla palazzina.

Dietro uno di quelli, però, Elisa avrebbe giurato di intravedere anche la sagoma di una persona.

Se ne stava perfettamente immobile, tanto che per un attimo lei ebbe il dubbio di essersi sbagliata. Ma poi l'ombra si mosse. E, come se avesse percepito il suo sguardo, indietreggiando, svanì.

La visione provocò un breve e ingiustificato turbamento in Elisa. Non si chiese il perché, ma tornò subito a dimenticarsi di quella presenza per terminare le proprie faccende prima che il figlio si svegliasse.

Come aveva previsto, Dario fu molto contento di apprendere della gita che li attendeva. Il bambino consumò la colazione in pochi minuti e alle dieci erano già entrambi pronti a uscire. Elisa indossava un vestitino arancione e sandali di sughero e corda, Dario un pantaloncino rosso, sandaletti di cuoio e una canotta a righe bianche e azzurre. Prima di andare, la madre gli chiese se volesse portarsi appresso uno dei suoi giocattoli.

Il figlio scelse il cellulare che si illuminava ed emetteva suoni.

« Sei certo di volere proprio questo? » gli chiese. Glielo aveva comprato per quando lei era al lavoro e lui stava con la vicina, così che Dario potesse fingere di telefonarle e avesse l'impressione che la sua mamma gli fosse sempre accanto.

« Sì » disse il bambino, rispondendo alla sua domanda.

La madre non replicò, invece lo assicurò con le cinghie al passeggino, prese la borsa di tela in cui aveva messo anche una tovaglia da stendere sul prato e si richiusero alle spalle la porta di casa. Prima di prendere il tram, sarebbero dovuti passare dal minimarket all'angolo per comprare l'occorrente per preparare i panini. Per loro fortuna, il negozio era aperto. Elisa quasi non ci sperava. Ovviamente, lei e il figlio erano gli unici clienti.

Il proprietario era un signore di settant'anni e stava dietro la cassa, la vecchia radio che teneva accanto a sé era immancabilmente sintonizzata su una stazione di canzoni popolari. L'uomo era sempre gentile con Dario, ogni tanto gli regalava anche un lecca-lecca. A Elisa, però, non piaceva come si rivolgeva al bambino, nei suoi modi si avvertiva sempre una nota di compassione. Lei era consapevole che Dario fosse un po' in ritardo nella crescita rispetto ai coetanei, ma questo non giustificava l'atteggiamento di alcune persone. Dario avrebbe recuperato il divario e sarebbe diventato un magnifico ragazzo, ne era sicura.

Dopo qualche minuto, Elisa aveva preso i panini nonché il prosciutto arrosto e le sottilette per farcirli. All'entrata non si era munita di un carrello, così aveva stipato provvisoriamente la spesa nella borsa di tela. Mentre si stava avviando verso la cassa, si ricordò della maionese, perché Dario detestava quando il pane era troppo asciutto. I condimenti si trovavano un paio di corsie più in là. Per fare in fretta, lasciò Dario da solo nel passeggino e andò a prenderla.

« Torno subito » gli disse, per rassicurarlo.

Non le ci volle molto a trovare lo scaffale giusto. Mentre controllava i prezzi sui vasetti, in cerca della marca più economica, fu distratta dal suono della risata di Dario che si mescolava con un vecchio fado di Amália Rodrigues proveniente dalla radio accesa. Si arrestò, perplessa.

Chi stava facendo ridere in quel modo suo figlio?

Pensò che si trattasse del padrone del minimarket ma, sollevando lo sguardo, lo intravide ancora seduto al proprio posto. Allora Elisa afferrò una maionese a caso e tornò subito dal bambino, aspettandosi di trovarlo con qualche cliente entrato nel frattempo.

Ma Dario era solo.

Si guardò intorno, spaesata. « Tesoro, c'era qualcuno con te? » interrogò il figlio con un sorriso, in modo che la domanda non suonasse come un rimprovero.

« Mi era caduto il telefono per terra e una signora me l'ha ridato » le spiegò lui, mostrandole come prova il cellulare giocattolo tornato fra le sue mani. « E siccome ero un po' triste perché tu non tornavi, lei mi ha fatto il solletico. Ma adesso è andata via » disse, indicando anche la direzione in cui si era allontanata la sconosciuta.

Elisa si avviò verso la fine della corsia, intenzionata a ringraziarla ma anche per vedere chi fosse l'estranea che si era rivolta a suo figlio. Però, quando svoltò l'angolo non trovò nessuna « signora ». Avanzò per cercarla fra le corsie, ma erano deserte.

Tornando da Dario, notò che una porta di servizio che dava sul retro del piccolo supermercato era semplicemente accostata.

Elisa Martins suppose che la donna di cui aveva parlato suo figlio fosse una ladra che si era introdotta da un ingresso secondario, lasciato incautamente aperto. Considerando che era stata gentile con Dario raccogliendo il suo giocattolo preferito dal pavimento e che forse era una poveraccia che, come lei, a volte non aveva i soldi per fare la spesa, decise di non dire nulla al proprietario del negozio.

Quando madre e figlio giunsero finalmente al Jardim da Estrela si erano quasi fatte le undici e la temperatura si era già alzata parecchio. Ogni volta che si recava nel grande parco cittadino, Elisa rammentava quando da piccola suo nonno la portava a visitare il vecchio leone di Paiva Raposo, che stava in una gabbia vicino all'ingresso di Avenida Pedro Álvares Cabral. Se si concentrava bene, dopo tanti anni poteva ancora avvertire la sensazione della sua manina stretta in quella dell'uomo buono che le camminava accanto. Suo nonno odorava di acqua di colonia e di brillantina. Ma era morto prima che lei potesse fargli conoscere Dario, proprio come il vecchio leone.

Nel giardino c'era poca gente. Sicuramente, quelle persone erano arrivate fin lì da varie parti della città per cercare un po' di refrigerio nella giornata di afa. Elisa spingeva il passeggino lungo i viali alberati ma ogni tanto era costretta a fermarsi per sistemare la tracolla della borsa di tela che continuava a scivolarle dalla spalla. Passarono davanti al « chiosco della musica », un antico gazebo in ferro battuto in cui certe sere d'estate si tenevano i concerti di piccole orchestre, e alla giostra dei cavalli che al momento era chiusa.

Madre e figlio erano diretti al laghetto.

Transitando accanto a una fontanella, Elisa riempì d'acqua una bottiglia vuota che si era portata da casa e si bagnò una mano per passarla sulla nuca accaldata di Dario che protestò per l'inaspettata carezza gelata.

Scelsero un posto all'ombra di un platano secolare e, dopo aver liberato il figlio dal passeggino, la ragazza lo guardò correre felice fra gli alberi. Intanto, stese la tovaglia sull'erba e si mise a preparare i panini col prosciutto, le sottilette e la maionese perché presto sarebbe stata ora di pranzo.

Mangiarono tutto ciò che si erano portati appresso e bevvero quasi tutta l'acqua. Regalarono alcune briciole di pane alle anatre e ai cigni che si erano avvicinati attratti dal cibo.

Il resto della mattinata trascorse abbastanza velocemente e, nel pomeriggio, si addormentarono sul prato stretti l'uno all'altra. Quando si risvegliarono, erano passate da poco le quattro. In giro non c'era un'anima, l'aria era immobile e, se non fosse stato per il canto delle cicale, Elisa avrebbe avuto perfino il dubbio che il tempo si fosse arrestato in un unico, lunghissimo attimo silenzioso.

« Guarda, mamma! » disse Dario, indicando qualcosa sull'erba a una decina di metri da loro.

Era un pallone blu, di quelli che costavano pochi soldi. Qualcuno l'aveva dimenticato.

« Posso giocarci? » chiese il bambino.

Elisa si guardò intorno, cercando di capire se chi aveva lasciato lì la palla fosse ancora nei paraggi, in modo da restituirgli ciò che aveva smarrito. Ma non vide nessuno. « Ci giocheremo insieme » annunciò allora, alzandosi e sfilandosi i sandali. « Ti sfido. »

In mancanza di un compagno e, soprattutto, di una figura maschile da affiancare a Dario, ogni tanto lei era costretta a cimentarsi in cose che aveva sempre visto fare ai padri coi figli. Tipo giocare a pallone impersonando di volta in volta questo o quel calciatore famoso.

Elisa Martins non si era mai sentita inferiore a un uomo, anzi aveva ampiamente dimostrato di essere superiore a quel vigliacco che l'aveva messa incinta ed era scappato e che adesso, probabilmente, si stava godendo quella giornata di sole nella piscina della sua bella villa di Setúbal. Però da madre era anche consapevole che probabilmente un figlio maschio avrebbe preferito svolgere alcune attività con un padre.

Per fortuna, Dario era ancora troppo piccolo per capire la differenza. Anche se un giorno l'aveva sorpreso mentre parlava al cellulare giocattolo chiamando il suo interlocutore immaginario *papa*.

« Allora sei pronto? » domandò al figlio, piazzandosi in mezzo a due alberi. « Io sarò il grande portiere Vítor Baía, tu chi vuoi essere? »

« Cristiano Ronaldo » fu la risposta scontata di Dario e s'infilò il cellulare giocattolo nella tasca posteriore del pantaloncino rosso.

Elisa stava per dirgli di separarsene almeno per la durata della partita, ma per una volta evitò di fare la madre e gli risparmiò quel consiglio.

Il bambino non era molto coordinato quando calciava il pallone che, il più delle volte, finiva al lato della porta immaginaria. Però ci metteva tutto l'impegno. I ciuffi di capelli biondi grondavano sudore e le sue guance erano rosse come mele mature: nonostante fosse sfiancato, il suo sorriso radioso diceva che non aveva alcuna voglia di smettere.

Elisa Martins dentro di sé ringraziò e benedisse chiunque aveva lasciato lì quella palla da pochi soldi, perché era da tempo che non vedeva suo figlio così felice.

Quando il finto Cristiano Ronaldo decise di tirare il rigore che avrebbe sancito la vittoria della coppa del Jardim da Estrela, Elisa osservò Dario posizionare il pallone e prendere una lunga rincorsa. Come era ovvio, qualunque fosse stata la direzione della sfera, Vítor Baía l'avrebbe lasciata passare.

Dario scattò, lanciandosi verso la palla blu. Caricò il destro e colpì di punta. Il pallone si sollevò, sfilando sulla sinistra di Elisa con una parabola elegante e precisa. Lei tese le braccia per dare almeno l'impressione di provare a prenderlo ma, anche se ci avesse tentato sul serio, non ci sarebbe riuscita lo stesso, e ciò la riempì di orgoglio perché suo figlio si era appena esibito nel tiro perfetto.

Dario si mise a saltellare e a gridare: « *Gooool!!!* » E lei lo imitò, applaudendolo.

Quando ebbero finito entrambi di esultare, la ragazza si voltò e vide che la palla era finita a cinque o sei metri da lei, vicino alla sponda del laghetto. Si avviò per recuperarla. Percorrendo quel breve tragitto, pensò che quella era proprio una bella giornata e forse se la sarebbero ricordata per sempre e con Dario ne avrebbero parlato ancora per un pezzo, magari anche quando lui fosse diventato adulto e lei vecchia. Ripreso il pallone blu, Elisa Martins tornò a rivolgersi al figlio con una domanda: « Che ne dici se... » Ma la frase le morì in gola e dimenticò subito ciò che stava per chiedergli.

Dario non c'era più.

« Dario » lo chiamò, ad alta voce. Nessuna risposta.

« Dario! » ripeté. Ma anche stavolta non ci fu alcuna replica.

Dove poteva essere finito?

Tornò indietro e cominciò a cercarlo, ma intorno a lei c'era solo un largo spiazzo verde inframmezzato da alberi. Le sembrò assurdo che potesse essersi allontanato tanto e così velocemente da non poterlo vedere. Per quanto tempo gli aveva dato le spalle? Dieci secondi?

« Va bene, hai vinto » disse, pensando che si fosse nascosto dietro uno dei tronchi, ma intanto la disperazione montava in segreto dentro di lei.

Dagli alberi non spuntò alcun bambino.

« Se è uno scherzo, non è divertente » affermò ma, invece che suonare severa, la frase le uscì con il tono stridulo dell'ansia che sta per diventare paura.

Non l'ha mai fatto, si disse mentre perlustrava i dintorni. Il mio Dario non si è mai comportato così. Lui è un bambino ubbidiente.

L'unica spiegazione era che il terreno lo avesse in qualche modo *risucchiato*. Allora, ipotizzando un incidente, si mise a ispezionare l'erba, sicura di trovare una botola o un tombino aperti. Invece non c'era niente di tutto questo.

« Dario! » urlò con tutto il fiato che aveva, tornando verso il laghetto col timore che ci fosse finito dentro. Intanto le lacrime le salivano agli occhi e sentiva che le forze l'abbandonavano.

Non è vero, non sta succedendo veramente, si disse. Soprattutto, non sta accadendo *a me*.

Per un attimo, pensò che fino a quel momento aveva solo immaginato di essere stata la madre di un bellissimo bambino biondo di tre anni di nome Dario. Perché la realtà che aveva davanti agli occhi era molto peggio dell'eventualità di essere sempre stata pazza. Ma Elisa Martins sapeva bene che non avrebbe trovato così facilmente una ragione che la consolasse. E, pur non essendo capace di predire il futuro, capì subito che il suo dolore era appena iniziato.

Mentre il panico la invadeva togliendole il fiato e la voglia di vivere, all'improvviso le tornarono in mente l'ombra nel cortile di casa di quella mattina e la donna misteriosa del minimarket. Quindi abbassò lo sguardo sulla palla blu che stringeva ancora assurdamente fra le mani.

Chiunque l'aveva lasciata lì, l'aveva fatto di proposito. E l'aveva portata al Jardim da Estrela proprio per Dario.

Mentre in un solo istante invecchiava per tutti gli anni che le restavano ancora da vivere, Elisa Martins comprese senza alcun dubbio chi era stato a prendere il suo bambino e il suo telefono cellulare giocattolo.

Perché quel pallone blu era stato un regalo del diavolo.

Ciò che la ragazza non sapeva ancora, ma che avrebbe imparato presto, era che un figlio scomparso era peggio di un figlio morto. Perché almeno coi morti si è sicuri che nessuno può più fargli del male.

E non aveva nemmeno coscienza che la cosa più difficile al momento sarebbe stata tornare da sola nel piccolo appartamento alla Mouraria, spingendo un passeggino vuoto. Un figlio sparito nel nulla l'avrebbe condannata a trascorrere il resto della vita in una casa senza ricordi.

Quelli del passato fanno male. Quelli futuri non hanno alcun senso.

Lo vide passare per strada da dietro ai vetri del caffè Gilli. Con la solita pettinatura arruffata, l'andatura frettolosa e il Burberry stropicciato. Immerso nei propri pensieri. Così distratto da non accorgersi quasi del mondo che lo circondava.

E di lei.

Hanna Hall sapeva già che, da un momento all'altro, Pietro Gerber sarebbe transitato nel suo campo visivo. Aveva ordinato un cappuccino e lo stava aspettando, seduta a uno dei tavolini. Era tornata a Firenze da febbraio, ma non aveva ancora trovato il coraggio di apparirgli. Troppe cose lasciate in sospeso un anno e mezzo prima, troppi sentimenti inesplorati. In tutto quel tempo, si era chiesta più volte cosa provasse realmente. E, soprattutto, se per lui era lo stesso.

Era sparita nell'istante in cui lui forse aveva più bisogno di lei. Bisogno di risposte.

Ma non se l'era sentita di continuare in quel modo, domandandosi se fosse giusto o meno lasciarsi andare completamente a ciò che provavano l'uno per l'altra. Non dopo la verità che lei gli aveva rivelato.

Non dopo la casa delle voci...

Era consapevole di avergli sconvolto l'esistenza, mandando all'aria il suo matrimonio e in frantumi la famiglia. Ma cos'altro poteva fare? Forse avrebbe potuto mantenere il segreto per sempre, ma lui aveva già un conto aperto con il *signor B.* per le menzogne che il padre gli aveva raccontato da quando era bambino.

Le storie non dovrebbero mai rimanere in sospeso, si diceva sempre Hanna Hall. Se accade, continuano a strisciare nell'ombra sotto i nostri piedi. E s'infettano. Le storie non raccontate fino in fondo col tempo diventano tossiche. E avvelenano tutto.

Ma lei non aveva previsto che, raccontandogli una storia sul loro comune passato, potessero innamorarsi l'una dell'altro. Questo proprio no.

Allora, era tornata per capire e per mettere in chiaro con lui quell'aspetto. Aveva preso una stanza d'albergo e si era detta che avrebbe atteso il momento giusto, senza forzarsi. Nel caso non se la fosse sentita, sarebbe andata via e lui non l'avrebbe mai saputo.

Che effetto le avrebbe fatto rivederlo?

Al principio, si era accontentata di guardarlo da lontano. La prima volta che l'aveva visto per strada, diretto allo studio, si era sentita persa. Improvvisamente, era come se le sue energie fossero state prosciugate. Senza rendersene conto, si era messa a piangere. Era felice. Ma, mentre una vocina dentro di lei le diceva di uscire allo scoperto, era accaduta una cosa. Aveva notato in lui un cambiamento. Era avvenuto senza alcun preavviso, in corrispondenza dell'arrivo di un nuovo paziente.

Indossava una tuta bianca, aveva le manette ai polsi, lo scortavano guardie in divisa. Ed era un bambino.

Da quel momento, Pietro Gerber aveva iniziato a trasformarsi: sempre più inquieto, ansioso e preoccupato. Allora lei aveva cercato di capire cosa stesse accadendo. Aveva pensato di avvicinarlo, di chiedergli cosa non andasse. Ma poi, fra mille conflitti, aveva rinunciato ed era tornata a rintanarsi nell'ombra. Anche se una sera, nei pressi di Santa Maria del Fiore, lui si era accorto di lei.

Avevano incrociato i loro sguardi nel riflesso di una vetrina.

Il transito provvidenziale di un gruppetto di preti e suore aveva scongiurato il loro incontro e Hanna era sparita prima che lui potesse rendersi conto di ciò che era appena accaduto per sbaglio.

Le storie non dovrebbero mai rimanere in sospeso, si ripeté di nuovo Hanna Hall. Ma c'era anche un altro motivo che la tratteneva dal rivelare la propria presenza.

Lei non era la sola a seguire Pietro Gerber. C'era anche un uomo.

Se n'era accorta quasi per caso. Dopo essersi imbattuta in lui in almeno tre occasioni consecutive, si era detta che non poteva trattarsi soltanto di una casualità. E che lei e lo sconosciuto avevano certamente qualcosa in comune.

L'addormentatore di bambini.

L'uomo misterioso indossava completi eleganti ed era sempre impeccabile. Forse cercava solo di distogliere l'attenzione della gente dalle vecchie cicatrici che gli ricoprivano interamente le mani, il collo e parte del volto. Bruciature, si era detta subito Hanna. Come se, tanto tempo prima, fosse scampato a un incendio o a un'esplosione.

In realtà, anche Gerber l'aveva visto decine di volte mentre gli passava accanto per strada o quando si recava in un posto. L'aveva incontrato in svariate occasioni, senza riconoscerlo e senza nemmeno domandarsi chi fosse l'estraneo che gli appariva davanti. Ma poi Hanna aveva capito che non lo faceva per distrazione.

Era come se l'uomo con le cicatrici avesse trovato un modo per cancellarsi per sempre dal campo visivo dello psicologo.

Hanna invece l'aveva notato.

E anche adesso lo stava osservando senza che lui lo sapesse. Mentre, a un paio di tavolini da lei, anche lui era impegnato a osservare Gerber che passava per strada fuori dal caffè Gilli.

Hanna era decisa a sfruttare il vantaggio dell'invisibilità per scoprire chi fosse, proprio come faceva lui con Pietro Gerber. Per adesso, l'unica informazione in suo possesso erano le iniziali ricamate sulla camicia perfettamente stirata di quell'uomo.

A.D.V.

E aveva il vezzo di giocherellare con una strana carta da gioco, facendosela passare fra le dita della mano quando era sovrappensiero, come un prestigiatore.

Un omino senza occhi che ammirava una volta stellata.

Gerber girò l'angolo, inconsapevole come sempre. Terminato lo spettacolo, lo sconosciuto si alzò e lasciò cadere sul tavolo una banconota da venti euro per pagare quanto aveva consumato nel frattempo. Nel dirigersi verso l'uscita del locale, transitò davanti a Hanna Hall. Lei abbassò lo sguardo sulla tazza di cappuccino vuota che teneva fra le mani e finse di bere.

Non la degnò nemmeno di un'occhiata.

Lei non aveva contezza di ciò che sarebbe accaduto, né di quale mossa fosse giusto compiere. Sapeva soltanto una cosa.

Le storie non dovrebbero mai rimanere in sospeso, si disse per un'ultima volta.

Nota dell'autore

Le pratiche ipnotiche presenti nella storia sono effettivamente utilizzate nelle terapie, gli effetti prodotti sono esattamente quelli descritti. Durante le ricerche per il romanzo ho potuto beneficiare del contributo e della disponibilità della dottoressa R.V. e del dottor G.F. (che per loro espressa richiesta cito solo con le iniziali): grazie ai loro racconti e alla lunga esperienza maturata in materia, l'addormentatore di bambini è diventato un personaggio reale.

Ringraziamenti

Stefano Mauri, editore, amico. E, insieme a lui, tutti gli editori che mi pubblicano nel mondo.

Fabrizio Cocco, Giuseppe Strazzeri, Raffaella Roncato, Elena Pavanetto, Giuseppe Somenzi, Graziella Cerutti, Alessia Ugolotti, Patrizia Spinato, Ernesto Fanfani, Diana Volonté, Giulia Tonelli, Giacomo Lanaro, Giulia Fossati e la mia cara Cristina Foschini.

Simona Lari per i sorrisi, la gentilezza, la cura.

La mia squadra. Andrew Nurnberg, Sarah Nundy, Barbara Barbieri e le straordinarie collaboratrici dell'agenzia di Londra.

Tiffany Gassouk, Anais Bakobza.

Vito. Ottavio. Achille. Antonio Padovano.

Gianni Antonangeli.

La Setta delle Sette.

Antonio e Fiettina, i miei genitori.

Chiara, mia sorella.

Sara, la mia « eternità presente ».